P9-AOF-140

L'EMPIRE ÉCLATÉ

LA RÉVOLTE DES NATIONS EN U.R.S.S.

DU MEME AUTEUR

a)

Réforme et révolution chez les musulmans de l'Empire russe, Paris, Armand Colin, 1966, 312 p.

History of Central Asia, in Central Asia. — *A Century of Russian rule,* 1867-1976 (Ed. Allworth ed. Columbia University Press 1967, p. 131-266.

L'Union soviétique de Lénine à Staline — 1917-1953, Paris, éd. Richelieu-Bordas, 1972, 446 p.

La Politique soviétique au Moyen-Orient, Paris, Presses de la F.N.S.P., 1975, 328 p.

Bolchevisme et Nation. Des débats théoriques à la consolidation d'un Etat multinational.

Thèse multigraphiée — à paraître.

b) *Ouvrages en collaboration*

Le Marxisme et l'Asie, Paris, A. Colin, 1965, 492 p. (éd. anglaise, Penguin; éd. italienne, Ugo Bozzi; éd. espagnole, Siglo XXI Argentina).

L'U.R.S.S., la Cina et le rivoluzzione nei paesi sottosilvupatti, Milan, Il Saggiatore, 1972, 172 p.

(Ces deux ouvrages ont été écrits en collaboration avec S.R. Schram), collaboration au vol. XVI de la *Fischer Weltgeschichte : Zentralasien.*

HÉLÈNE CARRÈRE D'ENCAUSSE

L'EMPIRE ÉCLATÉ

LA RÉVOLTE DES NATIONS EN U.R.S.S.

FLAMMARION

ISBN : 2-08-064090-9

« Les Uzbeks, comme tous nos peuples, égaux entre les égaux, ont un frère aîné — c'est le grand peuple russe. »

Ch. RACHIDOV — au 25e Congrès du P.C.U.S.
Pravda, 27-2-1976.

« Camarades, on appelle la Géorgie, pays de soleil. Mais, pour nous, le vrai soleil ne s'est pas levé à l'Est, mais au Nord, en Russie; c'est le soleil des idées de Lénine. »

E. CHEVARNADZÉ — au 25e Congrès du P.C.U.S.
Pravda, 27-2-1976.

LES ÉTATS NATIONA

L'U.R.S.S.

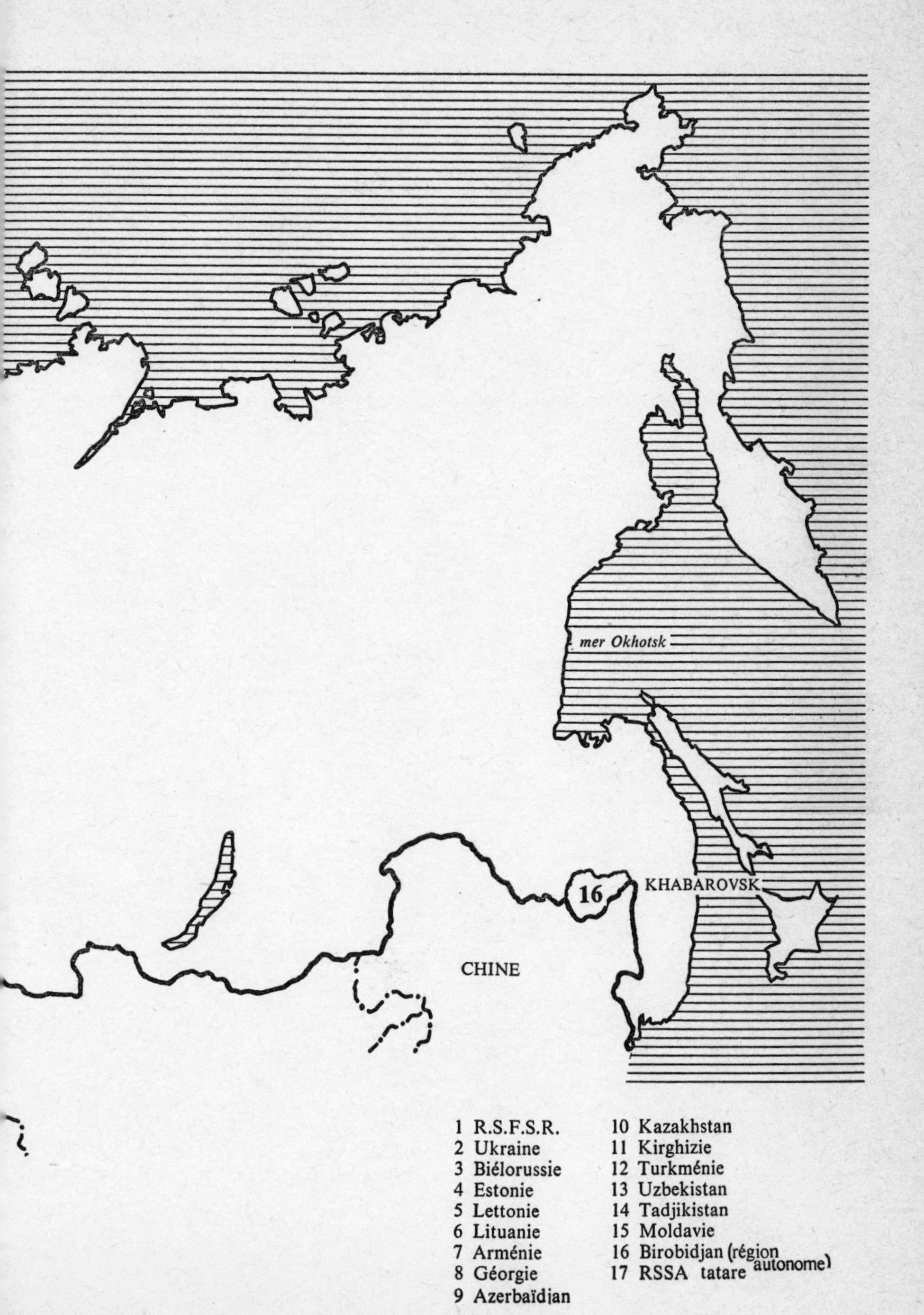

1 R.S.F.S.R.
2 Ukraine
3 Biélorussie
4 Estonie
5 Lettonie
6 Lituanie
7 Arménie
8 Géorgie
9 Azerbaïdjan
10 Kazakhstan
11 Kirghizie
12 Turkménie
13 Uzbekistan
14 Tadjikistan
15 Moldavie
16 Birobidjan (région autonome)
17 RSSA tatare

L'Union soviétique n'est pas un *pays* semblable aux autres. C'est presque un continent où se rencontrent l'Europe et l'Asie. L'Union soviétique n'est pas un *Etat* semblable aux autres. C'est presque un Empire, dans un monde où les empires se sont évanouis. Ce n'est pas, enfin, un Etat conforme à sa légende. Pour la légende, c'est l'Etat des travailleurs, ouvriers et paysans. Mais la vérité veut que ce soit, d'abord, un Etat des *nations*.

Plus de cent nations et nationalités [1] y vivent, qui parlent plus de cent langues différentes et que tout sépare : l'histoire, les races, les traditions, les croyances. Le peuple soviétique est un peuple bigarré, multiple, qui mêle des hommes aussi dissemblables que possible par le physique et la culture. Il est tout à la fois le Balte des marches de l'Europe; l'Uighur des marches de la Chine; le Russe qui a subi leurs influences opposées; le Géorgien méridional; l'Eskimo du Grand Nord, ou encore le nomade de la steppe kazakhe; et tant d'autres. Une histoire tourmentée, faite d'invasions, de luttes et de patientes reconquêtes, a façonné au cours des siècles ce peuple indéfinissable et qui, d'un lieu à l'autre, jamais ne se ressemble. On comprend l'histoire quand on regarde l'espace. Sur ce continent ouvert de tous côtés, infini, les conquérants se sont engouffrés, et parfois comme Tamerlan le Boiteux, ils dorment ici de leur dernier sommeil. Ils ont apporté avec eux leurs habitudes, leurs religions, leurs idées.

Aujourd'hui, les descendants des conquérants et de ceux qui ont été conquis, vivent ensemble d'une même vie. Tous ils sont, d'après leurs passeports [2], des citoyens soviétiques, des enfants de la révolution ouvrière de 1917. Comment un Etat, né d'une révolution de la classe ouvrière, porteur d'une idéologie selon laquelle les hommes sont tous semblables face au travail et au capital, et s'intègrent tous dans des classes sociales, a-t-il pu conserver dans ses frontières tous ces hommes d'origines diverses et les faire cohabiter en paix? L'idéologie marxiste qui affirme l'uniformité humaine, a-t-elle eu raison de la diversité de la société où, pour la première fois dans l'histoire, elle a pris racine en accédant au pouvoir? En d'autres termes : l'Etat soviétique est-il un Etat des travailleurs? Ou bien perpétue-t-il un Empire? Le marxisme a-t-il atteint son but, façonné une société humaine nouvelle qui, dépassant ses différences, a reconnu sa communauté de destin? Ou bien est-ce, au contraire, la diversité des nations, la diversité des héritages historiques et des mentalités qui ont eu raison d'une idéologie et d'un pouvoir pour qui, seuls, existent les travailleurs, fraternels par-delà les frontières et les différences d'ethnies et de civilisation?

L'Etat soviétique a derrière lui une existence assez longue pour que l'on puisse désormais dresser des bilans. Il a déjà éduqué deux générations qui n'ont rien connu en dehors de lui. Il a donc eu le loisir de former les hommes à ses idées. Ce sont ces hommes-là qu'il faut interroger, considérer, pour savoir s'ils sont en train d'édifier un monde nouveau, ou bien si, en dépit de la rupture radicale de 1917 et des temps qui ont suivi, ils font de l'U.R.S.S. une société semblable à celle que leurs pères ont connue. Une société où la différence des nations prévaut toujours sur l'uniformité des idées.

CHAPITRE PREMIER

QUAND LA « PRISON DES PEUPLES » S'EST OUVERTE

L'Empire des tsars était une « prison des peuples » et Lénine l'a ouverte. Ainsi s'écrit l'histoire. Mais l'histoire n'est jamais aussi simple. L'Empire montre des signes de faiblesse dès le début du XXe siècle, parce qu'alors tous les peuples dominés commencent à ressentir leur domination et méditent aux moyens d'y échapper. Le génie de Lénine, c'est d'avoir saisi l'ampleur de ces volontés d'émancipation. C'est aussi d'avoir compris que grâce à ces volontés d'émancipation, qui n'avaient rien à faire avec la classe ouvrière, il allait pouvoir assurer le triomphe des ouvriers dans son pays. La classe ouvrière russe était peu nombreuse, à peine 3 millions d'hommes pour une société de 140 millions d'individus. Mais Lénine voulait passionnément faire la révolution, et il voulait la faire quand, pensait-il, les circonstances s'y prêtaient, et non attendre qu'elle vienne d'elle-même, avec le temps. C'est pourquoi, dans le tumulte de la guerre qui déchirait l'Europe, il a jeté dans la bataille de la révolution, aux côtés de la petite armée des ouvriers russes, les contingents innombrables des nationalités avides de liberté. A l'appel classique des marxistes : « Prolétaires de tous les pays, unissez-vous », il en a ajouté un autre, combien plus puissant, et qui retentit encore aujourd'hui : « Peuples dominés, soulevez-vous. » Au vrai, le destin des peuples qu'il appelle ainsi à la révolte indiffère à Lénine [1]. Ce sont des auxiliaires pour *sa* révolution qu'il manipule ainsi. Mais l'histoire joue d'étranges tours à ceux qui veulent lui faire violence. Les peuples dominés ont entendu l'appel de Lénine. L'Empire russe, déjà ébranlé par la guerre, sombre dans le chaos des forces qu'il a ainsi déclenchées. Et des ruines de ce qui, peu auparavant, était un empire puissant, émerge l'Etat des soviets, le premier succès de la révolution. Peu importe à Lénine que l'Etat des soviets se confonde avec la Russie, tandis que dans les anciennes possessions russes, des gouvernements indépendants, soviétiques ou antisoviétiques, s'installent. L'espace des soviets est encore restreint, mais Lénine pense qu'il va rapidement l'étendre à l'Europe. La Russie aux dimensions d'un continent n'existe plus; mais la révolution va embraser un autre continent, l'Europe, car là est sa vocation. Pendant trois ans, indifférent aux soubresauts qui agitent les peuples jadis liés à la Russie, Lénine, guetteur infatigable de la révolution, attend que les ouvriers européens rejoignent et agrandissent l'Etat des soviets. En 1920, après une série de révolutions manquées à travers l'Europe, il doit admettre la vérité. Les prolétaires européens ont été sourds à ses appels, et la révolution reste confinée en Russie. C'est une révolution dans *un seul pays,* un pays territorialement et humainement réduit, coupé de ses arrières économiques, incapable de survivre ainsi. Que faire pour sauver la révolution? Pour réussir, une révolution doit sortir du cadre d'un pays et recouvrir un grand espace. Comme Marx et tous ceux qui lui ont succédé, Lénine croit profondément que la révolution pour vivre doit être mondiale, ou bien qu'elle est condamnée à disparaître. Si l'on ne peut l'étendre à l'Europe, ne peut-on profiter du dynamisme des peuples dominés qui a assuré le triomphe de la révolution russe? Et se tourner vers les pays coloniaux en renouvelant l'appel au soulèvement des nations? Lénine y a songé. Il a même réuni en septembre 1920 à Bakou, sous les auspices du Komintern, un Congrès des peuples dominés de l'Orient pour y débattre des voies d'une révolution qui serait à la fois coloniale et sociale. Et qui, en s'étendant à l'Orient, sauverait la révolution russe de la solitude et de la défaite. Mais le congrès de Bakou [2] a eu finalement une tout autre conclusion. Confrontés là, pour la première fois, à la révolution orientale telle que la conçoivent les *nationaux communistes* ou les *communistes nationaux* de l'Orient, et d'abord de l'ancien Empire des tsars, les chefs du Komintern ont été pris de panique. Ce qu'ils découvrent à Bakou, en l'espace de quelques journées dramatiques, c'est que les peuples dominés ou anciennement dominés, que Lénine a utilisés pour assurer le succès de la révolution, ne veulent plus être des instruments des bolcheviks, des auxiliaires de la révolution européenne, mais qu'ils entendent être maîtres de leur destin, et agir pour leur propre compte. Plus encore, par la voix d'anciens sujets de l'Empire russe, des hommes obscurs dont les chefs du mouvement ouvrier européen n'ont jamais entendu parler, des Kazakhs ou des Uzbeks sortis de la lointaine Asie centrale, le Komintern entend proférer d'étranges et inquiétants propos. Ces hommes — Narbutabekov, Ryskulov et quelques autres que Staline tuera quinze ans plus tard — entendent parler aux Européens au nom des peuples dominés. Ce qu'ils disent? Que la révolution n'est pas *unique,* et qu'elle ne doit pas être tout entière au service de l'Europe et de son prolétariat. Qu'il existe un monde des peuples asservis par l'Europe; que ces peuples craignent d'être asservis à la révolution de l'Europe, comme ils ont été asservis à son impérialisme. Que la révolution et le marxisme signifient pour ces peuples, émancipation nationale et non lutte des classes. A Bakou, l'Europe du prolétariat voit se dresser en face d'elle, voire contre elle, un monde non européen qui, au nom des idées de Lénine, affirme que révolution en Europe et hors d'Europe ne se confondent pas; que l'émancipation globale des peuples dominés est leur propre révolution. Dans un futur proche, d'autre voix s'élèveront dans le monde des nations opprimées pour dire la même chose. La plus illustre sera celle de Mao Tsé-Toung. Mais, en 1920 à Bakou, nul n'a encore entendu parler de lui. Et les idées « tiers-mondistes » avancées par des Turkestanais inconnus confrontent les bolcheviks à une réalité et à un dilemme imprévus. Pousser à la révolution en Orient, c'est créer des Etats soviétiques sans doute, mais nullement étendre la révolution. C'est, au contraire, opposer à une Russie qui se veut avant-garde de la révolution européenne, des révolutions qui seront anti-européennes, revendicatives envers le mouvement ouvrier européen. Deux conceptions de la révolution se dégagent à Bakou. Celle de Marx et Lénine, la révolution du prolétariat mondial, fraternel, sans frontière. La révolution des nations opprimées qui ne veulent connaître que des nations opprimées et pour qui le prolétariat européen est d'abord européen, et donc oppresseur. D'un côté, une internationale des prolétaires. De l'autre, une internationale des nations opprimées. Lénine ne peut pas, ne veut pas courir le risque d'une telle déformation de l'idée révolutionnaire à laquelle il a lié sa vie. C'est pourquoi, ayant entrevu la possibilité et, pense-t-il, les périls des révolutions « coloniales », il leur tourne délibérément le dos. Et il décide de sauver ce qu'il peut, la révolution là où il l'a faite, dans un seul pays, en Russie.

En septembre 1920, le cycle révolutionnaire ouvert à Petrograd trois ans plus tôt, prend fin. Les bolcheviks ont cessé d'attendre des révolutions qui, en Europe, tardent à venir, et ailleurs, leur paraissent plus dangereuses que souhaitables. Leur tâche désormais, c'est de donner vie à l'Etat des soviets, de lui donner les moyens d'exister dans un monde qui ne l'accepte pas. Mais cet Etat, tel qu'il est, n'est pas viable. Il lui manque l'espace, un espace qui puisse le protéger. Il lui manque le blé et le fer de l'Ukraine [3]. Et le pétrole du Caucase.

Et le coton de l'Asie centrale. Les bolcheviks ont, dès 1917, commencé à nouer des liens normaux avec les nations organisées en républiques indépendantes. En 1920, ils comprennent que pour survivre il faut transformer ces relations normales de bon voisinage en relations contractuelles, puis en revenir à l'unité perdue en 1917. Comment y parvenir? Comment « récupérer » les nations émancipées, sans reconstituer pour autant la « prison des peuples »? Plus que Lénine, occupé par le gouvernement de la Russie et plus tard écarté par la maladie, c'est Staline, le spécialiste des questions nationales [4] qui va être le véritable maître d'œuvre de la reconstruction d'un Etat soviétique multi-ethnique où se retrouveront progressivement, côte à côte, ceux qui étaient jadis membres de l'Empire.

Des nations dispersées à l'Union des nations

A contempler en 1920 ce qui fut l'Empire, on est saisi d'étonnement devant le kaléidoscope qui défile. Pour certaines nations, l'indépendance gagnée dans la révolution est un fait acquis et durable. Grâce avant tout au soutien qui leur vient de l'extérieur. Tel est le cas de la périphérie occidentale de l'Etat soviétique avec la Finlande, les Etats baltes et, consolidée par la guerre qui vient de s'achever, de la Pologne. A ces pays, il faut ajouter provisoirement au Caucase, la Géorgie menchevique [5].

Ailleurs, des républiques soviétiques indépendantes sont moins sûres de leur statut, parce qu'elles sont sans appuis extérieurs, ou parce que ceux-ci leur font soudain défaut. Il en va ainsi de l'Ukraine, de la Biélorussie, de l'Azerbaïdjan, de l'Arménie, de la république d'Extrême-Orient, de Boukhara et de Khiva. Enfin, avec la fin de la guerre civile et de l'intervention étrangère, le pouvoir soviétique a étendu son aire d'autorité, au-delà de la Russie proprement dite, à des territoires peuplés d'allogènes qui ont un statut particulier, jouissant en général d'une autonomie limitée aux problèmes d'intérêt local.

Comment faire de cet ensemble si hétérogène un Etat viable et gouvernable? Comment y rattacher les républiques soviétiques indépendantes? En réduisant progressivement leur indépendance. En 1920-1921, l'Etat soviétique constitué en république fédérative de Russie va signer avec toutes les républiques soviétiques voisines des traités bilatéraux, créant entre les parties contractantes des liens économiques et militaires étroits, et définissant des domaines d'action communs à l'intérieur de *Commissariats,* placés sous l'autorité de la république de Russie. Ces traités sont, en droit, des accords entre égaux; mais parmi ces égaux, il en est un qui devient, de fait, pour reprendre le mot d'Orwell, « plus égal que les autres » : la Russie. Ce déséquilibre est particulièrement évident dans le domaine militaire où il consacre l'unité militaire déjà réalisée par l'Armée rouge, et dans la pratique diplomatique. Dans ce dernier domaine, le droit et le fait vont diverger très tôt. Si, en droit, chaque Etat conserve son organisation propre, en pratique, seule l'Ukraine gardera quelques temps encore des représentations diplomatiques particulières. Et le monde extérieur tient ces différences d'organisation pour des fictions. On le voit en 1921, à la signature du traité de Riga où les républiques ne sont qu'à peine représentées. On le voit surtout de manière éclatante en 1922 à la conférence de Gênes, où la R.S.F.S.R. est seule invitée et parle au nom de ses partenaires. L'Ukraine ressent alors, et le manifeste nettement, qu'il s'agit là d'un abandon de souveraineté, lourd de conséquences.

En même temps que s'accomplit ce rapprochement qui comporte déjà des éléments d'intégration, le sort de la Géorgie va être scellé. République dirigée par des mencheviks, la Géorgie est saluée par les socialistes occidentaux comme la patrie du « vrai » socialisme. Elle est ainsi un défi aux bolcheviks qui ont chez eux rompu avec le menchevisme. Elle apparaît de surcroît, à des confins stratégiquement importants, comme un poste avancé de l'Entente. Cette situation est intolérable aux bolcheviks en 1921. Staline s'exprime ici sans retenue : l'autodétermination offerte aux nations en 1917 est une phase dépassée. L'heure est à l'union et ceci doit s'appliquer à la Géorgie. Parce qu'elle semble viable et irréductible, la Géorgie indépendante est astreinte à une union forcée, processus que Lénine avait toujours condamné. En février 1921, l'Armée rouge envahit la Géorgie. Sans doute Lénine recommande-t-il aux bolcheviks qui sont au Caucase d'être conciliants avec les mencheviks, et de manière générale avec l'intelligentsia nationale. Mais il veut avant tout limiter les conséquences de la reconquête militaire à l'intérieur, et ménager l'opinion internationale. Sur le fond, il n'a apparemment pas de doutes sur la nécessité d'une telle opération. Le 21 mai 1921, la Géorgie, dirigée cette fois par des bolcheviks, est prête, comme les autres républiques, à signer un traité d'alliance avec la R.S.F.S.R.

Grâce aux traités bilatéraux, les nations de l'ancien Empire, un temps dispersées, sont dès 1921 unies par un ensemble de liens contractuels qui assurent une certaine communauté d'action. Pourtant, ces liens ne suffisent pas à créer une communauté d'esprit qui dépasse les différences ressenties par chaque nation. Tout au contraire, à l'intérieur du Parti communiste et hors du parti, sur le terrain, des cadres nationaux, des élites nationales se dressent contre la politique poursuivie par les dirigeants de la R.S.F.S.R. Ils dénoncent de plus en plus fortement une politique dominatrice qui se cache selon eux derrière le drapeau de l'internationalisme, et tendent à assimiler dans leur accusation l'Etat des soviets à l'Etat impérial auquel il s'est substitué. Pour les bolcheviks, il ne fait pas de doute que la situation transitoire instaurée à partir de 1920 — des Etats nationaux indépendants liés par une infinité de dispositions à la R.S.F.S.R. — favorise toutes les rancœurs et leur interdit de construire une nation nouvelle, cimentée par l'idéal social dont ils se réclament.

C'est pourquoi, en 1922, les bolcheviks passent au second stade de l'organisation nationale de leur état, en mettant sur pied un projet de fédération incluant toutes les nations. La fédération, c'est, pour Lénine, une concession considérable. Jusqu'en 1917, il a été un adversaire constant des solutions fédérales qui perpétuent, disait-il, les différences nationales. Mais, dès 1917, constatant l'ampleur des mouvements centrifuges dans l'ancien Empire, il a commencé à réviser ses positions. Pour ne pas affaiblir la Russie à l'excès, il admet que les nations qui ne veulent pas se séparer d'elle peuvent être organisées selon le principe fédéral. Si, entre 1918 et 1921, seules les nations enclavées en Russie sont touchées par cette révision, à partir de 1922 l'idée est étendue à toutes les anciennes possessions. C'est l'organisation fédérale qui garantira l'égalité entre nation russe et nations non russes et fera toute la différence entre la « prison des peuples » et l'égalitarisme soviétique. Pourtant, les volontés des bolcheviks ne sont pas unanimes quant à la manière de concevoir la fédération [6]. Chargé de rapporter le projet constitutionnel, Staline a, sur ce point, une idée précise. La fédération soviétique doit avoir pour modèle la R.S.F.S.R., avant de constituer elle-même un modèle pour la fédération mondiale des Etats socialistes de l'avenir. En prenant la R.S.F.S.R. comme modèle, Staline dévoile sa conception de la fédération. La république fédérative de Russie, organisée par la Constitution de 1918, regroupe sans doute huit républiques autonomes et treize régions autonomes, mais elle est caractérisée par un fort degré de centralisation et une quasi-inexistence d'organes locaux compétents. Le degré de centralisation est tel dans la R.S.F.S.R., au moyen du Parti et du Conseil des Commissaires du peuple, qu'un délégué au 8e Congrès du Parti (mars 1919) déclarait : « En Angleterre, il y a un dicton : le Parlement peut tout, sauf transformer une femme en homme. Chez nous, le Conseil des Commissaires du peuple fait tout et pourrait même, semble-t-il, transformer une femme en homme. »

Proposer dans ces conditions la R.S.F.S.R. comme prototype de la fédération, c'est prôner une centralisation étendue à un espace différent. Lénine ne proposait-il pas la même conception de la fédération en 1918, lorsqu'il disait : « L'exemple de la République soviétique russe montre que la fédération que nous construisons sera un pas en avant vers l'unité des différentes nationalités de la Russie, dans un Etat soviétique unique, démocratique et centralisé. »

Quand les bolcheviks parlent de fédération au début des années 20, ils ont, semble-t-il, dans l'esprit, un projet clair : une organisation des nations qui maintienne un certain degré d'identité nationale, mais corrigée par des institutions centralisées qui assureraient la cohésion de l'ensemble. Cette vision assez simple et communément acceptée, explique que Staline ait une place prépondérante dans la commission créée le 10 août 1922 et chargée d'élaborer la constitution de la fédération. Ceci explique aussi que le projet rédigé personnellement par Staline reproduise le modèle de la R.S.F.S.R. [7]. La fédération doit se faire par adhésion des républiques encore indépendantes à la R.S.F.S.R. En entrant dans la R.S.F.S.R., les républiques y jouiront d'un statut *d'autonomie* (et non de souveraineté) et accepteront comme organes de pouvoir fédéraux ceux de la R.S.F.S.R. Il s'agit donc clairement d'une extension géographique de la république de Russie et non d'un Etat nouveau.

La révision léniniste et l'élaboration d'un véritable projet fédéral

Envoyé aux comités centraux des partis communistes républicains, le projet de Staline rencontre l'adhésion des plus dociles (en Azerbaïdjan et Arménie), mais provoque une critique feutrée en Ukraine où l'on s'accroche au maintien des relations bilatérales, et l'opposition ouverte de la Géorgie [8]. La crise avec les dirigeants communistes géorgiens sera d'autant plus vive que les traités bilatéraux régissent encore les relations entre la R.S.F.S.R. et ses alliés. Quand Staline annonce froidement aux dirigeants géorgiens que les décisions prises par les instances suprêmes de la R.S.F.S.R. doivent être appliquées sans discussion dans les républiques indépendantes, les Géorgiens ont l'impression d'être revenus à l'époque des relations de force; ils vont montrer qu'ils sont décidés à défendre, par tous les moyens, leur indépendance. L'opposition géorgienne, les hésitations ukrainiennes ne suffisent pas à freiner le projet que la commission constitutionnelle, dans laquelle Staline compte une majorité de partisans, adopte. Mais ce projet va être condamné quand Lénine en prendra connaissance.

A l'automne 1922, Lénine est déjà un grand malade. A la fin de 1921, épuisé, il doit pour plusieurs semaines s'éloigner de la vie publique. Quand il revient, sa capacité de travail est réduite et son état s'aggrave sans cesse. Le 25 mai 1922, il est atteint au fond de lui-même par une crise foudroyante. Le côté droit paralysé, privé un temps de la parole, il doit attendre l'automne pour reprendre son travail, et encore il n'est plus, il ne sera plus jamais que l'ombre du lutteur qui a soulevé la Russie. Ceux qui le verront au 4e Congrès du Komintern en novembre 1922, un mois avant qu'une nouvelle attaque l'écarte à tout jamais de la politique, seront bouleversés du changement survenu en lui. Mais dans les dernières semaines d'une vie active qui se ralentit, la question nationale sera l'un de ses soucis majeurs et il entrevoit les problèmes à venir avec lucidité et désespoir. Convalescent, il se fait communiquer tardivement le projet constitutionnel, et il en est effaré. D'une part, il sait les oppositions qu'il soulève; et il comprend que loin de contribuer au progrès de l'internationalisme, ce projet approfondit les passions nationales. Par ailleurs, Lénine reste, comme il l'a été toute sa vie, attaché à une vision internationaliste de l'Etat soviétique. Ce qu'il veut, c'est aboutir au dépassement des nations dans une communauté nouvelle, et non cristalliser les nationalismes. Enfin, la révolution et les années qui ont suivi lui ont montré de manière irréfutable que la conscience sociale évoluait à son propre rythme, selon des lois propres et non par la force et par des institutions étrangères à ses aspirations.

En quatre ans, Lénine, le volontariste, a découvert que la volonté nue d'un parti, fût-il le parti de l'avant-garde du prolétariat, ne suffisait pas à changer les mentalités. Les circonstances avaient un temps favorisé cette volonté et lui avaient permis de tirer avantage du chaos pour faire la révolution. Mais une fois la révolution faite, les bolcheviks et l'Etat qu'ils avaient fondé, se trouvaient très en avant d'une conscience sociale qui aspirait à la terre, à la paix civile et à une indépendance nationale. Dès 1921, Lénine entrevoit que seule une longue pédagogie modifiera les mentalités. Et que la conscience nationale requiert pour être changée en conscience internationale, beaucoup de temps, beaucoup de confiance, beaucoup de tact. Face à cette vision essentiellement pédagogique du changement, que la maladie et le recul ont certainement contribué à approfondir, le projet volontariste de Staline lui fait l'effet d'une bombe. Les oppositions qu'on lui rapporte confirment à Lénine qu'il faut compter avec les mentalités et non les bousculer, sous peine de figer les différences nationales. C'est pourquoi, Lénine va s'opposer de toutes les forces dont il dispose encore à ce projet qui « verse de l'eau, écrit-il, au moulin des indépendantistes ». Ce qu'il reproche à Staline, c'est « d'être trop pressé », de vouloir ignorer les sentiments réels des hommes.

A cette construction, il en oppose une autre qui ménage les susceptibilités nationales. L'Etat des soviets sera une nouvelle construction qui unira sur un pied d'*égalité* toutes les républiques, la République russe comme les autres. L'*Egalité,* c'est alors le maître mot de la pensée léniniste. Les différences nationales, les rancœurs ne peuvent être abolies que par une égalité qui garantit à chaque nation que plus rien ne subsiste de la domination antérieure, fondée sur l'inégalité. On voit ici comment les événements ont mûri la pensée de Lénine depuis 1918. Fidèle à lui-même, il ne se bat jamais contre l'obstacle qu'il découvre, mais s'efforce de le contourner. En 1922, cet obstacle, c'est la différence entre les nations. C'est pourquoi il y attache tant d'importance, car il sait que le choix immédiat déterminera toutes les relations futures des nations soviétiques. Plus encore, ce choix déterminera les révolutions de l'avenir dans la mesure où, la révolution étant partout en recul, l'Etat soviétique reste seul dans le monde à offrir un modèle à ceux qui aspirent aux révolutions.

Que le problème est crucial, Lénine n'est pas seul à le penser. Staline, qui jusqu'alors a joué les seconds fidèles, entre en rébellion. S'adressant aux membres du Bureau politique, il critique les positions de Lénine et l'accuse de « libéralisme national ». Mais cette révolte est brève. Constatant qu'il ne sera pas suivi, Staline se soumet et rédige un nouveau projet conforme aux vœux de Lénine, qu'il diffuse comme si sa rédaction n'était en rien l'aboutissement d'un grave conflit [9]. Le projet ainsi corrigé est adopté par les partis communistes nationaux, à l'exception des Géorgiens qui se battent pied à pied pour obtenir que leur entrée dans la fédération soit faite sur la base d'une égalité réelle [10].

Leur combat se confond avec celui qui va soudain opposer, et de manière définitive, Lénine à Staline. Ce dernier a cédé sur l'organisation juridique de la fédération, mais il n'entend pas céder sur la manière concrète de la réaliser. Dans le conflit qui va, jusqu'à la fin, l'opposer à Staline, conflit portant sur l'application *réelle* du principe égalitaire entre nations, Lénine auquel la maladie donne une sensibilité suraiguë, découvre le vrai type de relations qui s'est instauré entre le centre et les républiques. Il s'agit bel et bien d'une domination et du chauvinisme russe. C'est alors que Lénine perçoit l'ampleur de l'échec qui s'annonce. Ses collaborateurs les plus proches sont corrompus par le pouvoir; son parti devient une maffia; partout les chauvinismes renaissent encouragés par l'insolence du plus puissant de tous, le chauvinisme russe. Dans les dernières semaines qui lui restent avant qu'une nouvelle attaque ne le coupe totalement du monde des vivants, il rédige un texte dont le ton montre combien il est lucide quant à la gravité du problème national, et désespéré quant aux moyens de le résoudre. Son texte est d'abord un aveu : « Je suis gravement coupable devant les ouvriers de Russie de ne pas m'être occupé avec assez d'énergie de la fameuse question de *l'autonomisation,* officiellement appelée Union des républiques socialistes soviétiques. » Pourtant, ce texte est écrit le 30 décembre 1922, alors que le projet constitutionnel adopté a vu triompher ses idées. Pourquoi alors se sent-il coupable? Il se sent coupable car il est conscient de l'ambiguïté de la situation qu'il laisse derrière lui [11].

Le 30 décembre 1922, le 3e Congrès des soviets de l'U.R.S.S. a adopté le traité sur la formation de l'U.R.S.S. conclu entre la R.S.F.S.R. et les républiques socialistes soviétiques d'Ukraine et de Biélorussie, et enfin la république fédérative de Transcaucasie imposée de force aux Géorgiens. Ce traité fixe les dispositions fondamentales qui deviendront la constitution soviétique de 1924. La fédération qui naît est bien cette nouvelle communauté juridique voulue par Lénine dont les institutions sont spécifiques, différentes de celles de la R.S.F.S.R.

Mais Lénine voit clairement que les dispositions de droit sont insuffisantes à contrebalancer le poids du réel. Et cette distorsion entre le *Droit* et le *Fait,* Staline aussi l'avait comprise, et c'est pourquoi il avait si facilement, après un accès de mauvaise humeur, transformé son projet d'autonomie en projet fédéral. Pour Staline, la réalité est aisée à déchiffrer. La prééminence de la R.S.F.S.R. — humaine, politique — est indéniable. Sa capacité à contrôler à travers diverses institutions — parti, organes économiques, armée — les formations territoriales nationales est évidente. Sans doute Staline a-t-il pensé que la situation de droit idéale, serait celle qui refléterait cette réalité; de là son projet d'autonomisation. Mais contraint par Lénine à y renoncer, il le fait sans renâcler à l'excès, car il croit fermement — et l'avenir prouvera qu'il a raison — que le *Fait* prévaut sur le *Droit.* Que la fédération soit ou non égalitaire, qu'importe; la R.S.F.S.R. en sera le cœur. Cette conséquence inéluctable du déséquilibre entre le réel et le droit proclamé, Lénine en est conscient. Mais il l'attribue à une cause précise, « ce produit cent pour cent russe, le chauvinisme grand-russien qui caractérise le bureaucrate russe ». Et ce bureaucrate russe perce, Lénine le sent, sous le communiste. C'est pourquoi il ne croit guère aux vertus des textes juridiques car, écrit-il, la solution trouvée « réduit la liberté de sortir de l'union qui est notre justification, à un chiffon de papier ».

Dans ce dernier combat contre Staline, qu'il perd (car il n'obtiendra pas la disgrâce de Staline qu'il recommande; Trotsky, qu'il charge à sa place et avec ses dossiers de défendre les nations, ne s'en soucie guère), Lénine a pris la mesure du problème national, de sa profondeur et de son échec. Mais, a-t-il changé fondamentalement ses vues? Nullement. Son but ultime reste la disparition des nations, au profit d'une nouvelle communauté humaine unie par la solidarité de classes. Seules, les méthodes et le rythme ont changé. C'est par l'éducation, par l'égalité des droits, par la confiance, avec du temps qu'il espère atteindre à cette nouvelle communauté. Le volontarisme fait place à l'attention portée à la réalité, et la précipitation à une longue patience. La lucidité, dès lors qu'il s'agit de voir la profondeur de la conscience nationale, contredit la fidélité obstinée à une vision finale d'où le problème national est évacué. Cette contradiction explique que les dernières directives de Lénine n'ouvrent que sur des impasses.

La dialectique de l'égalité et du contrôle

La construction soviétique, mise en place à partir de 1922, se disait dans le Pacte de décembre 1922, *Etat fédératif*. Mais ce même pacte mettait avant tout l'accent sur ce qui était *commun*, les compétences, les institutions, et reléguait à l'arrière-plan ce qui était proprement républicain [12]. Pourtant, l'égalité des peuples, affirmée dans la Déclaration d'union adoptée en même temps et qui constitue l'un des deux éléments de la loi fondamentale de l'U.R.S.S., n'était pas uniquement un mot creux. La volonté égalitaire marque, à cette époque, l'idéologie soviétique des relations entre nations. Et si Lénine et Staline ne s'entendent guère sur l'égalité politique, Staline en fera néanmoins un ressort de la politique nationale de l'U.R.S.S. Comme Lénine, il sait que la solution du problème national passe par l'apaisement, ce qui implique que des concessions soient faites aux nations incorporées à l'U.R.S.S. Si la solution politique de Staline est foncièrement centraliste, elle s'inscrit dans un contexte idéologique égalitaire et dans une série de dispositions destinées à prouver que l'U.R.S.S. repose sur l'égalité entre les nations.

L'idéologie égalitaire est consacrée par le droit constitutionnel. La fédération fait place aux statuts les plus compliqués qui répondent en principe aux situations les plus différentes. Des *nations* sont organisées en Etats souverains : les républiques fédérées. Des nations plus petites ou bien celles qui ne rassemblent pas toutes les conditions nécessaires à la souveraineté ont cependant un cadre étatique mais non souverain : la république autonome. Enfin, des *nationalités,* formations ethniques moins élaborées que les nations, voire des groupes ethnographiques, bénéficent aussi d'une reconnaissance de leur spécificité culturelle, et disposent d'une organisation territorialo-nationale — régions autonomes, districts nationaux — qui leur garantit des droits culturels propres. L'organisation interne de l'Etat soviétique reflète donc la complexité ethnique de la société, et l'existence au sein de cette société de formations humaines, dont le développement politique et culturel est loin d'être uniforme. Les républiques sont *en droit* égales, unies par leur seule volonté de vivre ensemble, libres à tout moment de se séparer. Si nul ne s'avise alors de mettre à l'épreuve le droit à la sécession — l'expérience géorgienne a montré que l'union était un impératif catégorique — l'égalité des nations a néanmoins un contenu politique et culturel.

Contenu politique par le mot d'ordre d'*indigénéisation* des cadres partout et à tous les niveaux [13]. Les républiques nationales doivent prendre en main leur destinée et pour cela être dirigées par leurs propres cadres. Le Parti communiste impose à toute l'Union cette ligne d'action. Il l'impose à la fois pour combattre les rancœurs nationales et parce que c'est une nécessité. La révolution a privé la Russie de son ancienne élite. L'Etat soviétique ne peut, avec l'aide des seuls cadres russes nouvellement promus, diriger et faire évoluer cet immense ensemble. La pénurie de cadres russes s'ajoute aux difficultés politiques et invite les successeurs de Lénine à suivre la voie qu'il avait tracée. Au demeurant, ce n'est pas une voie simple. Les républiques périphériques et les formations autonomes situées dans la R.S.F.S.R., connaissent les mêmes difficultés d'encadrement que la Russie. Où trouver des cadres pour le Parti, pour l'administration, pour l'enseignement, pour l'économie [14]? Le choix est étroit. Les communistes de longue date sont peu nombreux. Restent les anciennes élites nationales, ou bien des paysans à peine lettrés, peu familiers avec le bolchevisme et ses desseins. Les nouvelles élites qui vont assurer le fonctionnement des institutions et l'encadrement de la société regroupent ces trois éléments. Si, en Russie, la classe ouvrière, même peu nombreuse, décimée par la guerre civile, peut encore fournir tant bien que mal les cadres nécessaires, dans les Etats nationaux le nouveau régime accueille dans ses rangs tous ceux qui veulent bien l'aider. Mais cette politique d'indigénéisation à outrance a deux conséquences : elle exige une promotion des cultures nationales, et le contrôle constant des cadres d'origines diverses. La promotion des cultures nationales est, sans aucun doute, l'aspect le plus original et fascinant de la politique soviétique de cette période. Ici encore, l'idéologie et la nécessité se sont combinées pour conduire à un tel choix.

L'U.R.S.S. des années 20 reste marquée par l'utopie révolutionnaire. C'est un fait qu'il ne faut pas oublier. En dépit des coups portés à cette utopie (l'incorporation forcée des nations est un coup majeur), les bolcheviks restent dans leur ensemble attachés à une vision égalitaire de la société. Et l'égalité des nations, dès lors qu'elle est politiquement entamée, se déplace sur le domaine culturel [15]. Déjà, au début du siècle, Otto Bauer, dans sa volonté de maintenir la cohésion de l'Empire austro-hongrois, avait bien vu que l'aspiration première des nations était l'aspiration à préserver et développer leurs cultures propres, et d'abord leurs langues. C'est pourquoi le programme national des années 20 insiste sur la promotion de *toutes* les cultures nationales à égalité. Donc en premier lieu sur la promotion des langues nationales [16].

Les cadres nationaux que requiert la politique d'indigénéisation seront nationaux parce qu'ils seront porteurs de la culture de leur nation. Cette politique a d'ailleurs eu des aspects cocasses. Parfois, la nation telle qu'elle est définie dans la construction étatique des années 20 n'a pas de langue véritable; ou bien elle a coutume d'utiliser une autre langue. Pourtant, le pouvoir soviétique impose alors à chaque formation administrative nationale d'avoir une langue et de l'utiliser. C'est ainsi que, dans le cadre de la république de Biélorussie où plusieurs langues étaient utilisées concurremment, une langue officielle biélorusse est imposée d'autorité, même si la majeure partie de la population doit aller à l'école pour l'apprendre [17]. Plus cocasse encore, de savants linguistes sont requis pour transformer en langues littéraires écrites, des dialectes parlés par de petits groupes humains de quelques centaines de personnes [18].

L'Etat soviétique, en dépit de sa pauvreté, consacre à cette promotion des cultures qui va parfois jusqu'à les inventer, des efforts et des sommes considérables. Alors qu'il faut alphabétiser vite et par les voies les plus simples, un temps et des ressources infinies sont consacrés à imprimer des alphabets et des livres qui n'auront parfois que quelques centaines de lecteurs, et à former des maîtres capables d'instruire ces futurs lecteurs [19]. Mais la « ligne » est formelle. Chaque groupe national a droit à *sa* culture, donc à *sa* langue. L'égalitarisme qui sous-tend cette ligne se double au demeurant de visées politiques.

L'égalité des droits culturels reconnue à chaque nation va aussi permettre de briser quelques grands groupes humains qu'unissent des solidarités particulières. C'est le cas des peuples musulmans du Caucase ou de l'Asie centrale [20], qui cherchent depuis le début du siècle à se rassembler autour de langues communes [21]. A l'intérieur des frontières établies, chaque nation doit user d'une langue propre. L'égalitarisme culturel met ainsi fin aux rêves panturcs ou panmusulmans qui auraient, s'ils s'étaient réalisés dans l'Etat fédéral soviétique, opposé au centralisme politique, des communautés humaines et des civilisations dangereusement pesantes.

La promotion des cultures nationales présente aussi des inconvénients sérieux. Une éducation purement nationale ne peut que renforcer les sentiments nationaux et aller à l'encontre de l'objectif unitaire final. C'est pourquoi la *culture nationale* n'est pas un concept simple, mais un concept à double contenu que Staline a parfaitement défini. Ces cultures sont nationales dans leur *forme,* principalement la langue. Mais elles sont en même temps socialistes par leur *contenu* [22]. Ce que les langues nationales doivent véhiculer, ce n'est pas le patrimoine propre de chaque nation, mais un patrimoine nouveau, commun à toutes, le socialisme, ses valeurs, ses finalités. C'est seulement ainsi entendues que les cultures nationales peuvent remplir la fonction qui leur est dévolue. Elles apaisent les sentiments nationaux, les satisfont. Mais aussi, elles les font progressivement évoluer vers une conscience nouvelle, commune à tous. Ce compromis culturel dont Staline a été l'artisan, Lénine ne l'eût pas désavoué. En effet, il combine les exigences du présent — satisfaire les sentiments nationaux et briser les grandes solidarités pan-nationales — et le but futur, l'adhésion progressive à une culture politique commune. Ici, la force s'efface au profit de la pédagogie, et sur ce point encore, Staline a retenu les avertissements de Lénine.

Cet égalitarisme culturel ne va pas au demeurant sans une politique de contrôles. Les cadres nationaux, les cultures nationales devaient, en principe, satisfaire les exigences nationales, et progressivement les réduire. Mais ces éléments pouvaient aussi aboutir à des résultats diamétralement opposés, à une exaltation des sentiments nationaux. Pour limiter les concessions égalitaires à leur fonction pédagogique, le pouvoir soviétique les a compensées dès les années 20 par des contrôles multiples. Contrôle du Parti internationaliste sur l'Etat porteur des intérêts nationaux; primauté de l'Etat fédéral sur les formations fédérées; contrôle économique qui multiplie les liens entre centre et périphérie; et surtout, contrôle culturel. Ce dernier contrôle s'exerce par l'autorité prééminente dévolue au Parti communiste centralisé sur les activités culturelles; et par la substitution aux systèmes de valeurs et aux règles régissant chaque société particulière d'un système de valeurs commun, centralement défini [23]. Mélange de libéralisme et de contrôles, la politique nationale de l'U.R.S.S. des années 20 cherche à forger une communauté nouvelle, une nation soviétique prolétarienne qui témoignerait que la solidarité de classe peut l'emporter sur la conscience nationale.

Le fédéralisme stalinien : le contrôle sans l'égalité

L'égalité des peuples, fondement de l'équilibre fédéral des années 20, devait en principe créer *l'amitié des peuples* vivant ensemble. Elle devait surtout, par-delà ce sentiment communautaire qui modifierait lentement les mentalités, permettre de dégager une nouvelle élite, qui, à l'image de la culture, serait nationale dans sa forme, mais qui, d'une république à l'autre, serait la même : une élite soviétique, acquise au système qui l'avait promue, et servant de pont entre un passé de traditions différentes et l'avenir commun. Dès 1930, cependant, il apparaît que les résultats de cette révolution culturelle aux confins de l'Etat soviétique, sont plus ambigus que ne l'attendent ses promoteurs. Partout des élites nouvelles émergent et se substituent peu à peu aux anciennes élites pétries d'esprit nationaliste. Mais partout aussi, on constate que ces nouvelles élites, poussées en avant par le Parti communiste, reprennent à leur compte l'esprit national qu'elles devaient faire disparaître. Le cas le plus flagrant est celui de l'élite biélorusse. Pour lier les hommes de Biélorussie à leur langue, il avait fallu beaucoup de ténacité au régime, et le recensement de 1926 en avait montré les limites : sur 4 000 000 de Biélorusses, le quart considérait encore la langue russe comme langue maternelle [24].

C'est dans ce milieu, où la pénétration de la culture russe était forte, que l'élite affirmait à la même époque qu'il n'y avait pas place pour la lutte des classes parce que la nation biélorusse était caractérisée par l'inexistence de la bourgeoisie. C'est dans ce milieu que se développent des idées occidentalisantes, et le refus d'appartenir au monde slave oriental. Au début des années 30, Moscou découvre que l'élite biélorusse avait formé un *centre national* dont le but est de détacher la Biélorussie de la fédération [25]. Que ce centre ait eu ou non des activités dangereuses pour l'unité soviétique importe peu. Il est clair qu'il a existé et ceci témoigne de l'attachement des élites à des valeurs traditionnelles, étrangères à la société soviétique. Ce mouvement était d'autant plus inquiétant, qu'ailleurs aussi, l'Etat soviétique devait constater les inconvénients de la récupération des élites nationales qui avaient joué un rôle avant la révolution.

En Asie centrale, un ancien dirigeant du mouvement national, Faizullah Hodjaev, promu au sommet de la hiérarchie communiste, s'efforçait de freiner l'intégration économique de la région dans l'ensemble soviétique, tout en jouant, en surface, le jeu du leader national gagné au communisme. Et le régime n'en finissait pas de mater dans la région la guerre larvée que lui faisaient les *Basmatchis* (va-nu-pieds), maquisards musulmans qui résistaient depuis près de dix ans avec l'appui tacite de la population [26].

Au début des années 30, s'étant débarrassé de tous ses adversaires, Staline peut enfin imposer complètement ses idées sur le problème national. La solution qu'il entrevoit a plusieurs aspects. De l'expérience antérieure, il conserve le compromis culturel et le fédéralisme qu'il va améliorer. La Constitution de 1936, à la différence de la Loi fondamentale de 1924, est véritablement fédérale. Les formations nationales se multiplient à cette époque, et la hiérarchie des nations et nationalités, avec les droits et compétences théoriques qui s'y attachent, est clairement établie [27]. Mais à côté de ce respect théorique des structures fédérales, Staline s'engage dans une opération cataclysmique de transformation de la société, où le nationalisme doit, pense-t-il, perdre toutes ses raisons d'être. Les nations de l'Union sont essentiellement paysannes, certaines sont encore nomades. La collectivisation pour tous et la sédentarisation des nomades doivent avoir en milieu national un double effet : supprimer le paysan, son individualisme, son système de valeurs étranger à la société nouvelle; mais aussi, pour les non-Russes, supprimer toutes les racines des traditions propres à chaque peuple et que la vie rurale permet de mieux conserver. En milieu national, l'attachement à des valeurs particulières non russes a donné à la résistance à la collectivisation, une force complémentaire désespérée.

Le changement social, dont l'un des buts est l'éradication de toutes les particularités nationales, des modes de vie propres, s'opère partout dans la violence; et cette violence est caractéristique de l'approche stalinienne du problème. La confiance de Lénine dans une pédagogie de l'internationalisme n'a jamais séduit Staline. Au début des années 30, il substitue à l'éducation la violence nue. Et, après avoir détruit les conditions d'une vie traditionnelle pour l'ensemble de la société, il va détruire, quelques années plus tard, au cours des *purges* auxquelles il a légué son nom, toutes les élites nationales des années 20, qui ont commis le crime impardonnable pour lui d'être revenues aux sources de la fidélité nationale. Si, dans l'U.R.S.S. entière, ces purges semblent frapper aveuglément, à la périphérie, leur rationalité est manifeste. Elles permettent la destruction systématique des anciennes élites et des élites mises en place dans les années 20. A la veille de la guerre, la conséquence des purges est claire. Staline a fait place nette pour une nouvelle élite qui incarnera une nouvelle conception des relations entre nations de l'U.R.S.S., une conception ouvertement inégalitaire, reprise du passé impérial. Cette conception d'une fédération d'inégaux, il faut attendre 1945 pour qu'elle émerge officiellement.

Mais dès la fin des années 30, des signes avant-coureurs l'annoncent. Tout d'abord, l'imposition généralisée de l'alphabet cyrillique. Dans les années 20, beaucoup de langues de l'U.R.S.S. utilisant des alphabets différents — arabe, mongol — ou dépourvues d'alphabet, avaient été dotées de l'alphabet latin [28]. Les exigences d'un processus rapide d'éducation populaire, la pauvreté du pouvoir et souvent l'expérience d'autrui (la Turquie de Mustafa Kemal avait fait de l'alphabet latin un instrument de modernisation), justifiaient cette évolution. L'alphabet latin qui n'était pas en usage en Russie même, avait en outre l'avantage de ne pas donner à ce changement des traditions intellectuelles une coloration impériale. A la fin des années 30, le remplacement très rapide de l'alphabet latin par l'alphabet cyrillique [29] marque une volonté de rapprocher les diverses langues de la langue russe, du moins par la graphie, et suggère qu'un processus général de russification culturelle s'engage.

De la même manière, à la fin des années 30, l'histoire passée de l'Empire russe commence à être révisée dans une direction qui souligne l'inégalité persistante des nations. Au lendemain de la révolution, les bolcheviks avaient proclamé le caractère haïssable de la domination impériale, condamné tout ce qui y était lié et affirmé que la résistance des nations conquises à l'envahisseur russe était un acte historique « progressiste », quels qu'en aient été les dirigeants : chefs religieux, tel l'Imam Chamil au Caucase, chefs tribaux comme Khan Kennesary Kasymov qui avait été l'adversaire irréductible des Russes dans les plaines kazakhes un siècle plus tôt. A la veille de la guerre, la vision du passé ne paraît plus opposer aussi clairement une Russie dominatrice et des mouvements d'indépendance nationale légitimes [30].

Déjà, la Constitution de 1936 indique le virage. L'Etat soviétique s'affirme implicitement héritier, par le *territoire* et le *passé,* de l'Empire [31]. Sous les ordres de Staline, les historiens redécouvrent le rôle historique positif joué par les princes « rassembleurs des terres russes », par l'Eglise orthodoxe, par le monachisme porteur de la civilisation byzantine. Tout en déplorant les traits autoritaires de l'Empire des tsars, les historiens commencent, ces années-là, à en déceler les vertus, dont la première est pour eux la puissance étatique, qui a permis à la Russie d'être le rempart de l'Europe contre les invasions venues de l'Est. Peu à peu, l'histoire russe retrouve ses droits [32]. Non seulement celle du peuple, mais aussi celle des souverains qui ont forgé la nation contre l'ennemi extérieur. Le cinéma vient au secours de cette nouvelle conscience historique en magnifiant Pierre Le Grand et surtout Alexandre Nevski. Avec les souverains, ce sont les chefs militaires qui reviennent au panthéon de l'histoire et d'abord ceux qui ont lutté contre Napoléon et que la commémoration de la bataille de Borodino permet d'évoquer. Ainsi, le peuple russe, accoutumé depuis 1917 à renier son passé, le retrouve-t-il peu à peu.

Mais cette réhabilitation de l'histoire russe pose un grave problème, celui des histoires des autres peuples de l'U.R.S.S. Ici encore, la vision historique en honneur depuis la révolution, va progressivement s'inverser. L'égalitarisme révolutionnaire conduisait à glorifier toutes les résistances nationales à l'oppression considérée comme un « mal absolu ». Au milieu des années 30, les historiens s'interrogent. Sans doute l'oppression tsariste était-elle condamnable. Mais ses effets n'ont-ils pas été bénéfiques? Grâce à la domination coloniale, les peuples de l'Empire sont venus à la révolution en même temps que le peuple russe, sautant par-dessus l'étape historique si douloureuse du capitalisme. Les bénéfices ultimes ne sont-ils pas pour le moins aussi grands que les inconvénients du colonialisme? Ainsi, la colonisation, jusqu'alors *mal absolu,* se trouve atténuée par l'histoire postrévolutionnaire et devient un *mal relatif.*

Peu à peu, le raisonnement se développe encore plus. Les historiens soviétiques découvrent que, pour de nombreux peuples subjugués par la Russie, le choix n'était pas entre colonisation ou liberté, mais entre deux colonisations. Ainsi, des Géorgiens menacés par la Turquie qui eût anéanti leur civilisation, et par la Russie qui a préservé cette civilisation et permis le socialisme. Dès lors, la colonisation devient le *moindre mal* [33]. Et les mouvements nationaux de résistance à la colonisation semblent dans cette perspective s'inspirer davantage de sentiments dépassés que répondre à l'intérêt national des peuples concernés. Les livres d'histoire se remplissent de héros nouveaux. Aux sages souverains de la Russie — qui certes ont été des autocrates, mais dont le rôle historique s'imposait — on ajoute les héros des histoires nationales qui ont compris la nécessité de l'union à la Russie, la nécessité d'accepter ce *moindre mal*. Au vrai, ils sont peu nombreux; à la veille de la guerre, le seul personnage historique d'envergure qui réponde à ce propos est Bogdan Khmelnitski qui signa, au XVIe siècle, l'acte d'union de l'Ukraine à la Russie à Pereiaslev [34].

Jusqu'en 1941, ces changements sont encore confus. La société soviétique qui sort du cauchemar de la collectivisation et des purges ne voit peut-être pas encore toutes les implications de ce nouveau regard jeté sur le passé des peuples qui composent l'U.R.S.S. C'est la guerre qui va donner un tour définitif à la version stalinienne de l' « amitié des peuples ». Ce que la guerre démontre d'abord, c'est la précarité de cette construction multinationale. L'avance foudroyante des armées allemandes en territoire soviétique a été favorisée par le fait que ces armées traversent des territoires qui ne sont pas peuplés de Russes, mais de peuples qui acceptent mal leur incorporation, parfois récente, comme c'est le cas des Etats baltes, à l'Etat soviétique. L'attitude ukrainienne devant l'avance des troupes allemandes révèle la profondeur des rancœurs nationales. Ces rancœurs sont, en partie, encouragées par la politique allemande en territoire soviétique [35].

Avant le 22 juin 1941, un projet fantastique de dépeçage de l'U.R.S.S. a été conçu à Berlin par Alfred Rosenberg, auteur du *Mythe du XXe siècle*. Conscient des potentialités explosives d'un Etat multinational, le seul de surcroît qui subsiste en Europe, Rosenberg propose à l'Allemagne de jouer la carte des nationalismes pour tuer l'U.R.S.S.; de réduire la Russie à un Etat-croupion tourné vers l'Est, rendu à une vocation asiatique; de l'encercler d'un réseau d'Etats nationaux créés par l'Allemagne et dépendant d'elle. L'application sur place, dans certains cas, du programme Rosenberg, contribue aux difficultés militaires du pouvoir soviétique, car les passions nationales en sont avivées. Le Caucase est le terrain privilégié d'une telle expérience, et l'armée allemande soutient des gouvernements nationaux qui s'installent à la place des autorités soviétiques démises à la faveur du repli de l'Armée rouge. Tel est le cas du gouvernement national karatchaï dirigé par un paysan, Kadi Baïramukov, qui entreprend de restaurer les structures sociales et religieuses traditionnelles, et de décollectiviser la vie rurale.

Si l'armée allemande avait étendu l'expérience caucasienne à tous les territoires occupés, la fédération soviétique aurait été réduite à néant. Mais les idées de Rosenberg étaient combattues de deux côtés. Par une partie du commandement militaire dirigé par le général Jodl, pour qui soutenir des nations dispersées signifiait provoquer l'opposition de la nation la plus importante, la nation russe, alors que l'objectif raisonnable était d'en appeler à la nation russe et de la séparer de ses dirigeants pour détruire de l'intérieur l'Etat soviétique. A l'autre extrémité, le projet hitlérien n'était pas moins négatif. Pour Hitler, tout l'espace soviétique devait être indistinctement colonisé par l'Allemagne. La création de gouvernements nationaux ne pouvait qu'hypothéquer l'avenir et compliquer la tâche des futurs colons. Qu'ils soient ukrainiens ou russes, tous les citoyens de l'U.R.S.S. étaient, pour Hitler, des *Untermenschen*. Pourquoi alors les différencier?

Ces résistances ont paralysé la politique de soutien aux nations de l'U.R.S.S. préconisée par Rosenberg et ont, en définitive, rejeté des nations déçues, épouvantées par la violence allemande à l'Est, vers la fédération.

Mais les expériences isolées ont eu plusieurs conséquences. Elles ont montré à Staline que l'Etat fédéral, tel qu'il existait, était très fragile, qu'il fallait y apporter des éléments nouveaux. A court terme, sous la pression des armées allemandes, ces éléments ne pouvaient être que des concessions au sentiment national. Pour gagner les Allemands de vitesse là où ils jouaient la carte nationale. Parce qu'aussi dans l'effondrement de l'année 1941, il apparaît clairement qu'en appeler aux valeurs communistes ne suffit pas; que le nom des héros qui, dans le passé, ont défendu leur patrie, est infiniment plus mobilisateur que celui de Marx ou de Lénine. A long terme, c'est tout l'équilibre entre nations que Staline va formuler de façon nouvelle. Mais ceci viendra après la guerre, quand il voudra reprendre en main le destin de son pays.

La seconde conséquence est que la guerre a développé ou plutôt libéré des sentiments nationaux que la période tragique des années 30 avait relégués au second rang. Les années de guerre paraissent recréer des tensions nationales analogues à celles qui avaient conduit à la dislocation de l'Empire, en dépit de près d'un quart de siècle d'éducation socialiste et de fédéralisme.

La guerre a aussi montré au pouvoir central que la périphérie était vulnérable et que cette vulnérabilité, dans une situation internationale tendue, faisait planer sur le système tout entier une menace de mort. Enfin, Staline a constaté le faible écho rencontré par les appels à la solidarité internationale. Il a dû y substituer l'appel à des solidarités d'un autre ordre, solidarités de l'histoire, de la nation, de la religion [36]. Par là même, il a introduit dans l'idéologie soviétique des éléments nouveaux qui vont la modifier profondément.

La réhabilitation du « frère aîné » : un nouveau système impérial

C'est la victoire qui allait montrer l'étendue des changements moraux apportés par la guerre en U.R.S.S., et les leçons qu'en a tiré Staline. Dans ce pays de nationalismes exacerbés, il allait renoncer totalement à l'égalitarisme d'avant-guerre, hiérarchiser les sentiments nationaux, placer au premier plan la nation russe, ses traditions et sa culture. La guerre lui fournit un excellent prétexte.

Dès que les armées allemandes reculent des territoires nationaux où des tendances autonomistes se sont manifestées, Staline sévit. Entre octobre 1943 et juin 1944, six petites nations accusées d'avoir trahi sont arrachées à leur sol natal et déportées en Asie centrale ou en Sibérie. Elles rejoignent ainsi les Allemands déportés en 1941. Un million de personnes au minimum (en 1939, 407 690 Tchétchènes, 92 074 Ingouches, 75 737 Karatchaïs, 42 666 Balkars, 134 271 Kalmyks, plus de 200 000 Tatars de Crimée, 380 000 Allemands de la Volga) sont ainsi accusées d'un crime collectif, attribué à des nations entières [37]. En 1946, un décret précisera que ces mesures entraînent la suppression des territoires nationaux des Tchétchènes, des Ingouches et des Tatars. Et pendant dix ans, ces groupes nationaux n'auront aucune existence légale, aucun représentant au Soviet des nationalités; ils ne seront jamais mentionnés nulle part.

En s'attaquant ainsi à des nations entières et non à des individus, Staline veut sans aucun doute faire des exemples. Mais surtout, il poursuit un dessein clair, il veut hiérarchiser les responsabilités nationales dans la vie soviétique. Il y a de mauvaises nations. Il y en a aussi d'exemplaires. De toutes, la plus exemplaire est la nation russe. Le sens du message est clair. Lorsqu'il célèbre la victoire le 24 mai 1945, Staline salue le *peuple russe,* et non le peuple soviétique, parce que, dit-il, « c'est la nation dirigeante de l'U.R.S.S. », « elle a acquis dans cette guerre le droit d'être reconnue pour guide de toute l'Union », elle a pour traits dominants « la clarté d'esprit, la fermeté de caractère et la patience ». Face aux autres peuples qui tous ont montré leur faiblesse dans la guerre (« si j'avais voulu punir réellement, dira Staline, j'aurais dû déporter tout le peuple ukrainien »), le peuple russe a montré quelle était sa place : la première. L'égalitarisme officiellement maintenu disparaît ainsi au profit d'une communauté de nations, qui s'organise autour d'un *frère aîné,* le peuple russe, responsable de tous et guide de tous [38].

Le passé s'éclaire alors à la lumière du présent. La Russie qui a su faire la révolution en 1917, en a été capable parce que tout dans son passé la prédestinait à ce rôle d'avant-garde. Dès l'époque kievienne, au IXe siècle, elle était aussi développée que l'Etat carolingien et son influence était réelle sur l'Europe occidentale. Au XIXe siècle, et ici Staline corrige Engels, loin d'être un bastion de la réaction, elle était en marche vers la révolution. Dès lors, pour les peuples conquis, la domination russe, jadis *mal absolu,* puis *mal relatif,* puis *moindre mal,* devient un *bien absolu* [39]. Cette position a été clairement exprimée par le principal dirigeant communiste de l'Azerbaïdjan, Baghirov, qui écrit en 1952 : « Sans sous-estimer en rien le caractère réactionnaire de la politique coloniale tsariste, on ne doit pas oublier... que l'annexion des peuples par la Russie était pour eux la seule issue, et a eu une influence uniquement heureuse sur leur destin futur. »

Dès lors que la conquête est un bien absolu, ceux qui ont lutté contre elle n'ont plus aucun titre de gloire. Tous les héros nationaux, chefs des mouvements de résistance à la colonisation, sont rejetés dans l'enfer de l'histoire. En dépit de l'attachement passionné que les élites nationales témoignent à leurs héros, tel l'Imam Chamil, leur résistance est condamnée comme manifestation d'obscurantisme féodal. De leur passé, les nations non russes sont invitées à ne retenir que ce qui les a rapprochées de la Russie. Et privées d'un passé propre, il leur reste à s'identifier historiquement au peuple russe comme les y convie le même Baghirov : « La force dirigeante qui unit, cimente et guide les peuples de notre pays est notre frère aîné, le grand peuple russe... Par ses vertus, il mérite la confiance, le respect et l'amour de tous les autres peuples. »

L'inégalité de fait de la fédération soviétique, qui découlait en 1918 du poids numérique du peuple russe, de sa position centrale, d'une avance sur la plupart des peuples qui l'entouraient, est, après la guerre, justifiée par l'histoire lointaine et l'histoire récente, et érigée en principe fondamental des relations entre nations. La fédération, comme l'Empire avant elle, regroupe des peuples nombreux, autour d'un peuple guide.

A la légitimation historique du rôle prééminent désormais assigné à la nation russe, va s'ajouter à la même époque une tentative d'assimilation culturelle qui marque aussi une rupture totale avec le compromis culturel antérieur [40]. Les cultures nationales sont soudain dénoncées, à la fois parce qu'elles divisent les consciences au lieu de les rapprocher, et parce qu'elles sont pour Staline symboles d'un passé rétrograde. Tous les monuments des cultures nationales — épopées, poèmes populaires, etc. — sont soumis à une attaque impitoyable et interdits. Mais Staline ne s'arrête pas aux monuments littéraires du passé. Il attaque et supprime toute manifestation, même très moderne, de culture nationale. La littérature est accusée partout de véhiculer un vocabulaire et des concepts dépassés. Chanter les roses, à l'exemple de Saadi, fut-ce dans un roman soviétique, est une manifestation de nationalisme intolérable. Les langues nationales doivent servir à illustrer le monde du réalisme socialiste — celui des tracteurs et des trayeuses — de la technique, mais en aucun cas des traditions particulières. Ce que cette révision culturelle impose aux nations, c'est de reproduire à l'infini un modèle culturel unique, ne conservant plus, en guise de *forme nationale,* que des mots. Si les mots techniques manquent aux langues nationales, elles n'ont qu'à en emprunter à la langue russe. Si leurs formes grammaticales et syntaxiques s'adaptent mal à une telle rigidité, la langue russe peut leur servir de modèle.

Tandis que les cultures nationales sont ainsi réduites, à l'extrême, à une enveloppe de mots, la culture russe en revanche s'épanouit et s'offre à remplacer les cultures condamnées. A l'opposé des épopées nationales — tels le *Dede Korkut* des Azéris ou l'*Alpamysh* des Uzbeks — les monuments de la culture russe, les *Bylines,* le *Dit du Prince Igor,* sont érigés à la hauteur d'un patrimoine destiné à l'humanité entière. Les peuples non russes sont invités à adopter ce patrimoine, et à s'en inspirer pour leurs productions à venir.

Lénine pensait que les peuples non russes adopteraient un jour volontairement la langue russe par commodité, et parce qu'ils avaient été laissés libres de développer leurs cultures propres. En 1952, la communauté des nations de l'U.R.S.S. doit se tourner vers la culture russe, parce qu'elle n'a plus d'autre choix. Indifférent souvent à ses minorités, l'Empire des tsars n'avait jamais tenté de réaliser une russification aussi systématique de ses sujets. Il n'avait jamais non plus eu de doctrine impériale claire et étendue à tout l'espace qu'il recouvrait. La fédération soviétique, en 1952, est un véritable Empire, où la prééminence du peuple russe est justifiée, comme dans les empires coloniaux du passé, par une civilisation supérieure et le progrès vers lequel il guide ses sujets. La « prison des peuples » n'existe plus. Mais la fédération est une communauté parfaitement inégalitaire, où le *frère Aîné,* domine, et cherche à assimiler. Staline a répondu au sursaut national des années de guerre, en imposant aux nations une solution brutale : la russification rapide.

Après Staline : le retour à l'utopie

L'héritage de Staline est sans nuances. Il a toujours cru à la pérennité des nations. Pour réduire dans son pays les antagonismes nationaux, il n'a pu imaginer d'autre solution que la domination d'une nation sur les autres. Telle est aussi sa vision à l'échelle internationale. C'est pourquoi, lorsqu'il peut, après la guerre, fabriquer des révolutions hors d'U.R.S.S., à l'est de l'Europe, il transfère dans les nouveaux Etats socialistes les solutions qu'il a expérimentées en U.R.S.S. : le contrôle soviétique et l'élimination systématique des élites nationales. Le monolithe est-européen reproduit très exactement le monolithe soviétique. Mais sa mort marque une rupture radicale pour les nations. Ses successeurs ne peuvent poursuivre dans la voie qu'il a tracée. Ils pressentent l'épuisement de leur pays, la nécessité de chercher de nouvelles solutions, un monde extérieur changé auquel il faudra s'adapter. Tout concourt à une révision d'ensemble dont les jalons sont posés dès 1953, et qui éclate à partir de 1955, et surtout au 20e Congrès.

La lutte pour la succession de Staline donne, dans une certaine mesure, l'impulsion nécessaire à ce tournant. Parmi les successeurs possibles de Staline, l'un d'eux, le plus redouté de tous, Beria, a essayé, à la fois pour tenir tête à Staline dans ses derniers mois et pour lutter contre ses rivaux après mars 1953, de manœuvrer l'organisation communiste de Mingrélie, en Géorgie, c'est-à-dire ses compatriotes. Staline le premier l'avait compris qui démantela en 1952 cette organisation. Ses successeurs poursuivent collectivement cette tâche. Mais la leçon n'est pas perdue. Tous se souviennent de la guerre et pressentent que le calme qui règne à la périphérie non russe n'est qu'apparent.

La politique extérieure va aussi contribuer à peser en faveur d'une révision des rapports entre nations. Ici encore, succession et choix politiques s'entremêlent fortement. En 1955, Khrouchtchev se rend à Belgrade pour mettre fin au conflit qui, depuis 1948, sépare deux grands Etats socialistes : l'U.R.S.S. et la Yougoslavie. Il pense que sa venue chez l'adversaire, ce geste psychologique de paix, suffira à régler tous les problèmes. Mais ce qui devait être un pardon généreusement accordé par Moscou tourne en Canossa. Khrouchtchev doit, pour que son voyage porte ses fruits, reconnaître que l'U.R.S.S. a abusé de sa puissance et confondu solidarité socialiste et volonté dominatrice. Il doit admettre que chaque nation socialiste est libre de choisir sa voie. Le communisme national, si longtemps combattu en U.R.S.S. reçoit ainsi une consécration éclatante. Sans doute, la Yougoslavie a toujours été indépendante de l'U.R.S.S., et les principes qui régiront désormais ses relations avec Moscou ne sont pas transférables à l'intérieur. Mais le sens de ce changement est perçu en U.R.S.S.

Ce sens est clair, c'est la réhabilitation des nations, de relations égalitaires entre nations, même au stade du socialisme. C'est aussi une renonciation tacite par Moscou à la thèse de son infaillibilité et de sa primauté. Mais si ces conséquences du voyage de Khrouchtchev à Belgrade n'apparaissent pas immédiatement dans toute leur ampleur, elles sont là, forces latentes d'un ébranlement fantastique du monde socialiste.

Mais c'est aussi pour des motifs extérieurs au monde socialiste que le changement interne va s'imposer. En 1955, la politique extérieure de Staline, politique de repli et de méfiance, a conduit l'U.R.S.S. à soutenir un véritable état de siège. A ses frontières ou aux frontières du domaine socialiste, les Etats-Unis, dont la puissance s'affirme jour après jour, ont dressé un réseau d'alliances destiné à contenir l'U.R.S.S. Staline avait, dès 1952, pressenti les changements survenus dans le monde, la stabilisation du capitalisme et la nécessité pour son pays de s'y adapter en passant à une politique de compétition pacifique. S'il n'avait pu, pour maintes raisons, accorder cette perception aux faits, Khrouchtchev, lui, entend le faire. Et il pressent que les lieux privilégiés de la percée soviétique peuvent être des zones voisines : l'Inde et le Moyen-Orient; que cette percée peut prendre pour alliés les mouvements nationaux qui partout se développent. Khrouchtchev rejoint ici le Lénine de 1916, qui, dans le monde non industriel, considérait que les forces nationales étaient les forces historiques à l'œuvre. Mais, comme Lénine jadis, Khrouchtchev sait qu'une politique, misant à l'extérieur sur les forces nationales, ne peut s'accommoder à l'intérieur de l'écrasement des nations sous peine de crises internes aux dimensions imprévisibles.

Ces intuitions, le 20e Congrès les élabore et les rend publiques. L'U.R.S.S., qui annonce officiellement son soutien aux mouvements nationaux du Tiers monde, s'affirme comme modèle d'émancipation nationale à l'intérieur. Et Khrouchtchev dénonce tous les crimes commis par Staline à l'égard des nations : la liquidation des élites nationales; un excès de centralisation; la volonté russificatrice; la réhabilitation du colonialisme et l'instauration de nouveaux rapports inégaux. En place de cette politique impériale, Khrouchtchev appelle les nations à reprendre leurs droits culturels, à s'épanouir dans leurs propres traditions. Les dispositions qui permettent de mesurer l'ampleur du tournant se multiplient alors. La différenciation établie à la fin de la guerre entre les nations, entre leur degré de fidélité à l'U.R.S.S., est abolie en grande partie par la réhabilitation officielle (décret du Soviet suprême du 9 janvier 1957) de cinq des peuples déportés pour trahison après la guerre; et par la restauration de leurs territoires.

Mais si les Tchétchènes, Ingouches, Karatchaïs, Balkars et Kalmyks reçoivent alors, en récupérant une existence nationale, le droit de regagner leurs foyers, les deux autres nations qui ont partagé leur destin, Allemands et Tatars, sont exclus de cette réhabilitation. On reviendra plus loin sur les conséquences de cet aveu sélectif de l'injustice commise et sur ses causes.

Les nations de l'U.R.S.S. reprennent aussi possession de leur passé. Sans doute, le Parti communiste de l'U.R.S.S. est-il très prudent lorsqu'il en vient à préciser les crimes staliniens. S'il admet globalement la destruction des élites nationales, il s'efforce de ne pas ranimer le souvenir personnalisé de dirigeants nationaux, pour éviter probablement que le débat ne s'engage au fond sur les relations entre options centralisatrices et options nationales. Pour éviter aussi de donner aux nations des héros communistes-nationaux en modèle. Ceci explique que les réhabilitations de personnes soient peu nombreuses, ou bien réservées à ceux qui n'ont pas défendu de thèses qui restent hétérodoxes.

C'est le passé lointain, colonial, qui surtout reprend ses droits. Les historiens sont conviés une fois encore à réécrire l'histoire dans un sens plus nuancé qu'ils ne le firent dans les années 20 et en rupture avec l'histoire stalinienne. Certes, il s'agit de rompre avec la justification de la domination russe qui redevient un *mal*. Il s'agit aussi de rendre leur place historique à ceux qui ont défendu l'indépendance nationale, et ici le symbole de cette révision sera l'Imam Chamil, autour de qui s'articuleront tous les grands débats historiques de la fin des années 50 [41]. Ce choix éclaire la signification de la révision et ses limites. L'Imam Chamil, c'est le combat de l'Islam contre l'infidèle. Nation et religion s'entremêlent ici étroitement. Ceci explique pourquoi le débat sur l'appréciation du mouvement de Chamil s'est ouvert après le 20e Congrès, opposant des historiens nationaux à la communauté académique à l'échelon soviétique; pourquoi aussi ce débat suivi avec passion par les élites nationales s'est déroulé selon une alternance d'ouvertures intellectuelles et de retraites. Si l'intelligentsia nationale au Caucase souhaite voir reconnaître la légitimité absolue de la résistance opposée par l'Imam Chamil à la Russie, le Parti, par ses organes théoriques, va s'efforcer d'aboutir à une réhabilitation partielle. Sans doute, dit-on, la résistance nationale était légitime en son temps. Cette légitimité ne doit pas dissimuler que l'Imam Chamil était à la tête d'un mouvement politiquement rétrograde dont le triomphe eût écarté le Caucase du progrès historique.

Cette querelle débouche sur une théorie ambiguë [42]. Le mal colonial a été, sinon compensé, du moins atténué par l'histoire postrévolutionnaire. Tout en restituant leur histoire et leur honneur aux nations, les nouveaux dirigeants de l'U.R.S.S. se refusent à laisser le passé servir d'aliment à un nouveau nationalisme. Près de quarante ans de vie commune sous la bannière du socialisme doivent être pris en considération pour aider à l'avènement d'une nouvelle communauté humaine, un peuple soviétique. Khrouchtchev fait ici preuve comme Lénine d'un certain optimisme. Il croit aux vertus pédagogiques des concessions qui, à son époque, s'inscrivent dans le cadre d'une rupture avec la politique stalinienne. Mais il ne veut pas renoncer à ce qu'il croit acquis au terme d'une longue histoire commune (et non seulement de l'histoire postérieure à 1917), en dépit des pressions et des errements. Il pense qu'une conscience commune, celle d'un destin commun, existe chez les nations de l'U.R.S.S., et c'est pour cela qu'il se refuse à en venir à une condamnation pure et simple de l'union passée avec la Russie. La continuité historique est pour Khrouchtchev un des éléments du progrès des mentalités.

Après la réhabilitation des peuples, de l'histoire et des cultures, vient une révision de la pratique du fédéralisme. Pour rendre vie au système soviétique, pour lui donner une rationalité, Khrouchtchev s'efforce de déconcentrer la vie économique — il s'agit du pouvoir d'exécution sinon de décision — et ainsi d'associer toutes les communautés territoriales ou nationales à une nouvelle organisation. La réforme des Sovnarkhozes correspond à cette volonté de déconcentration des pouvoirs [43].

Cette évolution est engagée dès le 30 mai 1956, où une décision commune du Comité central du Parti et du Conseil des ministres de l'U.R.S.S. transfère aux républiques fédérées une série d'entreprises qui jusqu'alors dépendaient des ministères fédéraux. En février 1957, les compétences des républiques en matière d'organisation judiciaire et de législation sont considérablement accrues. Enfin, des arrêtés du Conseil des ministres de l'U.R.S.S. du 29 août 1957 et du 22 juin 1959 augmentent les attributions des conseils des ministres des républiques fédérées [44].

Ici encore, Khrouchtchev marche dans les pas de Lénine. Pour que réformer ait un sens, il faut donner une place réelle aux cadres nationaux, donc en revenir à la politique d'indigénéisation pratiquée dans les années 20. A tous les échelons, dans tous les domaines, la fin des années 50 est marquée par l'accroissement du nombre de cadres indigènes et par un recul des représentants du pouvoir central. Plus encore, des représentants des élites nationales sont parfois associés à la politique extérieure de l'U.R.S.S.

Jusqu'en 1956, cette association était limitée à la représentation dans les organisations internationales de deux républiques nationales, Ukraine et Biélorussie. Mais la présence de ces deux républiques aux côtés de l'U.R.S.S. dans la vie internationale ne leur conférait pas de privilèges particuliers à l'intérieur. Pourtant, dès la fin de la guerre, au demeurant pour justifier les sièges revendiqués pour l'Ukraine et la Biélorussie aux Nations Unies, la Constitution de 1936 s'enrichit de deux articles, 18 a et 18 b, qui donnent aux républiques le droit de posséder leurs propres forces armées et une représentation diplomatique [45]. Lorsqu'en 1956, l'U.R.S.S. s'engage dans une politique active dans le Tiers monde et surtout au Moyen-Orient, elle fait appel — de manière limitée — à ses élites nationales. Dès 1955, Khrouchtchev et Boulganine se font accompagner en Inde par des représentants des peuples tadjik et uzbek. L'année suivante, une délégation soviétique à Damas comprend dans ses rangs le chef spirituel des musulmans de l'Asie centrale qui s'adresse à ses hôtes en arabe au nom de leurs frères musulmans de l'U.R.S.S. Quelques diplomates, originaires surtout de la périphérie musulmane, prennent place dans les ambassades soviétiques au Moyen-Orient, et leurs coreligionnaires participent aux efforts d'assistance technique de Moscou dans les pays voisins.

L'image de l'U.R.S.S. que Khrouchtchev entend montrer aux pays où il soutient des gouvernements nationaux, est celle d'une société pluri-ethnique où les nations sont réconciliées dans l'égalité et l'épanouissement de leurs droits nationaux. Et il est vrai que les concessions, la déconcentration des pouvoirs, créent alors un climat d'euphorie tel que les frontières de l'U.R.S.S. s'ouvrent assez largement à des invités des jeunes nations qui viennent en Asie centrale ou au Caucase découvrir un modèle de modernisation qui combine le respect des cultures et des traditions avec l'accès à la technique et au progrès matériel.

Sans doute, quelques signes suggèrent que la déstalinisation encourage les exigences nationales au lieu de conduire à un progrès de l'internationalisme. Ainsi, le 21 août 1956, le Soviet suprême d'Azerbaïdjan proclame que, désormais, une seule langue, l'azéri, aura droit de cité dans la République en tant que langue officielle. La cohabitation des cultures nationales et de la culture russe semble ainsi remise en question.

Dans le domaine économique aussi, des conflits limités témoignent que les pouvoirs nationaux veulent aller au-delà de ce qui leur a été concédé. Au 21ᵉ Congrès, en 1959, Khrouchtchev souligne ces manifestations de ce qu'il nomme « chauvinisme local » et s'en inquiète [46]. La déstalinisation devait promouvoir la conscience commune. Cette résurgence des volontés nationales que tout encourage, les concessions et une politique extérieure qui mise sur les nationalismes, va pousser Khrouchtchev à bousculer l'évolution de la société soviétique, à en revenir à l'utopie internationaliste.

Le 22ᵉ Congrès, en 1961, lui en fournit l'occasion. Il y annonce une nouvelle société soviétique, celle du communisme [47]. Le communisme peut-il s'accommoder encore d'une société divisée en groupes nationaux fidèles à des traditions qui appartiennent au passé? La réponse de Khrouchtchev sur ce point est claire. La société soviétique qui marche à grands pas — puisque vingt ans y suffiront — vers ce que Marx décrivait comme le royaume où la nécessité n'existe plus, n'a aucun rapport avec la société pluri-ethnique de 1917. Elle est profondément changée et ses changements l'unissent au lieu de la différencier.

Ce qui est nouveau a été apporté par le progrès de la culture et le progrès de l'économie. La société soviétique, du début des années 60, est hautement éduquée, elle a la maîtrise de deux langues, la sienne, celle de la petite enfance et le russe. Cette langue commune à tous désormais, si parfaitement dominée qu'elle ressemble à une deuxième langue maternelle, est un puissant ciment d'unité.

Le second élément d'un changement qualitatif du statut des nations est le progrès économique qui a unifié l'espace soviétique et créé des

DISTRIBUTION ADMINISTRATIVE-TERRITORIA

ES NATIONS ET NATIONALITÉS DE L'U.R.S.S.

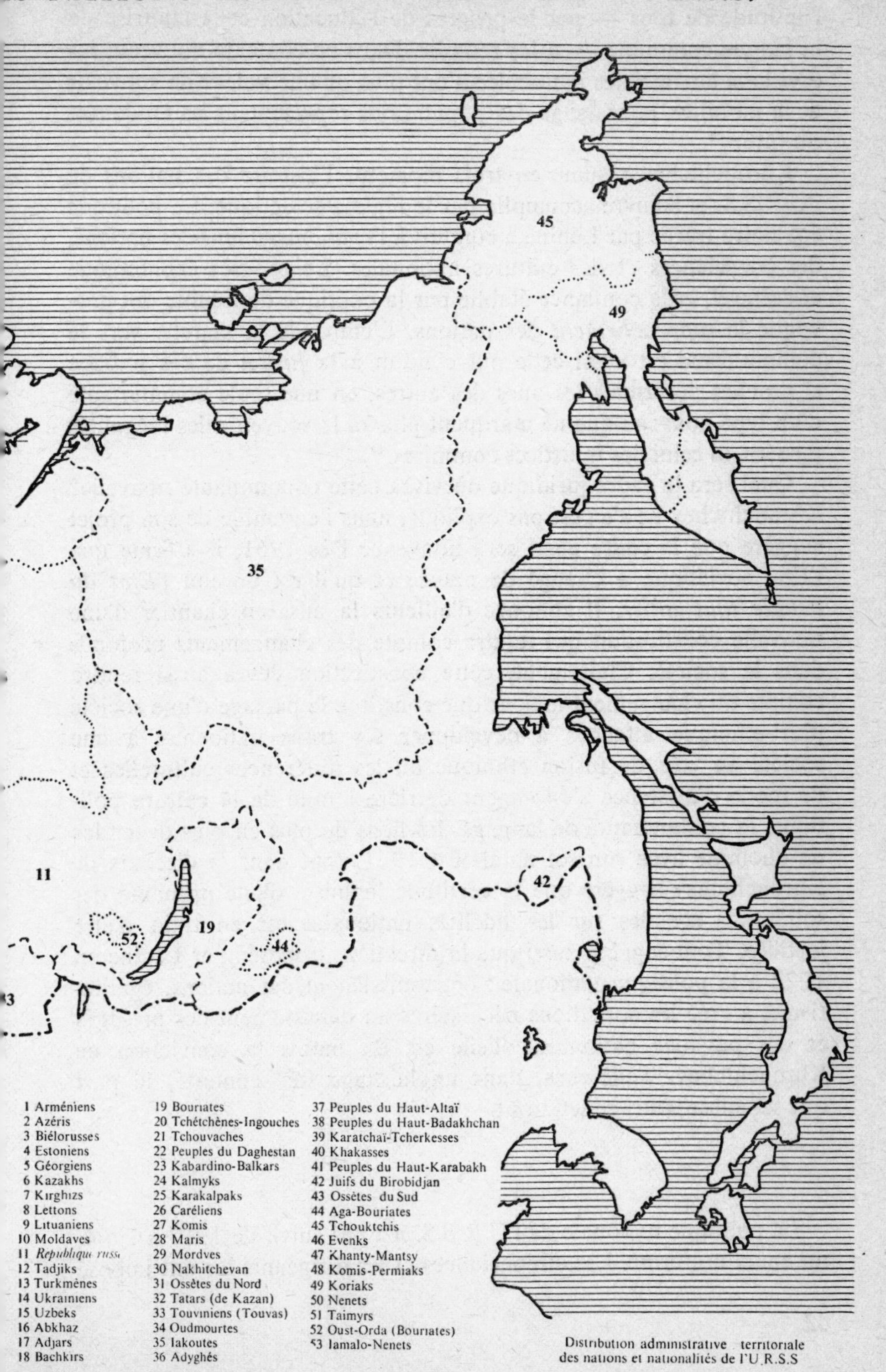

Distribution administrative territoriale des nations et nationalités de l'U.R.S.S

courants migratoires imposés par la localisation des emplois et l'aptitude de tous — par le progrès de l'éducation et la maîtrise de la langue commune — à les remplir. Dans ce contexte nouveau, les divisions territoriales nationales n'ont plus qu'une valeur de souvenir et la mobilité, le brassage des populations représentent les tendances du futur [48].

Khrouchtchev résume en trois moments l'histoire des nations de l'U.R.S.S. et l'œuvre accomplie par le régime soviétique. La politique égalitaire tracée par Lénine a conduit à l'*épanouissement* des nations, des consciences et des cultures nationales. Le progrès économique et culturel, et la confiance établie par la politique de Lénine ont provoqué le *rapprochement* des nations. L'étape de la marche vers le communisme est aussi celle qui conduit à la *fusion* de ces nations si proches désormais les unes des autres, en une seule communauté d'un type nouveau que ne marquent plus ni le souvenir des inégalités passées, ni celui des injustices commises [49].

Quel sera le cadre juridique où vivra cette communauté nouvelle? Khrouchtchev ne s'en est pas expliqué, mais l'ensemble de son projet suggère que le cadre aussi sera nouveau. Dès 1961, il affirme que l'Etat soviétique a changé de nature et qu'il est devenu l'*Etat du peuple tout entier*. Il annonce d'ailleurs la mise en chantier d'une nouvelle constitution qui rendra compte des changements profonds dans la société. Clairement, cette constitution devra aussi rendre compte du changement majeur que constitue le passage d'une société pluri-ethnique attachée à développer ses traits nationaux à une société en voie de fusion ethnique où les différences culturelles et de mode d'existence s'estompent derrière l'unité de la culture politique, la communauté de langage, les liens de plus en plus distendus de l'homme avec son sol natal. En 1961, tout dans le discours de Khrouchtchev suggère que la certitude léniniste d'une primauté des solidarités sociales sur les fidélités nationales est en train d'être justifiée. Tout suggère aussi que la direction proposée par Lénine en 1922 à la politique nationale : épanouissement des nations, égalitarisme, a créé les conditions nécessaires au dépassement des préjugés et des passions nationales. Telle est du moins la conviction de Khrouchtchev. Telle sera, dans un héritage très contesté, la part que ses successeurs retiendront.

*
* *

La politique nationale de l'U.R.S.S. n'a pas suivi, de 1917 à 1964, un cours uniforme. Les circonstances et les dirigeants lui ont imposé des tournants, des ruptures qui n'aident pas à comprendre comment le pouvoir soviétique a perçu ce problème et les buts qu'il a cherché à atteindre. Pourtant, à considérer de près et dans le détail cette histoire complexe dont les historiens oublient en général qu'elle est une partie décisive de l'histoire soviétique globale, on peut dégager plusieurs constantes. Tout d'abord, la sous-estimation du problème national et une connaissance insuffisante de ses données, ont marqué toutes les politiques depuis 1917. Lénine, si près des événements, si attentif à l'arme que lui offraient les nations, a néanmoins pensé avec beaucoup d'optimisme qu'il pourrait maîtriser « les forces de chaotisation » qu'il avait déchaînées contre l'Empire. Il a, en définitive, sous-estimé gravement la force autonome des volontés nationales et la force des volontés nationales russes, qui n'accepteront pas la réduction de la Russie au rang d'Etat égal, semblable aux Etats qu'elle avait jusqu'alors dominés.

Cette sous-estimation s'explique d'abord par le manque d'intérêt de Lénine pour les nations. Il s'intéresse à la nation comme instrument à ajouter à la panoplie des moyens révolutionnaires, nullement à ce qu'elle est, ni à ses aspirations. Il ignore les réalités de la périphérie russe, les conditions réelles de la cohabitation entre communautés différentes, et cette ignorance explique souvent les erreurs d'appréciation et de tactique commises par les bolcheviks.

Si Staline, au contraire et de Lénine et de ses successeurs, a une conscience aiguë de l'irréductibilité du problème national, il n'en a pas pour autant une connaissance précise. Il pense que, posé en termes de rapports de force — la force du pouvoir central l'emportant — le problème sera sinon résolu au fond, du moins cessera de peser sur la vie politique de l'U.R.S.S. Ici encore, les faits opposeront un démenti irrécusable à cette approche. Lors de la guerre, c'est la périphérie nationale qui sera le « maillon le plus faible » du système soviétique.

S'efforçant d'en revenir à une conception plus égalitaire des problèmes nationaux, Khrouchtchev, comme Lénine, découvrira que si l'injustice et la violence exaspèrent à coup sûr les volontés nationales, les concessions les encouragent aussi. C'est pourquoi, ayant d'abord tenté de répondre aux tensions nationales par un retour à l'égalitarisme des années 20, il va ensuite se tourner vers une solution utopique — la société communiste tout entière transformée en peu de temps — sans prendre en considération la réalité, ou du moins en l'analysant dans sa perspective volontariste.

On voit ainsi ce qui est commun à tous les dirigeants de l'U.R.S.S. depuis 1917. Ils ont d'abord vu dans le problème national un problème de même nature que les autres, un héritage du passé ou de politiques erronées. Ils ont pensé que des solutions appropriées leur permettraient de liquider à tout jamais ce problème, puis ils en ont pris la dimension réelle, durable, menaçante pour l'ensemble du système soviétique.

Autre trait commun à tous les dirigeants de l'U.R.S.S. : pour eux, la seule façon de résoudre le problème national, c'est de supprimer les différences nationales. Seules les méthodes ont changé. Lénine a misé pour atteindre ce but sur l'éducation; Staline sur la violence; Khrouchtchev sur la rupture avec les méthodes staliniennes et la recherche d'une rationalité politique et économique. Mais ici, intervient une différence importante dans le temps. Lénine et Staline ont su, pour finir, qu'ils n'avaient modifié en rien la difficulté des relations interethniques, qu'elle subsistait et menaçait le système tout entier. Au contraire, Khrouchtchev, chassé du pouvoir, laissera à ses successeurs une situation en apparence plus simple que celle qu'ont comprise Lénine et Staline. Les fruits de la révolution semblent enfin avoir mûri. Près d'un demi-siècle s'est écoulé depuis 1917, presque deux générations, qui n'ont connu que le système soviétique, son idéologie et ses institutions. C'est pourquoi Khrouchtchev affirme que, du passé, il ne reste rien. La fédération a enfin pris tout son sens et accompli la tâche historique qui lui était assignée, effacer toutes les traces de rapports inégalitaires inhérents à la « prison des peuples », ouverte par les bolcheviks. Aux successeurs de tout mettre en œuvre pour que la nouvelle communauté des hommes, la communauté socialiste, puisse s'épanouir à la place des communautés ethniques dispersées et divisées. C'est l'ère d'un *peuple soviétique* [50].

CHAPITRE II

UN PEUPLE SOVIÉTIQUE ? OU DES PEUPLES SOVIÉTIQUES ? LA RÉVOLUTION DÉMOGRAPHIQUE

Le peuple soviétique est une communauté humaine considérable : 261,2 millions de personnes en 1978 [1]. Le pouvoir soviétique a, jusqu'à ces dernières années, considéré l'évolution démographique de cette communauté à travers deux certitudes. D'une part, qu'il s'agissait bien d'une communauté globale dont l'évolution, les comportements, les choix démographiques constituaient un ensemble indissociable. Sans aucun doute, comme dans toute société, des variations régionales existaient, mais le développement économique et intellectuel garantissait la communauté et le rapprochement des orientations démographiques et non une différenciation persistante. D'autre part, le pouvoir soviétique pense que les sociétés socialistes sont seules à pouvoir « assurer une croissance régulière de la population, parce que la maîtrise planifiée du développement économique permettrait de porter le potentiel économique au niveau optimum nécessaire à cette croissance régulière ». Enfin, à ces deux convictions initiales, s'est ajoutée pendant des décennies l'assurance que l'U.R.S.S. connaissait un progrès démographique constant, donc qu'elle était à l'abri des problèmes de population qui affectent, au moins depuis la Première Guerre mondiale, les sociétés industrielles.

Pourtant, la population soviétique, plus qu'aucune autre, a connu une histoire mouvementée et tragique. Des phénomènes naturels : mortalité infantile élevée, épidémies, famines; des phénomènes politiques : guerres, collectivisation, purges; des changements territoriaux. Diverses réductions territoriales après la paix de Brest-Litovsk, des agrandissements dans le cours de la Seconde Guerre mondiale. Si l'on ajoute à cela un processus de changement cataclysmique dans les années 30, caractérisé par l'industrialisation et l'urbanisation très rapides, l'amenuisement de la vie rurale, on imagine l'ampleur des secousses subies par la population de l'U.R.S.S. et la difficulté à dégager des tendances démographiques précises.

Basile Kerblay a souligné ailleurs que, sur la longue période, l'histoire démographique de l'U.R.S.S. s'apparente à celle des grandes collectivités humaines qui ont connu une croissance rapide à partir du XVIIIe siècle et surtout à la fin du XIXe siècle. En Russie, il décèle une croissance assez rapide, 0,8 % par an pour le XVIIIe et la majeure partie du XIXe siècle, puis une explosion démographique de 1,7 % par an entre 1897 et 1913, suivie d'un certain ralentissement après la révolution [2].

Tout suggérait qu'aujourd'hui encore, l'U.R.S.S. suivrait plus ou moins les mêmes voies que les sociétés occidentales : réduction de la natalité compensée par une réduction rapide de la mortalité infantile et l'allongement de la durée de vie. Le recensement de 1970, capital parce qu'il établit le constat démographique de la première période de paix totale qu'ait connue l'U.R.S.S., bouscule toutes les certitudes des dirigeants soviétiques et les tendances générales que l'on croyait déceler en U.R.S.S. Il montre que l'U.R.S.S. aussi connaît des problèmes de population, que le système socialiste n'est pas si parfaitement armé qu'il le croyait pour assurer une croissance de population régulière et planifiée. Il montre surtout que la communauté soviétique n'est pas une seule nation homogène, mais que les clivages nationaux se perpétuent dans des clivages démographiques, créant par là même des déséquilibres qui, dans un avenir proche, peuvent être à l'origine de problèmes considérables. La question nationale que Khrouchtchev disait résolue est d'abord, désormais, une question démographique.

La population de l'U.R.S.S. d'un recensement à l'autre

Suivre l'évolution de la démographie soviétique est une tâche malaisée en raison des variations territoriales et du caractère hétérogène des informations existantes. De quels instruments de mesure dispose-t-on?

Trois recensements complets : 1897, 1959, 1970, tous extraordinairement riches en informations. Entre eux, des recensements inachevés, interrompus par la guerre (1913), par l'effarement des dirigeants devant le décalage entre leurs prévisions et la réalité (1937); ou encore, recensements partiels : les villes (au début des années 20), natalité et mortalité en 1950, etc. De surcroît, souvent les données d'un recensement ont été rectifiées *a posteriori* (1926, 1939)[3]. Enfin, les questions posées d'un recensement à l'autre ont varié.

Il est donc impossible d'accorder une confiance absolue aux chiffres et mieux vaut les prendre pour ce qu'ils sont, des indicateurs de tendances. Tels quels, ils sont très parlants. Ils retracent une histoire exceptionnellement tragique et accentuent la portée des changements survenus dans la période ultime 1959-1970, parce que précisément, elle est la première rupture d'une immense tragédie collective. Pour plus de clarté, on a tenté d'adopter ici la même base territoriale et de voir les mouvements de populations sur des périodes significatives, c'est-à-dire délimitées par des événements décisifs.

POPULATION DE LA RUSSIE PUIS DE L'U.R.S.S. [4]

Années	*Nature des données*	*Population*
1897	Recensement	125 000 000
1926	Recensement incomplet	167 676 000
1939	Recensement incomplet	193 077 000
1950	Données partielles	181 700 000
1959	Recensement	208 827 000
1970	Recensement	241 720 000

TAUX D'ACCROISSEMENT

Périodes	*Caractéristiques de la période*	*% d'accroissement pour la période*	*Taux d'accroissement annuel*
1897-1926 = 30 ans	Guerre russo-japonaise Guerre mondiale Révolution Guerre civile	34,1	0,98
1926-1939 = 12 ans	Collectivisation Industrialisation Urbanisation Purges	15,1	1,19
1939-1950 = 12 ans	Guerre mondiale et reconstruction	— 5,9	— 0,49
1950-1959 = 8 ans	Suite de la reconstruction	14,9	1,76
1959-1970 = 11 ans	Période de paix complète	15,8	1,34

Ces deux tableaux, qui décrivent l'évolution générale de la population soviétique, appellent plusieurs observations. Tout d'abord, la période postérieure à 1917 peut être interprétée à la fois en termes de ralentissement démographique (comparée à l'évolution des Etats-Unis dont la population passe de 76 000 000 au début du siècle à plus de 200 000 000 au début des années 70, l'évolution de la démographie soviétique semble négative) et de dynamisme. La population soviétique, comparée à celle de l'Europe occidentale, accomplit durant toute cette période un progrès non négligeable.

Mais c'est surtout la prise en considération des pertes de population qui permet d'avoir une vue juste de la démographie soviétique. Ces pertes, peut-on les estimer avec une certaine précision [5]? Les chiffres les plus contradictoires et souvent les plus fantastiques ont été proposés. Il est difficile de trancher avec sérieux une querelle où, de toute manière, les différences sont souvent de l'ordre de plusieurs millions. On peut par contre s'efforcer d'aboutir à une estimation approximative qui différencie les causes des pertes humaines : conflits, famines et épidémies, purges, baisse de la natalité en conséquence des ponctions démographiques antérieures, législation antinataliste, etc.

Les guerres d'abord ont été terriblement lourdes en pertes humaines, chaque fois plus lourdes. Si la guerre russo-japonaise n'avait coûté à l'Empire que 46 000 morts, la Première Guerre mondiale lui en a coûté environ 3 millions (dont 1 million de militaires et plus de 2 millions de civils), la Seconde Guerre mondiale plus de 20 millions, dont 7 millions de militaires. A ces ponctions déjà formidables, vont s'ajouter dans les années 1918-1939, des hécatombes dont les causes sont multiples. La guerre civile a, à son actif, plus de 7 millions de morts civils. En 1921, la famine se solde par 5 millions de vies humaines. Si l'on ajoute à ces tragiques bilans 2 millions d'émigrés fuyant la révolution et plus de 8 millions et demi de naissances perdues, on constate qu'en 1921 les pertes de population des sept années écoulées s'élèvent déjà à 26 millions de personnes [6].

Si la N.E.P. permet à l'U.R.S.S. de reprendre souffle et de revivre dans la paix civile apparemment retrouvée, le début des années 30 ouvre une nouvelle phase de tourmente. Khrouchtchev a globalement estimé les pertes humaines de cette période à 10 millions. Mais la réalité dépasse sans aucun doute cette estimation. Le recensement de 1937 a révélé qu'il existait un écart de 16,7 millions de vies humaines entre la population réelle de l'U.R.S.S. au 1er janvier 1937 et la population prévue par le deuxième plan quinquennal [7].

La disparition statistique de 16 millions de personnes est relativement aisée à expliquer. La collectivisation forcée a conduit sur le chemin de la déportation et souvent à la mort un nombre de paysans qu'aucune statistique n'a encore précisé. B. Kerblay souligne très justement que, même maintenant, les historiens connaissent mieux les pertes du cheptel soviétique que le nombre d'individus liquidés dans ces années tragiques comme koulaks ou plus tard comme opposants au régime [8].

Mais des chiffres partiels permettent d'imaginer l'ensemble du tableau. La famine de 1933-1934 a tué à elle seule plus de 3 millions d'enfants en bas âge. La sédentarisation, qui chez les peuples nomades a accompagné la collectivisation, a coûté 1 million de vies au seul peuple kazakh (soit un quart de sa population totale). A ces morts dénombrés, s'ajoutent les cohortes de déportés morts de misère physiologique dans les camps ou sur les chantiers où ils assurent, main-d'œuvre presque gratuite, le succès des plans quinquennaux staliniens. Il faut y ajouter la population paysanne sacrifiée à cet immense effort de transformation et surtout ceux qui en constituent la partie la plus vulnérable : enfants et vieillards. Enfin, tous ceux qu'une répression aveugle liquide plus ou moins légalement.

Aux morts, s'ajoute, une fois encore, le manque à gagner démographique : classes creuses dues à la Première Guerre mondiale et qui atteignent l'âge de la fécondité, baisse de la natalité grâce à une législation qui favorise l'avortement. Les pertes de la Seconde Guerre mondiale sont compensées par les annexions territoriales qui apportent à l'U.R.S.S. en 1945, un surplus de 20 millions d'habitants.

Cependant, en dépit de ces acquisitions et d'une politique favorisant après 1936 la natalité, il faut attendre 1955 pour qu'enfin la population soviétique revienne à son niveau d'avant-guerre. Ainsi, entre 1914 et 1946, le passif démographique de l'U.R.S.S. aurait été de l'ordre de 60 millions de personnes si ce pays ne s'était agrandi en incorporant les Etats baltes, la Bessarabie, la Carélie, la Bucovine et des territoires polonais. 60 millions de vies humaines en moins, c'est-à-dire le tiers de la population soviétique d'après-guerre. Même ramené à 40 millions grâce aux annexions territoriales, même atténué par la constatation qu'il ne s'agit pas seulement, dans ce passif, de vies supprimées mais aussi d'un manque à gagner de la natalité, ce chiffre témoigne de la tragédie effroyable qu'a vécue collectivement la société soviétique [9]. Il témoigne de la vitalité de cette société, vitalité qui apparaît lorsqu'on considère les progrès accomplis par la population dans les années matériellement si difficiles de la reconstruction, c'est-à-dire 1946 à 1959.

Les tendances présentes de la démographie soviétique

Le progrès démographique que l'on a constaté, a été accompli essentiellement avant 1959 où, continûment, la natalité relativement forte a permis de compenser les pertes terribles subies dans le passé. Cela est particulièrement clair pour la période qui a suivi la Seconde Guerre mondiale, mais aussi pour les années 1926-1939.

Au contraire, la dernière période a été marquée par un déclin évident de la natalité soviétique. Les chiffres ne doivent pas dissimuler ce déclin. Le progrès accompli entre 1959 et 1970 est à peu près comparable à celui accompli entre 1926 et 1939. Mais si l'on considère que, dans la dernière période, l'U.R.S.S. a connu pour la première fois une paix absolue, que cette période a été placée sous le signe, pour la première fois aussi, de l'amélioration des conditions d'existence, que les progrès de la médecine et de l'éducation portent alors leurs fruits, on doit en déduire que la population soviétique est entrée dans une phase de régression qui s'accélère continûment depuis 1959. La comparaison des progrès accomplis chaque année est particulièrement éclairante ici, comme le montre le tableau suivant.

Années	*Population de l'U.R.S.S. (en millions)*	*% annuel d'accroissement*
1959	208,8	—
1960	212,3	1,68
1961	216,2	1,83
1962	220,0	1,70
1963	223,4	1,56
1964	226,6	1,43
1965	229,6	1,30
1966	232,2	1,13
1967	234,8	1,10
1968	237,1	0,95
1969	239,4	0,97
1970	241,7	0,94

En 1976, la population de l'U.R.S.S. se monte à 255,5 millions d'habitants [10], soit en six ans un accroissement de 13,8 millions de personnes, c'est-à-dire un taux annuel d'accroissement légèrement en-dessous de 0,93 %. Cette évolution de la démographie soviétique a, pour première conséquence, de modifier nettement la pyramide des âges. Le vieillissement de la population ressort très nettement des statistiques. Que l'on compare la situation présente à celle qui prévalait sous les tsars, ou encore dans les années les plus sombres du stalinisme :

% PAR RAPPORT À L'ENSEMBLE DE LA POPULATION DE L'U.R.S.S. [11]

Groupes d'âge	*1897*	*1939*	*1959*	*1970*
0-19 ans	48,4	49,3	37,4	38,0
20-59 ans	44,8	44,0	53,2	50,0
60 ans et plus	6,8	6,7	9,4	11,8

Pour comprendre ce vieillissement, il faut considérer l'évolution comparée des naissances et des décès sur l'ensemble de la période. Ici encore, la juxtaposition des chiffres révèle de sérieux déséquilibres. De prime abord, on tend à attribuer à tout pays en voie de modernisation des tendances simples : chute de la natalité compensée par une régression continue de la mortalité et principalement de la mortalité infantile. Dans le cas soviétique, il est clair que les années terribles de la collectivisation, des famines et des guerres ont provoqué une réduction dramatique de la partie de la population la plus vulnérable ou exposée : vieillards et enfants dans les périodes où les difficultés matérielles ont été les plus grandes, et des hommes jeunes durant les guerres. Le tableau suivant confirme ces tendances, mais aussi montre certaines évolutions particulières (cf. p. 52).

De ce tableau, plusieurs conséquences apparaissent. Tout d'abord, que le tournant économique de 1929, l'industrialisation et l'urbanisation ont en U.R.S.S., comme partout ailleurs, été suivis d'une chute progressive de la natalité qui descend régulièrement jusqu'en 1969 et semble s'être stabilisée depuis lors. Si durant des années (entre 1930 et 1960) le taux d'accroissement de la population soviétique ne semble pas affecté par le déclin de la natalité, la cause en est une baisse considérable du taux des décès qui touche en premier lieu les enfants en bas âge. Dès l'immédiat après-guerre, on constate que les efforts du régime soviétique, dirigés vers la protection de l'enfance, ont été payants. Ce progrès va se poursuivre continûment jusqu'au début des années 70 où la mortalité infantile se stabilise à un taux très bas.

En revanche, le taux de mortalité de la population dans son ensemble qui a atteint son point le plus bas à la fin des années 50

NATALITÉ, MORTALITÉ, ACCROISSEMENT NATUREL [12] DE LA POPULATION SOVIÉTIQUE

Années	*Pour 1 000 habitants*			*Enfants morts avant l'âge d'un an pour 1 000 naissances*
	Naissances	*Décès*	*Accroissement naturel*	
1913				
a) dans les frontières antérieures à 1939 ..	47,0	30,2	16,8	273
b) dans les frontières actuelles de l'U.R.S.S.	45,5	29,1	16,4	269
1926	44,0	20,3	23,7	174
1928	44,3	23,3	21,0	182
1937	38,7	18,9	19,8	170
1938	37,5	17,5	20,0	161
1939	36,5	17,3	19,2	167
1940	31,2	18,0	13,2	182
1950	26,7	9,7	17,0	81
1955	25,7	8,2	17,5	60
1956	25,2	7,6	17,6	47
1957	25,4	7,8	17,6	45
1958	25,3	7,2	18,1	41
1959	25,0	7,6	17,4	41
1960	24,9	7,1	17,8	35
1961	23,8	7,2	16,6	32
1962	22,4	7,5	14,9	32
1963	21,1	7,2	13,9	31
1964	19,5	6,9	12,6	29
1965	18,4	7,3	11,1	27
1966	18,2	7,3	10,9	26
1967	17,3	7,6	9,7	26
1968	17,2	7,7	9,5	26
1969	17,0	8,1	8,9	26
1970	17,4	8,2	9,2	25
1971	17,8	8,2	9,6	23
1972	17,8	8,5	9,3	24
1973	17,6	8,6	9,0	26

(la légère remontée de la mortalité en 1957, 1959 et 1962 est attribuée par les démographes soviétiques aux épidémies de grippe qui se sont déclarées dans ces années et dont les ravages ont été importants), commence dès lors à remonter [13]. Cette remontée, que les chiffres ne montrent qu'à la fin de la décennie, commence en réalité quelques années plus tôt, car il faut faire entrer en ligne de compte à cette époque la baisse de la mortalité infantile qui se poursuit encore. La cause en est évidente. La population de l'U.R.S.S. vieillissant, meurt davantage en dépit des progrès de la médecine et de l'allongement général de l'espérance de vie.

Cette évolution défavorable de la démographie soviétique a été l'une des surprises du recensement de 1970. Avant le recensement, compte tenu des résultats du recensement de 1959, les démographes soviétiques prévoyaient une courbe différente [14]. On attendait plus de 250 millions de citoyens; le recensement a montré qu'il en manquait près de 10 millions. Cette tendance peut-elle être corrigée? Compte tenu des progrès sanitaires accomplis et du vieillissement de la population, un progrès démographique ne peut résulter que d'un progrès de la natalité et non d'un recul de la mortalité. Progrès de la natalité qui doit être d'autant plus durable qu'il doit compenser une mortalité en hausse et qui peut se maintenir telle pendant assez longtemps.

Dans quelle mesure la structure par âge et par sexe de la société soviétique permet-elle d'attendre un sérieux progrès des tendances démographiques? Deux facteurs doivent être pris en considération pour répondre à cette question : le nombre de femmes en âge de procréer (16-49 ans, période moyenne de fécondité), et notamment celui des femmes de moins de quarante ans; le nombre de femmes mariées dans la population.

A) *Femmes en âge de procréer* [15]

% DE LA POPULATION SOVIÉTIQUE

	Nombre de femmes (en millions)			*% de la population de l'U.R.S.S.*		
	1939	*1959*	*1970*	*1939*	*1959*	*1970*
Nombre total de femmes 16-49 ans	48,4	58,5	60,8	25,4	28,0	25,2
dont : 16-29 ans	24,3	26,9	23,9	12,7	12,9	9,9
30-49 ans	24,1	31,6	36,9	12,7	15,1	1,3

B) *Nombre de femmes mariées* (pour 1 000 femmes) [16]

Tranches d'âge	*1939*	*1959*	*1970*
A partir de 16 ans et au-delà........	605	522	580
16-19 ans	140	112	105
20-24 ans	614	501	559
25-29 ans	787	759	827
30-34 ans	818	776	853
35-39 ans	800	725	839
40-44 ans	759	623	790
45-49 ans	688	549	719
50-54 ans	593	483	603
55-59 ans	497	433	501
60-69 ans	363	361	371
70 ans et au-delà................	168	169	196

Sans aucun doute, le tableau B met en lumière un facteur favorable à un accroissement de la natalité : l'accroissement du nombre de femmes mariées dans la classe d'âge susceptible de procréer. Cette évolution rend compte d'un lent rééquilibrage des sexes. La Seconde Guerre mondiale avait décimé la population masculine de l'U.R.S.S. et tout particulièrement les hommes jeunes, et réduit par là même les possibilités d'un redressement démographique spectaculaire. Cependant, cette ponction dans la population masculine n'a pas empêché la natalité d'après-guerre d'atteindre des taux d'accroissement relativement élevés. Les femmes qui, en 1959, ont entre 35 et 50 ans, sont précisément celles qui se sont trouvées beaucoup plus nombreuses que les hommes au sortir de la guerre, alors qu'elles avaient entre 20 et 35 ans. Comparées aux femmes des mêmes tranches d'âge des années 70, elles ont été en position beaucoup plus défavorable, et cependant leur fertilité a été plus grande que celle des femmes mariées d'aujourd'hui.

Le même tableau indique une autre tendance qui réduit les progrès de la natalité : le mariage devient plus tardif et probablement la période de fertilité se réduit.

Mais c'est surtout le tableau A qui explique les problèmes démographiques de l'U.R.S.S. Si la proportion des femmes en âge de procréer est constante depuis 1939 (25 % de la population), ici encore, le vieillissement général fait sentir ses effets et le nombre de femmes âgées de 16 à 30 ans, âge le plus favorable à la maternité, diminue par rapport à l'ensemble de la population soviétique, par rapport aussi à la population féminine de l'U.R.S.S. (en 1926,

56,7 % des femmes soviétiques étaient âgées de 16 à 29 ans; en 1939, leur part tombe à 50,2 %; en 1959, à 46 %; en 1970, à 39,3 %).

Diminution du nombre de femmes jeunes, mariages plus tardifs, réduction du nombre d'enfants par famille, tout concourt à expliquer pourquoi la population soviétique n'augmente pas conformément aux prévisions initiales. Dans quelle mesure le pouvoir soviétique peut-il compenser par une politique d'incitation à la natalité ces tendances défavorables?

Dès 1936, Staline avait ressenti la nécessité d'encourager les femmes à des maternités plus nombreuses, revenant ainsi sur la liberté totale de choix qui leur avait été accordée dans ce domaine après la révolution. Depuis lors, la culture politique soviétique, tout en exaltant constamment le rôle des femmes dans la société, juxtapose à l'image d'une femme égale de l'homme, l'image de *la mère*, de la femme ayant une vocation maternelle. Concrètement, cette valorisation de la maternité se traduit par des mesures qui semblent fort minces à ceux qui sont accoutumés à la législation sociale des sociétés occidentales, notamment à la législation de la France d'après-guerre.

Sans doute, des décorations sont-elles distribuées aux mères de familles nombreuses qui se voient décerner le titre de « mère-héroïne », « gloire de la maternité » ou la « médaille de la maternité ». Des allocations prénatales, des allocations familiales assez peu substantielles, une assistance durable aux mères de nombreux enfants, sont supposées encourager la natalité. Mais, ni les titres ronflants, ni les allocations dérisoires ne peuvent compenser la réalité.

En milieu urbain, des appartements encore trop exigus, des crèches et garderies en nombre insuffisant, l'aspiration croissante des citoyens soviétiques à vivre mieux les incitent à limiter le nombre des membres de la famille. En milieu rural, les conditions d'existence des femmes ne favorisent guère non plus la grande famille, même si les femmes y ont davantage d'enfants.

Il suffit, pour comprendre le problème, de lire le récit que fait l'écrivain soviétique Ivan Belov dans *Affaire d'habitude* [17] de la vie d'une kolkhozienne, mère de famille nombreuse. Dans ce livre, publié légalement en U.R.S.S. et donc, on peut le supposer, non suspect de propos antisoviétiques, on voit une malheureuse femme chargée d'enfants, se levant avant le jour, se couchant après la nuit, travaillant jusqu'à l'instant d'accoucher et reprenant son travail dès sa sortie de l'hôpital, mourant enfin à la tâche au lendemain d'une dernière naissance. Les nombreux enfants de cette « mère-héroïne » sont gardés tantôt par une grand-mère, tantôt par un père ivrogne, et arrivent tout juste à ne pas mourir de faim. La misère absolue de la condition féminine, l'alcoolisme paternel (fléau social dont le pouvoir soviétique reconnaît l'extrême gravité), cette image — officiellement publiée, répétons-le — de la vie quotidienne de la kolkhozienne chargée de famille, fait écho à l'image de la citadine harassée, courant toujours, entre son travail, les files d'attente interminables où elle nourrit sa famille, et une maison où l'attendent des enfants mal gardés. On comprend que cette maternité heureuse n'attire que médiocrement les femmes soviétiques.

On comprend aussi pourquoi les démographes soviétiques se montrent désormais plus prudents dans leurs prévisions; qu'ils abaissent pour l'an 2000 les 350 millions de citoyens soviétiques au minimum, souvent évoqués par la presse avant 1970, au chiffre plus modeste de 300 à 310 millions [18]. Le pessimisme qui préside à ces prévisions est, on le voit, assez grand. Loin d'envisager un redressement de la courbe de natalité soviétique, voire simplement une stabilisation, les démographes attendent une accélération des tendances actuelles.

En même temps, les dirigeants affirment qu'une politique plus propice à une croissance démographique est nécessaire. On constate ainsi un net divorce entre une approche politique du problème démographique et une approche plus scientifique. Pour en comprendre les causes, il faut considérer à présent la population de l'U.R.S.S. non plus comme une entité homogène, mais comme un ensemble disparate accusant des différences de comportement considérables selon les régions, c'est-à-dire selon les nations, et probablement les civilisations.

Deux mondes démographiques : les Européens de l'U.R.S.S. et les « autres »

La révélation la plus importante du recensement de 1970 a trait, sans aucun doute, à la différence démographique entre diverses régions, laquelle porte sur les taux de natalité et les taux de croissance, mais non sur les taux de mortalité qui, d'une région à l'autre, tendent à s'uniformiser toujours davantage. A considérer les résultats du recensement de 1970, à les comparer avec les résultats des recensements précédents, on peut faire trois constatations : une différenciation toujours croissante entre diverses régions nationales; un renversement des tendances démographiques traditionnelles qui prévalaient dans l'Empire et en territoire soviétique jusqu'à la fin des années 50; enfin, une modification complète des équilibres humains de ce pays.

Ces changements résultent de deux processus démographiques apparemment contradictoires. D'une part, une série de nations qui, dans le passé, avaient des comportements démographiques assez différents tendent à se rapprocher toujours davantage. D'autre part, un groupe humain se détache de la population soviétique par un comportement totalement différent, et ceci entraîne une évolution totalement opposée du premier groupe et du second. Les résultats généraux du recensement éclairent de prime abord cette opposition.

EVOLUTION DE LA POPULATION DES RÉPUBLIQUES [19]
(frontières actuelles de l'U.R.S.S.)
(en milliers)

Républiques	*1913*	*1939 (estimations)*	*1959*	*1970*	*1970 % par rapport à 1959*
U.R.S.S.	159 153	190 678	208 827	241 720	116
R.S.F.S.R.	89 902	108 377	117 534	130 079	111
Ukraine	35 210	40 469	41 869	47 126	113
Biélorussie	6 899	8 912	8 056	9 002	112
Uzbekistan	4 334	6 347	8 119	11 800	145
Kazakhstan	5 597	6 082	9 295	13 009	140
Géorgie	2 601	3 540	4 044	4 686	116
Azerbaïdjan	2 339	3 205	3 698	5 117	138
Lituanie	2 828	2 880	2 711	3 128	115
Moldavie	2 056	2 452	2 885	3 569	124
Lettonie	2 493	1 885	2 093	2 364	113
Kirghizie	864	1 458	2 066	2 933	142
Tadjikistan	1 034	1 485	1 981	2 900	146
Arménie	1 000	1 282	1 763	2 492	141
Turkménie	1 042	1 252	1 516	2 159	142
Estonie	954	1 052	1 197	1 356	113

Une évidence saute aux yeux à la lecture de ce tableau. Désormais, on voit nettement la ligne de clivage de la démographie soviétique. Toutes les républiques occidentales (sauf la Moldavie) — le groupe slave (Russie, Ukraine, Biélorussie), le groupe balte (Lettonie, Lituanie, Estonie) — ont connu, au cours de la dernière période, une croissance inférieure à la croissance moyenne de l'ensemble. L'U.R.S.S. occidentale se présente comme une zone de déclin démographique, fort homogène au demeurant, si l'on considère que dans toutes ces républiques l'indice de croissance des années 1959-1970 se situe entre 111 et 113 (100 en 1959). Tout au contraire, l'U.R.S.S. orientale — Asie centrale et Caucase — forme un second ensemble homogène caractérisé par une population croissant rapidement.

Si l'on en vient à présent aux groupes ethniques eux-mêmes et non plus aux républiques dont la composition multinationale, à l'image de l'U.R.S.S. entière, risque de fausser la vision des changements démographiques, on a une idée plus nette des changements subis par chaque groupe, à la fois dans la longue durée (1897-1970) et au cours de la dernière période.

% DES GROUPES ETHNIQUES
PAR RAPPORT A LA POPULATION TOTALE [20]

Groupes ethniques	*1897*	*1926*	*1959*	*1970*
Russes	44,4	47,5	54,6	53,4
Ukrainiens	19,4	21,4	17,8	16,9
Biélorusses	4,5	3,6	3,8	3,7
Tatars	1,9	1,7	2,4	2,5
Turco-musulmans	12,1	10,1	10,3	12,9
Juifs	3,5	2,4	1,1	0,9
Peuples européens (Géorgiens, Arméniens, Lettons, Estoniens)	3,9	3,6	3,8	3,8
Lituaniens	1,3	1,2	1,1	1,1
Peuples finnois	2,3	2,2	1,5	1,4
Moldaves (Roumains)	1,0	1,2	1,1	1,2

Ce tableau montre que, de 1897 à 1959, seul le peuple russe a constamment augmenté sa part dans l'ensemble des peuples qu'il dominait. Continûment ou avec des ruptures, tous les autres groupes ethniques de cet ensemble ont connu des phases de régression. C'est de cette tendance durable que le dernier recensement accuse la rupture. Au détriment du peuple russe dont la part dans l'ensemble commence à baisser même s'il reste encore le peuple majoritaire. Au détriment aussi des autres peuples slaves et européens, juifs, finnois dont le déclin ou la stagnation se poursuivent. Au bénéfice des peuples musulmans qui, tous, amorcent en 1959 une remontée spectaculaire.

Dans quelle mesure peut-on expliquer ces différences par des facteurs classiques? Haut degré d'urbanisation des populations de l'U.R.S.S. occidentale? Caractère plus rural de l'U.R.S.S. orientale, accompagné des phénomènes propres au monde rural et moins développé, tel le haut niveau de mortalité infantile et une natalité plus importante qu'ailleurs? Sans aucun doute, le degré d'urbanisation et ses progrès tiennent ici une place considérable. Mais s'il est exact que la partie occidentale de l'U.R.S.S. est plus urbanisée, il serait dangereux de sous-estimer l'évolution des rapports villes-campagnes dans l'ensemble du pays dont témoigne le tableau suivant [21] :

Républiques	*Part de la population urbaine dans la population totale en %*	
	1939	*1970*
U.R.S.S.	*32*	*56*
R.S.F.S.R.	33	62
Ukraine	34	55
Biélorussie	21	43
Uzbekistan	23	37
Kazakhstan	28	50
Géorgie	30	48
Azerbaïdjan	36	50
Lettonie	35	62
Moldavie	13	32
Lituanie	23	50
Kirghizie	19	37
Tadjikistan	17	37
Arménie	29	59
Turkménie	33	48
Estonie	34	65

Ce tableau montre clairement que l'urbanisation est la plus poussée en Russie (avec l'Estonie et la Lettonie). C'est en Russie aussi que l'accroissement de population est le plus faible. Mais si l'on regarde les progrès de l'urbanisation en Arménie, au Kazakhstan, en Azerbaïdjan, on constate que dans ces républiques la natalité est très forte, alors que dans la Lituanie où le taux d'urbanisation est similaire, la natalité se situe légèrement en dessous de la moyenne nationale. La Turkménie qui s'urbanise actuellement plus vite que les autres républiques musulmanes, ne semble pas, loin de là, voir retentir ce progrès sur sa population; alors que la Biélorussie moins urbanisée a une natalité particulièrement basse. Ces différences imposent de nuancer l'idée classique que l'urbanisation influe immédiatement sur le comportement démographique. Elles imposent aussi de ne pas s'en tenir seulement à une comparaison de chiffres bruts, mais d'examiner en détail la situation des principaux groupes nationaux pour tenter de saisir les éléments essentiels de leur histoire démographique récente.

Le recul du groupe russe est sans aucun doute la donnée la plus spectaculaire du dernier recensement [22]. Parce qu'il s'agit du groupe humain qui domine de son poids numérique et politique la collectivité soviétique tout entière. Parce que ce recul — encore léger — s'oppose à une tendance démographique continue. Les Russes se sont, en effet, accrus en nombre de manière plus continue et régulière que tous les autres groupes ethniques vivant avec eux. Il est d'ailleurs malaisé de peser exactement la valeur des chiffres, dans la mesure où les critères de rattachement de l'individu à une nation ont varié d'un recensement à l'autre.

En 1897, lors du recensement qui sert de base à toutes les comparaisons, la nationalité des citoyens de l'Empire n'avait fait l'objet d'aucune question particulière; seule la langue maternelle permettait d'évaluer l'importance des divers groupes nationaux. En 1926, au contraire, le recensement comportait deux questions distinctes dans ce domaine, l'une relative à la langue maternelle, l'autre à la *nationalité* de rattachement. Cette subtilité du questionnaire a permis aux enquêteurs de constater que langue maternelle et nationalité ne coïncidaient pas toujours. Plus de 6 millions de personnes qui revendiquaient une nationalité autre que russe (ce fut essentiellement le fait d'Ukrainiens juifs et de Biélorusses) désignaient en même temps la langue russe comme langue maternelle.

On peut déduire de ceci qu'en 1897, quelque 5 à 6 millions de personnes ont été indûment décomptées comme Russes qui, dans les recensements ultérieurs, se rattacheront à d'autres groupes. Dès lors que l'on soustrait ce nombre des 89 millions de Russes recensés en 1897, il ressort que la croissance annuelle des Russes de 1897 à 1926 aura été non de 1,2 % mais de 1,5 %, et que la progression de ce groupe jusqu'au début des années 60 a été encore plus importante que ne le montrent les estimations officielles.

Tout au long du XXe siècle, les Russes ont subi des pertes en vies humaines beaucoup plus considérables que la plupart des autres groupes nationaux. La Première Guerre mondiale a frappé en priorité des Russes; la famine de 1921 a fait le plus grand nombre de victimes dans la région de la Volga peuplée en majorité de Russes. Le prix payé par le peuple russe au cours de la Seconde Guerre mondiale est considérable. Qu'en dépit de ces pertes constantes de population le groupe russe se soit accru de 1,2 % annuellement (chiffre officiel qu'il faut corriger, on vient de le voir en hausse aux environs de 1,5 %) entre 1897 et 1926, alors que la population totale du pays ne s'accroissait que de 0,98 %; que de 1926 à 1959, le taux de croissance russe ait été de 1,1 % par an pour un taux général de 0,7 %, témoignent du dynamisme exceptionnel de ce groupe. Mais aussi, ce décalage considérable entre Russes et non-Russes conduit à s'interroger sur un autre point.

Dans quelle mesure le dynamisme russe n'est-il pas dû, en partie du moins, à une assimilation de peuples non russes? En 1897, les ambiguïtés du recensement en ont en partie faussé les données, s'agissant de déterminer réellement l'importance respective des divers groupes nationaux. Par la suite, les questionnaires des recensements ayant soigneusement séparé langue et appartenance nationale, on peut se faire une idée plus précise de l'évolution de la conscience nationale des individus. Et mesurer, on y reviendra, la capacité d'assimilation de certaines grandes nations, en particulier de la nation russe. L'assimilation est peut-être susceptible également de rendre compte à la fois du dynamisme russe et de la diminution, voire de la disparition de certains groupes nationaux.

Les Ukrainiens posent aussi un sérieux problème dans la mesure où leur croissance a été faible, aussi bien entre 1897 et 1960 que dans la dernière période. Sans doute faut-il faire place ici aussi aux pertes humaines considérables subies par ce groupe. Si, dans la Première Guerre mondiale, les pertes ukrainiennes ne sont pas exceptionnelles, la guerre civile dont les champs de bataille principaux sont en Ukraine y est particulièrement meurtrière; de même, la grande famine de 1921 qui gagne l'Ukraine méridionale et la Crimée; la famine de 1932-1934; enfin la Seconde Guerre mondiale qui se déroule largement dans cette région d'où les Allemands déportent, en outre, un nombre considérable d'hommes et de femmes en âge de procréer.

Aussi atteints que les Russes par les divers événements qui ont décimé pendant près d'un demi-siècle la population de l'U.R.S.S., les Ukrainiens n'ont, à aucun moment, manifesté un dynamisme démographique comparable à celui des Russes. Plus encore, tout témoigne que leur stagnation démographique s'étend à toute la période considérée, et que le progrès enregistré entre 1897 et 1926 (où les Ukrainiens passent de 19 % de la population totale à 21,4 %) est dû principalement aux conditions de recensement déjà évoquées. Les Ukrainiens ont été sous-évalués en 1897, alors qu'en 1926, une partie du progrès démographique enregistré doit être attribuée au transfert des Ukrainiens russophones du groupe russe à leur groupe national [23].

Les Biélorusses ont été victimes des mêmes pertes brutales de population que les autres peuples slaves. Atteints de plein fouet par les deux guerres mondiales, ils ont connu leur meilleur taux de croissance au cours de la dernière période de paix, ce qui témoigne nettement de l'impact des guerres sur l'évolution de ce groupe. Moins urbanisée que la Russie et l'Ukraine, la Biélorussie a, à l'heure présente, un taux de natalité très légèrement supérieur aux leurs [24].

Les trois peuples du groupe slave ont, en définitive, subi les mêmes tragédies et connu une évolution assez sensiblement voisine. La dernière guerre a fauché une génération et les effets de cette destruction de la population slave n'ont pas fini de se faire sentir dans la société soviétique. Pourtant, ce sont moins les classes creuses qui sont actuellement responsables de la faiblesse démographique des slaves, que l'attitude des membres de ce groupe vis-à-vis de la natalité.

La situation des peuples baltes est plus inquiétante encore que celle des Slaves. Leur part, dans la population totale du pays, s'est continûment réduite depuis le début du siècle. Cependant, ici, une remarque s'impose. Il ne s'agit pas d'une évolution mais bien d'une situation qui s'est fixée très tôt. Dès 1897, ces peuples avaient la plus faible natalité de l'Empire. Sans doute faut-il considérer à part la Lituanie catholique où le déclin de la natalité commence au début du siècle, mais a été plus progressif et modéré que dans les pays baltes protestants. Le facteur religieux a probablement entraîné des comportements différents de même qu'une évolution socio-économique différente. Moins urbanisés et moins éduqués que la population estonienne et lettone, les Lituaniens se sont alignés sur eux relativement tardivement. Mais, à l'heure présente, cette évolution est achevée et l'ensemble des pays baltes n'est pas loin d'une absence complète de croissance de la population [25].

Dans certains cas, les chiffres bruts dissimulent des situations beaucoup plus complexes, notamment s'agissant des Juifs et des Géorgiens. Les Juifs ont connu une réduction brutale de leur population en valeur absolue et comparée au reste de l'U.R.S.S. Entre 1897 et 1970, la population juive a diminué de 50 %, de 4 308 460 à 2 151 000. Les causes en sont pour l'essentiel bien connues. Avant la Première Guerre mondiale, plus d'un million de Juifs rebutés par une politique de ségrégation sans cesse aggravée, affolés par les pogroms (le plus célèbre, celui de Kichinev en 1903, illustre les responsabilités du pouvoir dans l'antisémitisme populaire croissant à cette époque), quittaient l'Empire. La Seconde Guerre mondiale est accompagnée en territoire soviétique occupé, d'un massacre de Juifs dont l'ampleur exacte n'est pas connue mais que l'on peut estimer au minimum à 2 millions et demi de personnes [26].

Ces données expliquent l'amenuisement du groupe juif sur la longue durée, mais elles ne rendent pas pleinement compte de son évolution entre les deux recensements. L'émigration qui s'accélère après 1970 — 150 000 Juifs environ ont été autorisés à quitter l'U.R.S.S. au cours des dernières années — n'y suffit pas non plus. La faible natalité est caractéristique du comportement démographique de la communauté juive. Comportement conforme à sa localisation géographique. Les Juifs sont essentiellement des urbains et vivent surtout dans la partie occidentale de l'U.R.S.S. Leur natalité est celle de la population qui vit dans les mêmes conditions.

Pourtant, certains indices suggèrent que le tableau de la communauté juive d'U.R.S.S. qui se dégage du recensement, est quelque peu faussé. Tout d'abord, si l'on en juge par les statistiques, les Juifs d'U.R.S.S. sont beaucoup plus vieux que la moyenne de la population. En 1970, la population soviétique compte 12 % de plus de 60 ans. En revanche, 26 % des Juifs installés en R.S.F.S.R., 38 % de la population juive totale, semblent avoir dépassé cet âge. A l'autre bout de la pyramide des âges, la situation des Juifs semble aussi anormale. Si la population soviétique compte au dernier recensement 18,6 % d'enfants de moins de 10 ans, seulement 6 % de la population juive se trouve dans cette tranche d'âge. La différence entre la structure d'âge de toute la population soviétique et de la population juive est trop grande pour que l'on puisse la tenir pour véridique, dès lors que rien ne l'explique réellement [27]. Ceci suggère que la communauté juive est soumise à un processus d'assimilation assez développé. Restent juifs ceux qui se sont déclarés tels lors de l'attribution de leur passeport à une époque où l'on pouvait penser en U.R.S.S. que l'antisémitisme n'existerait plus. Et ceci expliquerait

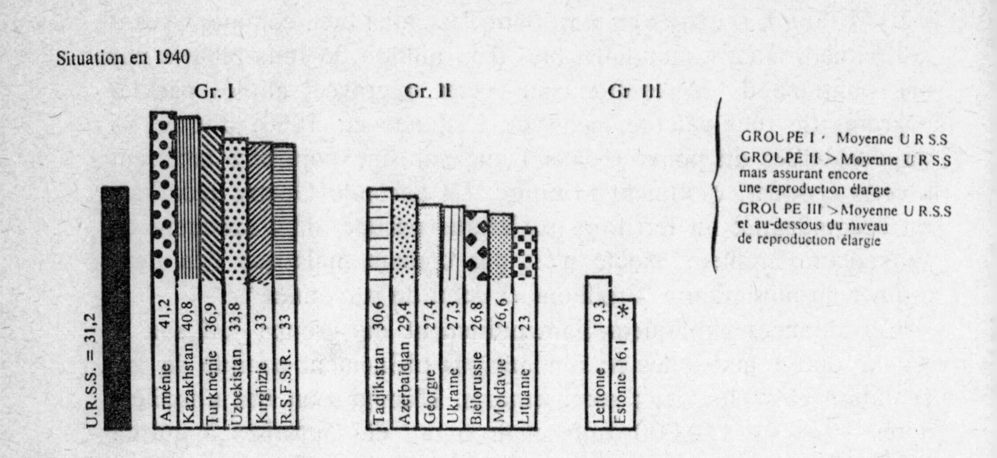
Situation en 1940
Gr. I
Gr. II
Gr III
GROUPE I · Moyenne U R S.S
GROUPE II > Moyenne U R S.S mais assurant encore une reproduction élargie
GROUPE III > Moyenne U R.S.S et au-dessous du niveau de reproduction élargie
U.R.S.S. = 31,2
Arménie 41,2
Kazakhstan 40,8
Turkménie 36,9
Uzbekistan 33,8
Kirghizie 33
R.S.F.S.R. 33
Tadjikistan 30,6
Azerbaïdjan 29,4
Géorgie 27,4
Ukraine 27,3
Biélorussie 26,8
Moldavie 26,6
Lituanie 23
Lettonie 19,3
Estonie 16,1
*

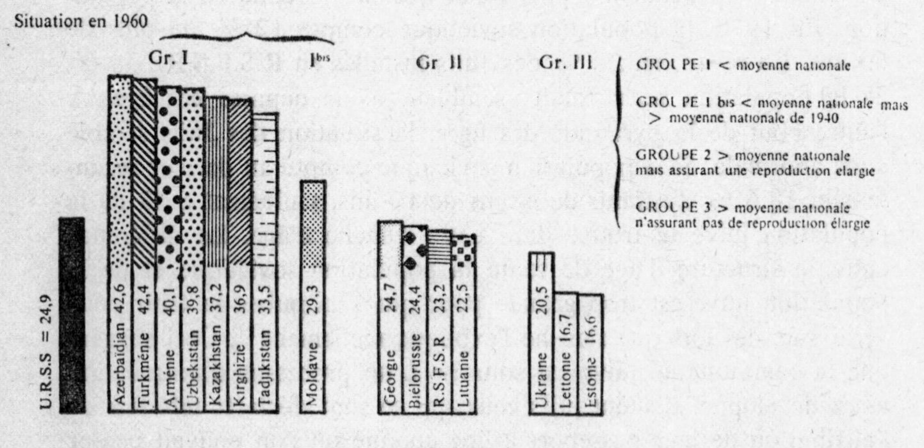
Situation en 1960
Gr. I
I bis
Gr II
Gr. III
GROUPE I < moyenne nationale
GROUPE I bis < moyenne nationale mais > moyenne nationale de 1940
GROUPE 2 > moyenne nationale mais assurant une reproduction élargie
GROUPE 3 > moyenne nationale n'assurant pas de reproduction élargie
U.R.S.S = 24,9
Azerbaïdjan 42,6
Turkménie 42,4
Arménie 40,1
Uzbekistan 39,8
Kazakhstan 37,2
Kirghizie 36,9
Tadjikistan 33,5
Moldavie 29,3
Géorgie 24,7
Biélorussie 24,4
R.S.F.S.R 23,2
Lituanie 22,5
Ukraine 20,5
Lettonie 16,7
Estonie 16,6

Graphique I.

ULATION SOVIÉTIQUE – NATALITÉ 0/00

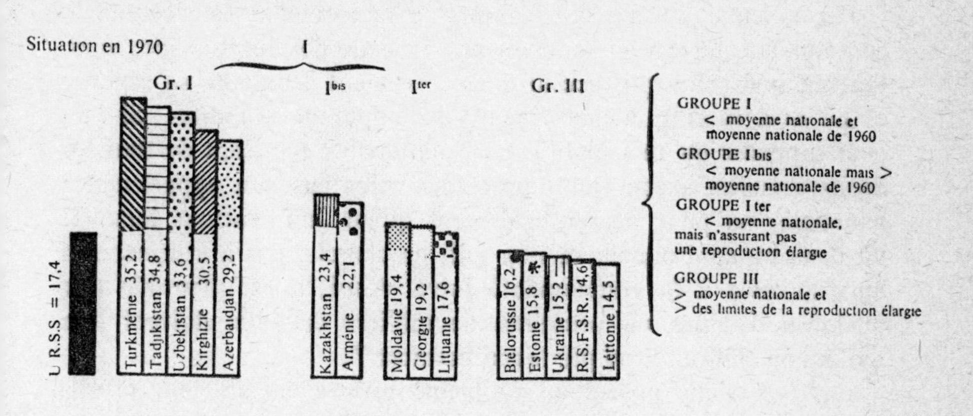

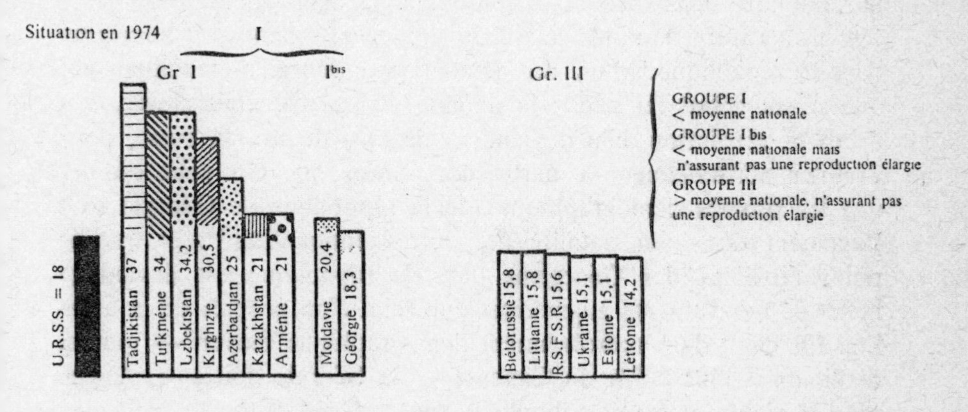

la proportion importante de Juifs dans les tranches d'âge les plus élevées. En revanche, la jeune génération, surtout lorsqu'elle est issue de mariages mixtes, choisit vraisemblablement souvent la nationalité du parent non juif. Le nombre élevé de mariages mixtes impliquant des Juifs renforce cette hypothèse.

Par ailleurs, il est plausible que le recensement sous-évalue la communauté juive tout simplement en raison de réponses inexactes. On sait que celui qui répond au recensement décide de sa réponse et ne doit fournir aucune preuve à l'appui de ses dires. Si l'on peut supposer qu'un membre d'une nationalité jouissant de tous les droits attachés à son statut proclame volontiers son appartenance nationale, on peut penser également qu'un Juif, surtout lorsqu'il vit dans un environnement non juif, ne cherche pas à affirmer son appartenance à la communauté juive. Ainsi, il est plausible que quelques dizaines ou centaines de milliers de Juifs doivent être ajoutés au chiffre fourni par le recensement [28].

Les Géorgiens posent un problème inverse car ils sont probablement surestimés ou plutôt bénéficient d'une certaine ambiguïté due au statut de la république. La R.S.S. de Géorgie englobe, en effet, dans ses frontières, deux républiques autonomes (R.S.S.A. d'Abkhazie et R.S.S.A. d'Adjarie), et une région autonome (R.A. d'Ossétie méridionale), peuplées toutes trois pour l'essentiel de nationalités musulmanes. La Géorgie juxtapose ainsi une population titulaire, d'origine chrétienne, de 66,8 % (64,3 % au recensement de 1959) et de nombreux groupes ethniques différents, que leur appartenance à l'Islam et à des cultures très éloignées de la culture géorgienne rattache davantage au grand groupe turco-musulman qu'à la république dans laquelle ils sont englobés. Sans doute, d'un recensement à l'autre, le poids relatif du groupe géorgien a-t-il augmenté dans la république. Mais, des démographes géorgiens reconnaissent que si, au début du siècle, la natalité géorgienne était élevée, dès avant la révolution, elle descend au-dessous du niveau russe, pour décliner véritablement à partir des années 50. On peut estimer que les progrès démographiques de la république de Géorgie sont largement dus à la natalité des autres nationalités [29]; et que le poids croissant des Géorgiens dans la république est davantage l'effet de mouvements migratoires que celui d'un progrès de la natalité. En dépit d'un accroissement démographique moyen — qui est d'ailleurs le plus faible du Caucase — la Géorgie doit être classée, pour le présent, avec les nations occidentales en déclin.

Les Arméniens au contraire semblent, bien que leur évolution économique, leur degré d'urbanisation et d'éducation soient élevés, plus proches du modèle oriental. Dans les premières grandes études consacrées à la population de l'U.R.S.S. de l'après-guerre, le taux de fertilité exceptionnellement élevé du Caucase est mis en avant. Sans doute, les Arméniens de l'U.R.S.S. ont-ils bénéficié d'un apport de population lors de la Première Guerre mondiale. En effet, près d'un demi-million d'Arméniens ont alors fui la Turquie. Mais les progrès démographiques de cette nation résultent avant tout d'une fertilité qui se maintient continûment à un niveau élevé et qu'accentue encore la chute de la mortalité. Ici, contrairement au cas de la Géorgie, la natalité doit être attribuée aux Arméniens eux-mêmes qui forment, en 1970, 89 % de la population de leur république. La jeunesse de la population permet de penser que l'Arménie verra encore se maintenir dans les prochaines années un taux élevé de natalité et un taux de mortalité très inférieur à la moyenne générale de l'U.R.S.S. (5,1 pour mille alors qu'en 1972, la moyenne générale atteint 8,5 pour mille, et le taux de mortalité en Estonie ou en Lettonie grimpe à 11 pour mille [30].)

Mais ce sont les peuples musulmans de l'U.R.S.S. qui présentent la situation démographique la plus favorable et la plus différente de l'évolution antérieure. De la révolution à la fin des années 50, la progression de ces peuples a été lente, bien inférieure à celle des Russes [31]. Beaucoup de raisons expliquent ce phénomène. Les nomades kazakhs, par exemple, ont subi les contrecoups des pertes humaines de la révolte de 1916, puis de la collectivisation et de la sédentarisation qu'ils ont payé d'un prix exceptionnellement élevé (plus du quart de la population a été physiquement éliminé; si l'on fait entrer en ligne de compte l'accroissement prévisible de la population kazakhe entre 1926 et 1936, on peut estimer que ce peuple a perdu 1,5 million de personnes sur les 4 millions dénombrés en 1926).

De même, les Bachkirs ont vu leur nombre réduit d'un tiers environ à la suite de la guerre avec le pouvoir soviétique en 1920 qui conduisit à la suppression de l'Etat bachkir indépendant. Depuis lors, en dépit d'une natalité plus élevée que celle des populations voisines (les Bachkirs vivent dans une république autonome incorporée à la République russe), les Bachkirs n'ont pas encore rattrapé leur niveau prérévolutionnaire (1,5 million en 1897, 1 million en 1926, 954 800 en 1959, 1 181 000 en 1970).

Au nombre des peuples décimés, il faut encore ajouter les peuples déportés par Staline au cours de la guerre et qui ont, de ce fait, subi des pertes humaines considérables. Les Tchétchènes, Ingouches, Karatchaïs, Balkars du Caucase. On peut avoir une idée de leur destin en considérant l'évolution du groupe tchétchène qui comptait 408 000 membres en 1939 et 419 800 en 1959. Réhabilités après le 20e Congrès, autorisés à regagner leurs territoires, ces peuples opèrent depuis lors un redressement démographique assez spectaculaire. Les Tchétchènes sont passés de 408 000 à 581 800 personnes, les Ingouches de 56 000 à 137 000. L'évolution des autres peuples déportés a suivi le même cours.

Même les Tatars de Crimée, qui ont été déportés par Staline et n'ont pas bénéficié du droit de regagner leur territoire national depuis lors (il a été juridiquement supprimé et les Tatars sont contraints malgré leur opposition véhémente à rester sur leurs lieux de déportation), ont remarquablement rattrapé les pertes humaines dues à l'épreuve que Staline leur a infligée. En dépit de l'imprécision des données numériques concernant ce groupe, on sait qu'il y avait, en 1926, dans la république de Crimée, 179 094 Tatars que l'on peut estimer à 230 000 à la veille de la guerre. Si le prix de leur déportation n'est pas connu avec certitude, on sait qu'il a été très lourd. Il est difficile d'évaluer les progrès réels accomplis par ce groupe depuis la guerre, dans la mesure où les recensements indiquent le nombre de Tatars présents en Asie centrale, et que ce nombre couvre à la fois les Tatars de Crimée et les Tatars de la Volga installés de longue date dans la région, ou qui y ont émigré au cours des dernières années. On peut néanmoins estimer que les Tatars de Crimée ont une tendance démographique semblable à celle des peuples d'Asie centrale qui les entourent.

C'est en effet là, la grande zone — avec la Transcaucasie musulmane — de forte natalité. Ce qui est remarquable dans l'évolution subie ici, c'est qu'il ne s'agit pas d'une tendance qui se poursuit, mais d'un saut brusque de la fertilité, qui coïncide avec un progrès économique et intellectuel déjà largement accompli. Les conséquences de ce changement sont multiples. Purement démographiques d'abord. Le poids humain des peuples musulmans dans l'Etat soviétique augmente à la fois en nombre et en proportion. Il passe de 24 millions à 35 millions en une décennie.

De plus, la structure d'âge et de sexe de la population d'origine musulmane commence à la différencier de la population occidentale de l'U.R.S.S. Dans une population soviétique qui reste foncièrement jeune (bien que les tendances démographiques entraînent un léger vieillissement), la population d'Asie centrale et du Caucase est particulièrement jeune [32] et l'équilibre entre hommes et femmes y est plus grand que partout ailleurs [33]. Ces éléments contribuent aussi au maintien d'une fécondité élevée.

On voit se dessiner ainsi une géographie nouvelle de l'U.R.S.S. (graphique I) où les clivages semblent presque biologiques. D'un côté, la partie occidentale du pays dont des épreuves répétées et effroyables semblent avoir usé le dynamisme. De l'autre, la partie orientale, plus préservée, même si elle a partagé pour l'essentiel les malheurs communs, aux conditions de vie plus aisées (on y reviendra) et qui témoigne par le nombre de ses enfants d'une vigueur exceptionnelle et probablement d'une plus grande confiance dans l'avenir. Ce clivage se retrouve d'ailleurs aux deux extrêmes de la vie, dans le nombre d'enfants et dans celui des très grands vieillards. C'est là où la population est la plus jeune qu'il y a aussi le plus de centenaires. Il est vrai que la R.S.F.S.R. bat en chiffres absolus tous les records puisqu'elle compte 8 366 centenaires. Mais s'agissant de leur part dans la population, elle se situe loin derrière les républiques d'Asie centrale et du Caucase, le record absolu étant détenu par la Géorgie et l'Arménie [34]. Sans doute faut-il, sur ce point, être méfiant, faire la part dans ces records de longévité à une certaine imprécision de l'état civil avant la révolution. Et surtout, tenir compte du fait qu'Asie centrale et Caucase sont des lieux où prévalait une civilisation des « Anciens ». Le prestige lié à l'âge (les autorités des villages de l'Asie centrale étaient les *Aksakal*, ou « barbes blanches ») encourage certainement certains vieillards à ajouter quelques années à leur âge réel. Mais aussi, cette longévité témoigne d'une certaine force biologique et d'existences mieux préservées.

Dispersion russe et courants migratoires

Les Etats nationaux n'ont été créés par les bolcheviks que comme formations temporaires. Cadre d'une vie nationale, mais aussi lieu de rencontre entre ethnies différentes, l'Etat national devait, par là même, perdre au fil des ans sa signification. Une telle attente n'était pas si utopique qu'il y paraît, car les mouvements de population dans l'espace impérial témoignaient que les exigences économiques, voire une incitation politique, pouvaient développer des courants migratoires importants. Dans quelle mesure cette attente a-t-elle été réalisée? Dans quelle mesure les bouleversements démographiques récents affectent-ils ce projet de dépassement des différences nationales? Ici encore, il faut pour saisir l'évolution humaine de l'U.R.S.S., partir du recensement de 1897.

Ce que montrent en premier lieu tous les recensements, c'est que

DISPERSION DES RUS

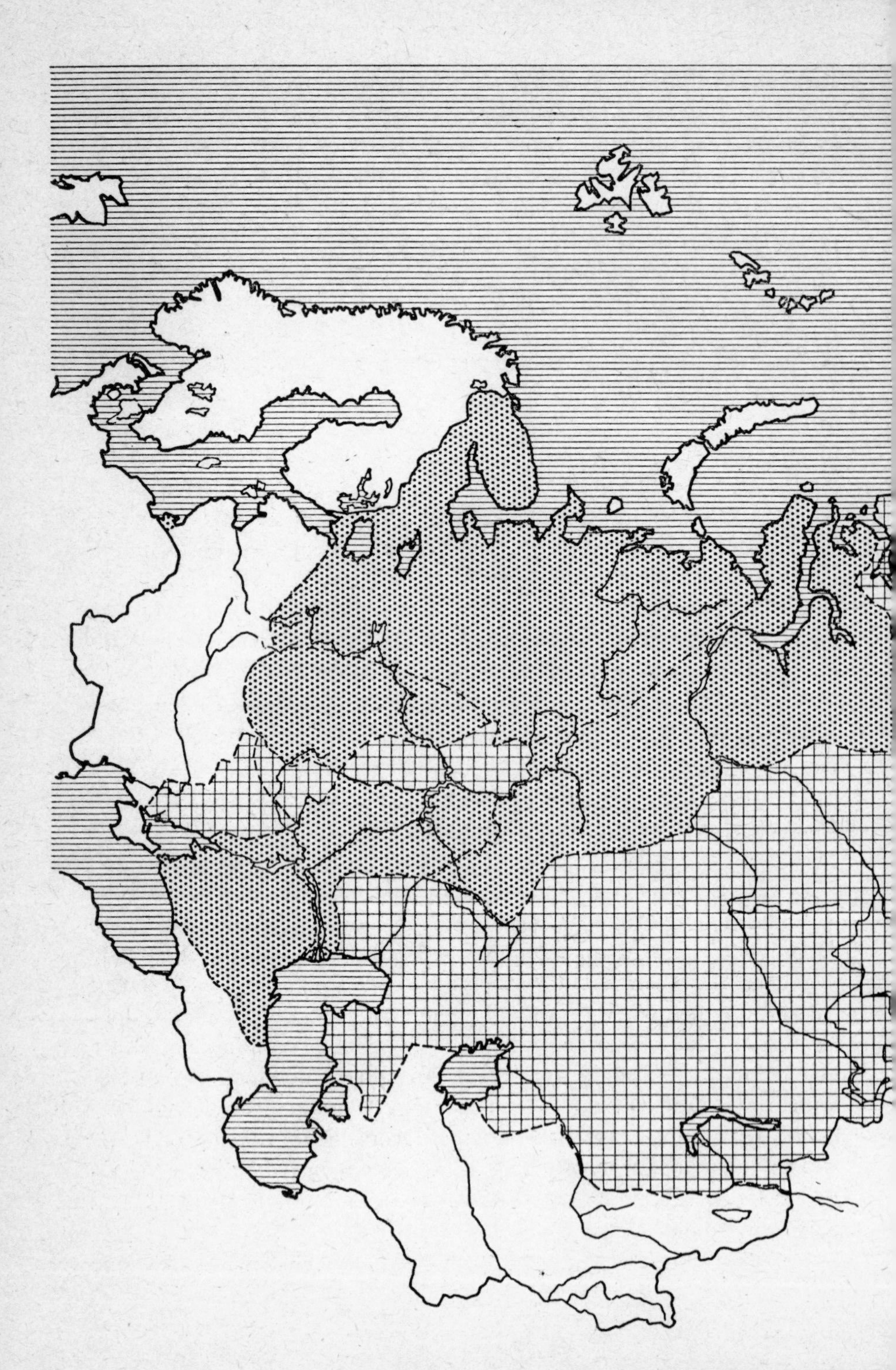

U.R.S.S. EN 1970

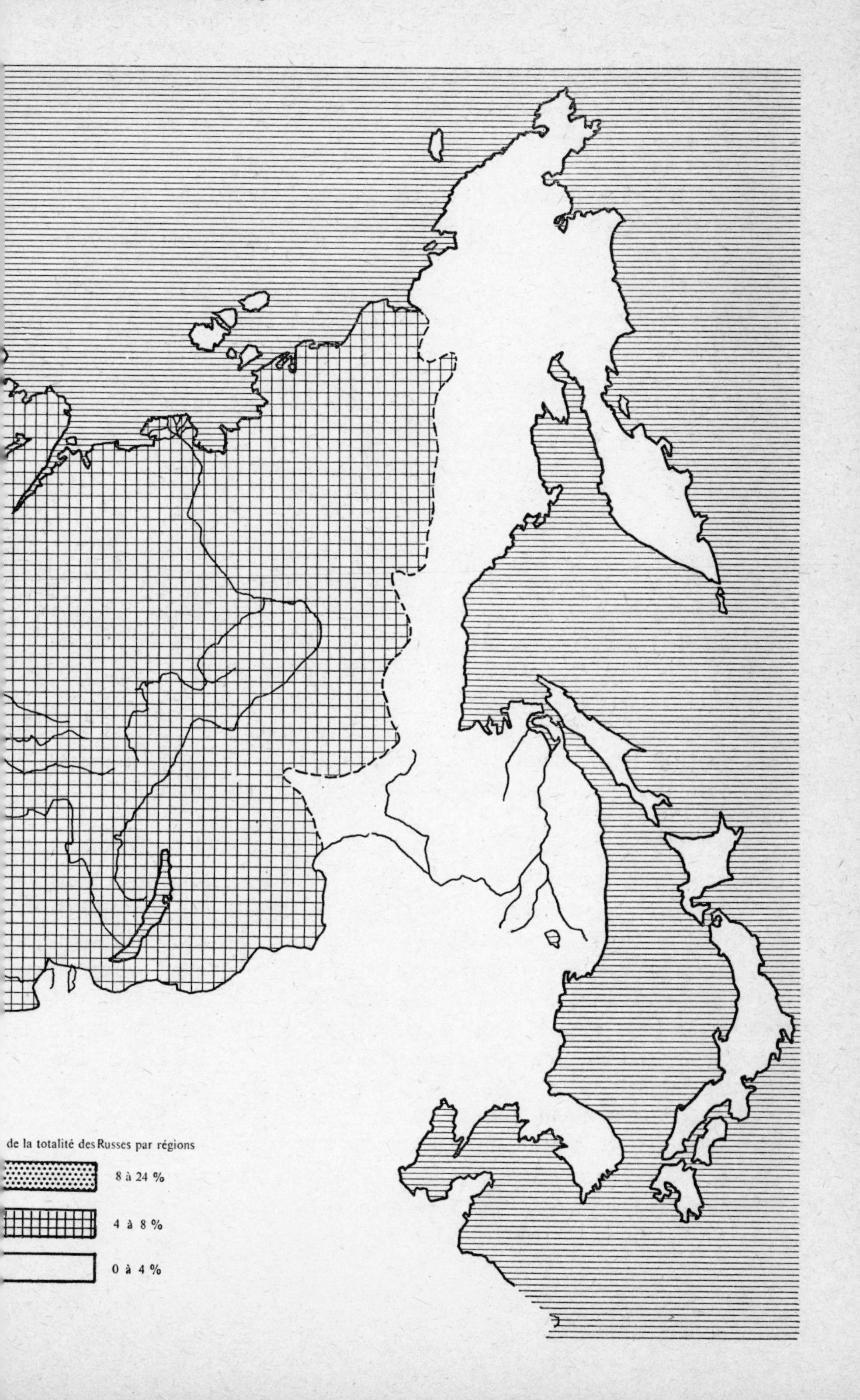

le peuple nomade par excellence est le peuple russe. En 1897, il est concentré dans six grandes régions de peuplement : Centre, Tchernoziom central, Oural, Volga, Nord-Ouest et région de Volga-Viatsk. Ces régions forment un bloc compact à l'ouest de l'espace impérial. Dès 1926, on peut entrevoir les grands traits des mouvements migratoires des décennies futures.

En dépit de l'industrialisation rapide des régions occidentales (Centre proprement dit, Volga, Oural, Nord-Ouest), la population russe commence un mouvement de migration vers l'Est qui va se poursuivre jusqu'au début des années 70. La Sibérie occidentale et orientale, l'Extrême-Orient, le Kazakhstan, l'Asie centrale, voient arriver des flots continus de Russes dont la part dans la population de l'Est passe de 10 à 20 % au cours de ces décennies. Un coup d'œil sur une carte démographique convainc de cette dispersion continue de la population russe et de sa marche vers l'Est. Cette évolution pose deux questions : les migrations massives de Russes ont-elles affecté profondément la structure des divers Etats nationaux de l'U.R.S.S.? Ont-elles eu pour contrepartie une dispersion analogue des peuples non russes?

La réponse éclate à la comparaison des deux derniers recensements. Comparaison particulièrement significative puisque, on l'a dit, ces recensements ont été effectués dans des périodes de paix interne totale. Parce qu'aussi dans ces périodes, les mouvements de population ne sont plus liés à des contraintes extérieures, mais sont plus ou moins volontaires. Pour comprendre ce que sont les courants migratoires présents et leurs conséquences, il faut examiner la répartition nationale des populations des républiques, comparer l'évolution de la population titulaire et celle des autres groupes ethniques qui y vivent.

On constate de prime abord qu'en général, à côté de la nation titulaire, le groupe national qui vient en second par son importance est le groupe russe [35]. Quelques exceptions doivent être immédiatement soulignées. Au Kazakhstan, la nationalité titulaire kazakhe vient en seconde position, derrière le groupe russe. En Géorgie, le second groupe national est constitué par les Arméniens. En Moldavie, par les Ukrainiens qui précèdent les Russes. Au Tadjikistan, les Uzbeks suivent les Tadjiks, ce qui est logique puisque la république a été formée à partir de la région orientale de l'ancien émirat uzbek de Bukhara. En Arménie enfin, les Azéris turcophones et musulmans dépassent les Russes en nombre. Partout ailleurs, les Russes sont au second rang. Dans la république de Russie enfin, ce sont des musulmans turcophones, les Tatars, qui suivent immédiatement les

Russes. Comment évolue la nationalité titulaire dans sa république? Le tableau suivant le montre clairement.

IMPORTANCE COMPARÉE DE LA NATIONALITÉ TITULAIRE PAR RÉPUBLIQUE [36] 1959-1970

Républiques titulaires	*1959*	*1970*	*% 1959, en % de chaque république*	*% 1970, en % de chaque république*
R.S.F.S.R.	*117 534 000*	*130 079 000*		
Russes	97 864 000	107 748 000	83,3	82,8
Ukraine	*41 689 000*	*47 126 000*		
Ukrainiens ...	32 158 000	32 284 000	76,8	74,9
Biélorussie	*8 056 000*	*9 002 000*		
Biélorusses ...	6 532 000	7 290 000	81,1	81,0
Uzbekistan ...	*8 110 000*	*11 800 000*		
Uzbeks	5 038 000	7 725 000	62,1	65,5
Kazakhstan ...	*9 295 000*	*13 009 000*		
Kazakhs ..... (nationalité titulaire)	2 787 000	4 234 000	29,8	32,6
(Russes)	(3 972 000)	(5 522 000)	42,7	42,4
Géorgie	*4 044 000*	*4 686 000*		
Géorgiens.....	2 601 000	3 131 000	64,3	66,8
Azerbaïdjan ...	*3 698 000*	*5 117 000*		
Azéris	2 494 000	3 777 000	67,5	73,8
Lituanie	*2 711 000*	*3 128 000*		
Lituaniens	2 151 000	2 507 000	79,3	80,1
Moldavie	*2 885 000*	*3 569 000*		
Moldaves	1 887 000	2 304 000	65,4	64,6
Lettonie	*2 093 000*	*2 634 000*		
Lettons	1 298 000	1 342 000	62,0	56,8
Kirghizie......	*2 066 000*	*2 933 000*		
Kirghizs	837 000	1 285 000	40,5	43,8
Tadjikistan ...	*1 981 000*	*2 900 000*		
Tadjiks	1 051 000	1 630 000	53,1	56,2
Arménie	*1 763 000*	*2 492 000*		
Arméniens	1 552 000	2 208 000	88,0	88,6
Turkménie	*1 516 000*	*2 159 000*		
Turkmènes ...	924 000	1 417 000	60,9	65,6
Estonie	*1 197 000*	*1 356 000*		
Estoniens	893 000	925 000	74,6	68,2

En juxtaposant la situation de la nationalité titulaire dans sa république lors des deux derniers recensements, on constate que, de manière générale, on retrouve ici les tendances qui caractérisent l'évolution des nations dans cette période. Les nations de la partie occidentale de l'U.R.S.S. à faible démographie s'affaiblissent aussi au sein de leur république. Inversement, dans l'U.R.S.S. orientale, les nations dynamiques pèsent davantage que par le passé. Ceci est particulièrement significatif dans le cas des Kazakhs de longue date minoritaires chez eux et qui amorcent une remontée qui, sans être spectaculaire, suggère qu'il y a là une véritable rupture avec la situation passée où les Kazakhs numériquement faibles et toujours déclinants, ne justifiaient guère le maintien de leur Etat national. On voit ainsi nettement, à travers les chiffres, que deux situations s'opposent en U.R.S.S.

Nations en baisse dans leur république

Estoniens : — 6,4 %
Lettons : — 3,2 %
Ukrainiens : — 1,9 %
Moldaves : — 0,8 %
Russes : — 0,5 %
Biélorusses : — 0,1 %

Nations en hausse

Arméniens : + 0,6 %
Lituaniens : + 0,8 %
Géorgiens : + 2,5 %
Kazakhs : + 2,6 %
Tadjiks : + 3,1 %
Kirghizs : + 3,3 %
Uzbeks : + 3,4 %
Turkmènes : + 4,7 %
Azéris : + 6,3 %

Ce progrès des nations titulaires sur leur territoire national est accompagné d'une régression de la part des Russes qui résulte, en règle générale, de la démographie exubérante des indigènes. Dans un seul cas, celui de la Géorgie, le recul du groupe russe résulte d'abord d'une diminution du nombre et non plus du poids relatif des Russes vivant dans la république. Entre 1959 et 1970, la communauté russe de Géorgie s'est réduite de 11 000 membres, soit environ 0,3 %.

Evolution comparée des Russes et des titulaires dans les diverses républiques en %

Républiques	Russes en %		Différence	Titulaires
	1959	1970		Différence entre 1970 et 1959
Estonie	20,1	24,7	+ 4,6	— 6,4
Ukraine	16,9	19,4	+ 2,5	— 1,9
Biélorussie	8,2	10,4	+ 2,2	— 0,1
Moldavie	10,2	11,6	+ 1,4	— 0,8
Lettonie	2,9	4,0	+ 1,1	— 3,2
Lituanie	8,5	8,6	+ 0,1	+ 0,8
Kazakhstan	42,7	42,4	— 0,3	+ 2,6
Arménie	3,2	2,7	— 0,5	+ 0,6
Kirghizie	30,2	29,2	— 1,0	+ 3,3
Uzbekistan	13,5	12,5	— 1,0	+ 3,4
Tadjikistan	13,3	11,9	— 1,4	+ 3,1
Géorgie	10,1	8,5	— 1,6	+ 2,5
Azerbaïdjan	13,6	10,0	— 3,6	+ 6,3
Turkménie	17,3	14,5	— 2,8	+ 4,7

Le recul relatif des Russes dans les régions orientales ne doit cependant pas dissimuler les réalités de l'évolution du groupe russe dès lors qu'il est installé hors de sa république propre. Si l'on regarde le nombre de Russes installés hors de la R.S.F.S.R. et non plus leur poids relatif dans les populations locales, on constate que la dispersion russe caractéristique des décennies écoulées n'appartient pas au passé (cf. tableau p. 76).

Ce tableau témoigne d'abord d'une évolution très irrégulière du groupe russe. D'une manière générale, il en ressort que les Russes ont plus augmenté leur nombre hors de la R.S.F.S.R. qu'à l'intérieur de leur république. Si dans le R.S.F.S.R. il s'est accru seulement de 10,1 %, ailleurs, il s'est accru de 37,4 %, l'augmentation générale de ce groupe étant de 14 %. Cette différence tient à la fois à la permanence des migrations russes et à une différence des comportements démographiques russes selon le lieu de résidence.

En ce qui concerne les courants migratoires, le tableau précédent montre que les Russes se déplacent actuellement selon deux axes. Ils émigrent massivement dans les régions occidentales, à l'exception

Nombre de Russes vivant dans les républiques

Républiques	*Recensement 1959 (en milliers)*	*Recensement 1970 (en milliers)*	*Changement en %*
Ukraine	7 091	9 126	+ 28,7
Biélorussie	660	938	+ 42,1
Uzbekistan	1 092	1 473	+ 34,3
Kazakhstan	3 972	5 522	+ 39,2
Géorgie	408	397	— 2,7
Azerbaïdjan	501	510	+ 1,8
Lituanie	231	268	+ 16,0
Moldavie	293	414	+ 41,3
Lettonie	556	705	+ 26,8
Kirghizie	624	856	+ 37,2
Tadjikistan	263	344	+ 30,8
Arménie	56	66	+ 17,9
Turkménie	263	313	+ 19,0
Estonie	240	335	+ 39,6

de la Lituanie où leurs progrès sont très faibles et à un moindre degré de l'Ukraine. L'Asie centrale, Turkménie exceptée, continue à attirer les Russes. Le Caucase, au contraire, semble se fermer progressivement. L'Arménie même n'enregistre qu'un faible progrès de la population russe, de moitié inférieur à la croissance moyenne russe hors de la R.S.F.S.R.

Ces différences sont d'autant plus intéressantes qu'il apparaît que le comportement démographique des Russes est influencé par leur environnement. Leur taux de fertilité en Asie centrale et au Caucase, régions où la famille réduite ne jouit d'aucun prestige, s'élève très nettement. On peut donc admettre que le progrès de la population russe dans les républiques occidentales est dû à un progrès de l'immigration; dans les républiques orientales à une fertilité plus grande; enfin, leur recul au Caucase s'explique par une chute de l'immigration, voire des départs, comme c'est le cas en Géorgie. La dispersion des Russes, si elle se maintient, a donc largement changé de direction. Après la ruée vers l'Est des années 1926-1959, c'est désormais la ruée vers l'Ouest, vers des républiques qui sont les marches du monde occidental. On reviendra plus loin sur les causes de cette modification profonde des courants migratoires russes.

Pendant longtemps, dans l'Empire des tsars et l'Etat soviétique, la prééminence russe était un fait acquis. La Russie était bien, de par son dynamisme, le cœur de cet ensemble, son élément essentiel et son ferment. Le tableau qu'en offre le dernier recensement oblige à plus de circonspection. Le dynamisme n'est plus le privilège des Russes. D'autres groupes ethniques montent et pèsent dans l'ensemble. De plus, la Russie proprement dite se dépeuple. Enfin, le poids des Russes hors de Russie tend à diminuer; la dispersion semble avoir une signification plus réduite.

Le problème essentiel ne concerne désormais ni le passé, ni le présent, mais la population future de l'U.R.S.S. Sans doute est-il dangereux en cette matière de projeter les tendances présentes sur l'avenir. Néanmoins, en tenant compte de l'évolution des dernières années, de la structure de la population des divers groupes ethniques par âge et par sexe, de l'attitude qui prévaut dans les groupes ethniques concernant les problèmes de la natalité, on peut, semble-t-il, esquisser avec prudence quelques hypothèses.

La question principale est ici la suivante. L'U.R.S.S. va-t-elle voir subsister deux tendances démographiques très différentes, l'une propre aux sociétés de haut développement, l'autre aux sociétés moins développées? Ou bien, cet écart démographique est-il lié principalement à un écart de développement et se réduira-t-il vite? En d'autres termes, s'agit-il de survivances de situations qui sont en voie de changement ou bien de phénomènes spécifiques, dont les données doivent être considérées dans leur spécificité et non à la lumière des tendances démographiques générales?

Les démographes soviétiques ont, après un temps d'hésitation, admis que les variations régionales de la natalité constituaient une donnée essentielle de la démographie soviétique [37]. Mais la conclusion qu'ils en tirent n'est pas univoque. Certains croient au maintien durable des différences [38], pour d'autres, l'examen de données postérieures au recensement témoigne d'un rapprochement des comportements nationaux [39]. Ce rapprochement, selon les tenants de cette tendance, s'effectue par un très léger relèvement des taux de natalité les plus bas, et un abaissement progressif des taux de natalité les plus élevés. Ainsi, les nations les plus prolifiques évolueraient progressivement dans leur comportement démographique, du « maximum biologique à une régulation consciente de la taille de la famille ». A l'appui de cette thèse, ceux qui la défendent confrontent les calculs des taux de natalité fournis par le recensement de 1970 à ceux qui ressortent des données partielles rassemblées en 1971 et 1972.

Taux de natalité par république pour 1 000 habitants

Républiques	*1940*	*1960*	*1970*	*1972*
U.R.S.S.	*31,2*	*24,9*	*17,4*	*17,8*
R.S.F.S.R.	33,0	23,2	14,6	15,3
Ukraine	27,3	20,5	15,2	15,5
Biélorussie	26,8	24,4	16,2	16,1
Uzbekistan	33,8	39,8	33,6	33,2
Kazakhstan	40,8	37,2	23,4	23,5
Géorgie	27,4	24,7	19,2	18,0
Azerbaïdjan	29,4	42,6	29,2	25,6
Lituanie	23,0	22,5	17,6	17,0
Moldavie	26,6	29,3	19,4	20,6
Lettonie	19,3	16,7	14,5	14,5
Kirghizie	33,0	36,9	30,5	30,5
Tadjikistan	30,6	33,5	34,8	35,3
Arménie	41,2	40,1	22,1	22,5
Turkménie	36,9	42,4	35,2	33,9
Estonie	16,1	16,6	15,8	15,6

A comparer les chiffres, on peut en effet tirer plusieurs conclusions. Tout d'abord que, depuis 1960, le déclin de la natalité est général dans toute l'U.R.S.S., même si le rythme en est régionalement différencié. Mais partout, y compris dans les régions à forte natalité, un certain tassement des naissances est évident. La seule république qui y échappe est le Tadjikistan où le progrès de la démographie est une donnée continue depuis 1940. Par ailleurs, un léger rétablissement de la natalité semble s'esquisser dans la R.S.F.S.R. (14,6 pour mille en 1970, 15,3 pour mille en 1972, 15,6 pour mille en 1974) et moins nettement en Moldavie (19,4 pour mille en 1970, 20,6 pour mille en 1972, 20,4 pour mille en 1974). Tous les autres groupes européens, y compris les Ukrainiens, continuent à montrer des tendances à l'affaiblissement de la natalité. On doit, au demeurant, être très prudent avec ces conclusions car la dernière période de 4 ans est bien courte pour que l'on en puisse tirer réellement des conclusions. Les variations d'une année à l'autre peuvent parfois indiquer des tendances légèrement opposées.

Une deuxième conclusion s'impose : c'est qu'en dépit d'un lent nivellement des comportements, la structure démographique actuelle de l'U.R.S.S. pèsera durant plusieurs décennies pour façonner l'équilibre des diverses populations au début du XXIe siècle. Certains démographes soviétiques tournent d'ailleurs le dos à la thèse généralement admise du nivellement progressif, pour souligner la persistance, voire le développement des différences dans le comportement nataliste, même lorsque l'économie et la culture s'unifient. Et ce qui importe alors pour apprécier et imaginer les tendances futures de la démographie soviétique, c'est d'évaluer les facteurs principaux du comportement humain et leur poids respectif.

Un premier facteur assez décisif n'est-il pas le *facteur matériel*? Les revenus de la famille pèsent, sans aucun doute, sur le comportement démographique. Mais niveau des revenus et natalités suivent-ils toujours et partout une même courbe? On ne dispose malheureusement pas d'informations tout à fait homogènes pour toute l'U.R.S.S. permettant de comparer revenus et natalités pour tous les types de population soviétique. Mais, en juxtaposant deux enquêtes effectuées en 1972, l'une dans les villes et les campagnes des régions occidentales, l'autre dans les seules campagnes de l'Asie centrale, de l'Azerbaïdjan et du Caucase, on obtient le tableau suivant [40] :

NOMBRE MOYEN DE NAISSANCES PAR FEMME

Revenu mensuel de la famille (roubles)	*Républiques occidentales*		*Républiques musulmanes*
	Ouvriers et employés	*Kolkhoziens et sovkhoziens*	*Kolkhoziens et sovkhoziens*
→ 150	1,77	2,22	3,88
151-210	1,69	2,37	4,16
211-300	1,72	2,51	4,12
301-450	1,79	2,67	4,21
451-600	1,88	2,89	4,12
601-900	1,96	3,04	4,17
901 et au-delà	2,08	3,23	4,22

Ce tableau montre, sans aucun doute, qu'il existe deux réactions différentes des familles à leur situation matérielle. Dans le cas des familles des républiques occidentales, l'influence de la situation matérielle sur la taille de la famille est incontestable. Si la population rurale, à revenu égal, a un nombre plus élevé d'enfants, à la ville comme à la campagne les revenus commandent le comportement démographique. Dans les républiques orientales au contraire, les revenus n'affectent que très modérément la taille de la famille. Au vrai, seules les familles les plus pauvres ont ici une natalité plus faible que les autres, et pour des raisons particulières sur lesquelles on reviendra plus loin (mariages souvent plus tardifs et raisons sanitaires).

L'*éducation* est un facteur peut-être plus important encore dans ce domaine. Une enquête effectuée en 1972 dans les républiques occidentales [41], en milieu urbain, montre que la natalité n'est pratiquement pas affectée par l'évolution des revenus dans les familles où le niveau d'éducation ne dépasse pas la formation primaire ou, à la rigueur, secondaire inachevée (8 ans de scolarité). La scolarité inachevée est d'ailleurs plus fréquente en milieu rural. A l'autre extrémité, l'évolution des revenus n'affecte qu'à peine les couples qui ont reçu une éducation supérieure. En revanche, dans les familles moyennement éduquées (éducation secondaire complète de 10 ans, écoles professionnelles et techniques), le lien entre revenus familiaux et natalité est très étroit. Ces tendances qui prévalent dans les familles « occidentales » se retrouvent seulement partiellement dans les familles « orientales ». Sans doute constate-t-on dans les républiques à forte natalité que plus le niveau d'éducation d'un couple est élevé, plus il tend à espacer et contrôler les naissances. Le tableau suivant qui fait la somme des informations sur le lien éducation-natalité dans les républiques occidentales et orientales, suggère des conclusions extrêmement intéressantes pour l'avenir démographique de l'U.R.S.S. Il se fonde non pas sur le nombre réel des naissances, mais sur les naissances envisagées par les femmes.

Que conclure de ce tableau? Tout d'abord, que l'éducation pèse très fortement sur les comportements démographiques, aussi bien dans les sociétés occidentales de l'U.R.S.S. que dans les sociétés orientales. Deuxièmement, on constate ici une différence importante dans les deux types de sociétés concernant l'élément décisif du changement de comportement. Dans les sociétés orientales, c'est l'éducation de la femme qui peut entraîner des changements réels. Le tableau montre, en effet, que lorsque les conjoints ont des niveaux d'éducation différents, le mari éduqué a une attitude infiniment plus conservatrice que la femme éduquée. L'écart de natalité entre le couple où les deux conjoints ont une éducation poussée et celui où

NOMBRE D'ENFANTS ESCOMPTÉS [41]

Éducation de la femme	*Nationalités à faible taux de natalité*		*Nationalités à fort taux de natalité*	
	Éducation du mari			
	Secondaire et supérieure	*Au-dessous du secondaire*	*Secondaire et supérieure*	*Au-dessous du secondaire*
Secondaire et supérieure	*1,89*	2,06	*4,76*	5,34
Au-dessous du secondaire	2,15	*2,41*	6,73	*7,03*

la femme n'a pas d'éducation est presque aussi grand que celui qui sépare le couple doté d'une éducation poussée et le couple sans éducation.

En revanche, lorsque dans le couple la femme a une éducation poussée, la natalité y est assez proche de celle d'un couple où les deux conjoints sont également éduqués.

Dans la famille occidentale, au contraire, la différence réside dans le niveau d'éducation du couple pris globalement, tandis que les variations sont faibles si l'on prend en considération l'éducation de l'un des conjoints.

On comprend dès lors que l'éducation féminine en république orientale soit un des enjeux décisifs de la politique démographique soviétique. Tant que les hommes y seront plus éduqués, ils imposeront leur conception à la société, et cette conception est nettement conservatrice et nataliste.

L'*urbanisation* enfin, qui diffère très sensiblement d'une région à l'autre de l'U.R.S.S., pèse sur les comportements humains d'une manière souvent jugée décisive [42]. Dans toutes les sociétés humaines, le développement des villes a entraîné des modifications considérables de la démographie. Moins de naissances sans aucun doute. Mais aussi, souvent, de meilleures conditions d'existence qui permettent de compenser en partie la réduction de la taille des familles par l'abaissement de la mortalité infantile.

Les différences démographiques en U.R.S.S. sont-elles fonction de différences dans le degré d'urbanisation de chaque région? Et peut-on opposer des populations urbaines aux comportements similaires aux populations rurales caractérisées par des familles nombreuses? Au vrai, la situation n'y est pas si simple. Sans doute, la partie occidentale de l'U.R.S.S. est beaucoup plus urbanisée que la périphérie centro-asiatique. Mais celle-ci est loin d'être caractérisée par l'absence de vie urbaine.

Déjà, le recensement de 1897 y avait dénombré 56 villes dont 26 pour le seul territoire de l'Uzbekistan actuel. On trouvait alors sur ce territoire 15 % d'urbains et des activités urbaines (artisanat, petite industrie, commerce) qui, dès le XIXe siècle, n'avaient cessé de se développer. Pourtant, la grande révolution économique des années 30 avait relativement peu changé cette périphérie, tandis qu'elle bouleversait totalement les structures et le mode de vie des populations russes et ukrainiennes. Nulle région de l'U.R.S.S. n'a été à l'écart de ce changement radical, mais l'étendue du changement a varié d'une région à l'autre. Là où il était le plus grand, la révolution économique a non seulement donné à la vie urbaine une importance prééminente, mais coupé la ville de la campagne et créé deux civilisations, celle de la ville et celle de la campagne. Cette rupture a fait de la ville, de sa culture, un pôle d'attraction et un modèle. La société paysanne va chercher à se modeler sur lui. Ailleurs, en dépit d'un progrès de l'urbanisation, celui-ci s'effectue sans rompre l'unité de la société. La population des villes et celle des campagnes restent solidaires, liées à un même modèle culturel où prévalent les traditions. Au début des années 60, lorsqu'il devient possible d'établir le bilan des changements sociaux accomplis depuis 1930, on peut distinguer — s'agissant de lier urbanisation et natalité — trois sociétés distinctes à l'intérieur de la société soviétique :

— D'un côté, des peuples qui ont commencé à passer d'une démographie de type rural à une démographie de type urbain. Parmi eux, les plus engagés, du point de vue démographique, dans ce changement — les Russes, Ukrainiens, Biélorusses, Baltes — se caractérisent dès cette époque par une baisse de la natalité dans les villes, mais aussi dans les campagnes où pénètre le modèle urbain. D'autres peuples — comme les Tatars, les Oudmourtes, les Moldaves — sont alors sur la même voie mais à un moindre degré, dans la mesure où la population urbaine limite sa natalité sans être encore suivie par la campagne. Mais pour eux, l'évolution est déjà nettement amorcée.

— A l'autre extrémité des comportements démographiques se

trouvait dès cette époque, un groupe compact de peuples — ceux de l'Asie centrale, pour partie du Daghestan, Azéris, etc. — encore à l'écart du changement dans le comportement démographique. Pour ces peuples, l'urbanisation n'entraîne pas de réduction de la natalité, et le comportement des citadins et des ruraux en ce domaine est très proche.

— Entre ces deux groupes opposés, on en distingue un troisième — Arméniens, Iakoutes, Bachkirs — dont la natalité reste élevée à la ville comme à la campagne. Pourtant, quelques indices suggèrent que ces peuples sont tout prêts à franchir la frontière qui les sépare du modèle démographique urbain et de la différenciation des comportements.

Depuis la fin des années 50, l'U.R.S.S. a beaucoup changé et l'urbanisation s'est développée surtout là où elle semblait stagner. Mais le changement social le plus important ne réside pas dans le développement des villes, ni dans l'accroissement de leur nombre, mais dans une certaine *urbanisation de la campagne.* Grâce à ce fait sociologique dont B. Kerblay a souligné le caractère irréversible [43], les systèmes de valeurs, les modes de vie de la ville pénètrent la société rurale et la modèlent. La famille a subi le contrecoup de ce changement. Le modèle familial urbain — famille conjugale avec un nombre réduit d'enfants — tend à s'imposer de plus en plus aux ruraux.

La chute de la natalité dont le recensement de 1970 a dressé le bilan, est avant tout le résultat de cet effacement des différences de comportements entre ville et campagne. Si, dans le passé, la campagne commandait encore la situation démographique de l'U.R.S.S., c'est dans les villes désormais que cette situation se décide, parce que l'habitant des villes est devenu un modèle pour le paysan. Modèle d'autant plus attirant que le développement des media le propage largement à la campagne. Si dans les années 1930-1950, villes et campagnes constituaient deux milieux distincts s'éloignant l'un de l'autre et unis par des liens de personnes seulement, désormais les paysans mieux éduqués sont quotidiennement imprégnés de la civilisation urbaine par leurs journaux et la télévision. L'U.R.S.S. s'est désespérément voulue société industrielle. Faut-il s'étonner que, interprétant modernisation en termes d'urbanisation et de rejet de la civilisation rurale et de toutes ses valeurs, ce pays voit désormais disparaître aussi les valeurs familiales que la campagne avait un temps réussi à conserver? Et qu'il en paye le prix en termes démographiques? Pourtant, cette évolution qui caractérise la société soviétique dans son ensemble ne s'applique pas totalement aux sociétés musulmanes où pourtant l'urbanisation a aussi progressé.

Le recensement de 1970, qui est en général le miroir de l'uniformisation de la société soviétique, reflète aussi la spécificité de ces sociétés périphériques. Ici, le comportement démographique ville-campagne, loin de se rapprocher, se différencie plus que dans le passé. Le tableau suivant témoigne de cette évolution différente des peuples.

DIFFÉRENCES VILLE-CAMPAGNE [44]
(DÉMOGRAPHIE URBAINE = 100)

Nationalités	*1958/1959*	*1969/1970*	*Nationalités*	*1958/1959*	*1969/1970*
Russes	155	129	Arméniens .	128	154
Ukrainiens .	144	126	Uzbeks....	122	136
Biélorusses .	143	129	Kazakhs ..	111	140
Géorgiens .	156	132	Kirghizs...	111	137
Moldaves ..	148	136	Tadjiks....	77	106
Lettons	138	128	Turkmènes.	90	116
Estoniens ..	150	135	Azéris	149	139
Lituaniens..	130	145			

Comment expliquer ces différences? Si le degré d'urbanisation du deuxième groupe est moindre que celui du premier groupe, les progrès de l'urbanisation y sont cependant incontestables. Pourtant, pour ce dernier, c'est la campagne qui commande le progrès démographique. Et, de toute évidence, la campagne conserve son modèle démographique, son propre système de valeurs, ses comportements, au lieu de se conformer au modèle urbain. A cela, plusieurs explications.

Tout d'abord, la politique économique de l'U.R.S.S. Les priorités géographiques ont abouti à faire de la périphérie musulmane une zone agraire avant tout. Le développement économique de l'Asie centrale a été orienté vers de grandes cultures, et la population rurale y a ainsi été préservée. Si les dernières années ont été marquées par un développement des centres urbains et de leur population, ces centres ont accueilli davantage une population étrangère à la région que des paysans convertis à la vie urbaine. On reviendra sur ce point dans le chapitre suivant.

De plus, les villes d'Asie centrale (du moins les villes moyennes), diffèrent souvent des villes européennes par leur proximité de la campagne et les liens qu'elles conservent avec la campagne voisine.

Ces liens sont d'abord ceux de la famille, rarement dispersée. Les enfants installés à la ville restent proches moralement et physiquement des parents qui résident près d'eux en milieu rural. Ce sont aussi les liens du travail. La population urbaine est souvent, dans ces régions, occupée aux travaux agricoles dans la campagne voisine. Parfois, le pourcentage de citadins-agriculteurs atteint 40 % de la population active de la ville. Ceci explique pourquoi la culture rurale se maintient même dans les villes. Pourquoi aussi c'est la campagne qui, sans être le modèle démographique de la ville, du moins conserve son autonomie de comportement. La ville centro-asiatique reste encore, en dépit de son développement, un îlot au sein d'une civilisation et d'une population paysannes. Sans doute, les très grandes villes ont-elles leur autonomie au lieu d'être comme les petits et moyens centres urbains reliés physiquement et culturellement au milieu de la campagne environnante.

Faut-il en conclure à des différences irréductibles dans la société soviétique? Sans doute non. Les nations de la périphérie méridionale de l'U.R.S.S. n'ont pas encore ou à peine amorcé le passage vers la civilisation urbaine de type classique. A long terme, les choix économiques (développement de l'industrialisation), les progrès de l'éducation des femmes et surtout des courants migratoires plus étendus (installation des ruraux dans les très grands centres urbains, migrations vers d'autres régions), devraient modifier la culture de ces peuples et leurs comportements. Mais il s'agit de processus lents. Une révolution économique brutale, comme celle des années 30, peut évidemment les raccourcir. Cependant, la révolution stalinienne a, en définitive, partiellement épargné la périphérie méridionale de l'U.R.S.S. Et une seconde révolution de ce type, violente, ignorant les hommes, ne paraît plus guère concevable dans l'U.R.S.S. d'aujourd'hui. C'est pourquoi on peut admettre qu'il ne suffira pas de quelques années pour unifier la société soviétique. Que jusqu'au tournant du siècle, les pesanteurs géographiques et culturelles marqueront son évolution.

Peut-on alors risquer quelques prévisions pour l'an 2000? En dépit des périls d'un tel exercice (des événements extérieurs, des famines, des épidémies, etc. peuvent vite réduire à néant les spéculations les plus prudentes), on peut néanmoins tenter, en partant du recensement de 1970, d'imaginer l'U.R.S.S. au tournant du siècle. L'an 2000 se justifie avant tout parce que trente ans, c'est-à-dire une génération, le sépare du recensement qui peut servir de base à nos projections.

Si l'on s'en tient strictement aux données présentes sans y intro-

Evolution de la population soviétique
entre 1970 et 2000

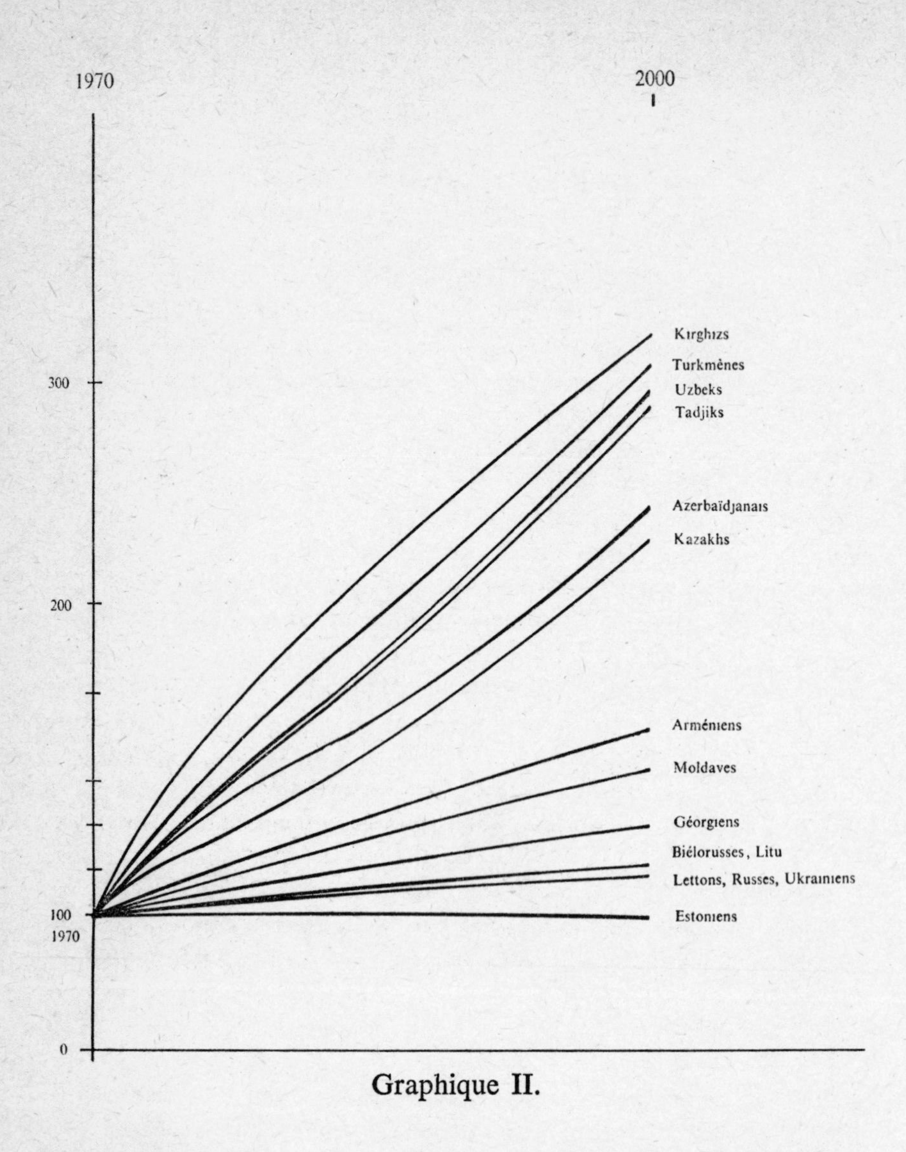

Graphique II.

duire de correctifs, on peut prévoir des évolutions de population très différenciées allant du maintien pur et simple au niveau de 1970 (Estoniens) au triplement de la population en Asie centrale. Cette diversité de situation se traduit dans le graphique II.

Ce graphique est justifié essentiellement par la situation présente, c'est-à-dire la structure par âge et sexe des divers groupes nationaux. C'est cette structure qui permet de penser que, si tous les

Evolution prévisible dans le rapport
entre le nombre de femmes de 15 à 49 ans
et le nombre de naissances, par groupes nationaux
(en %)

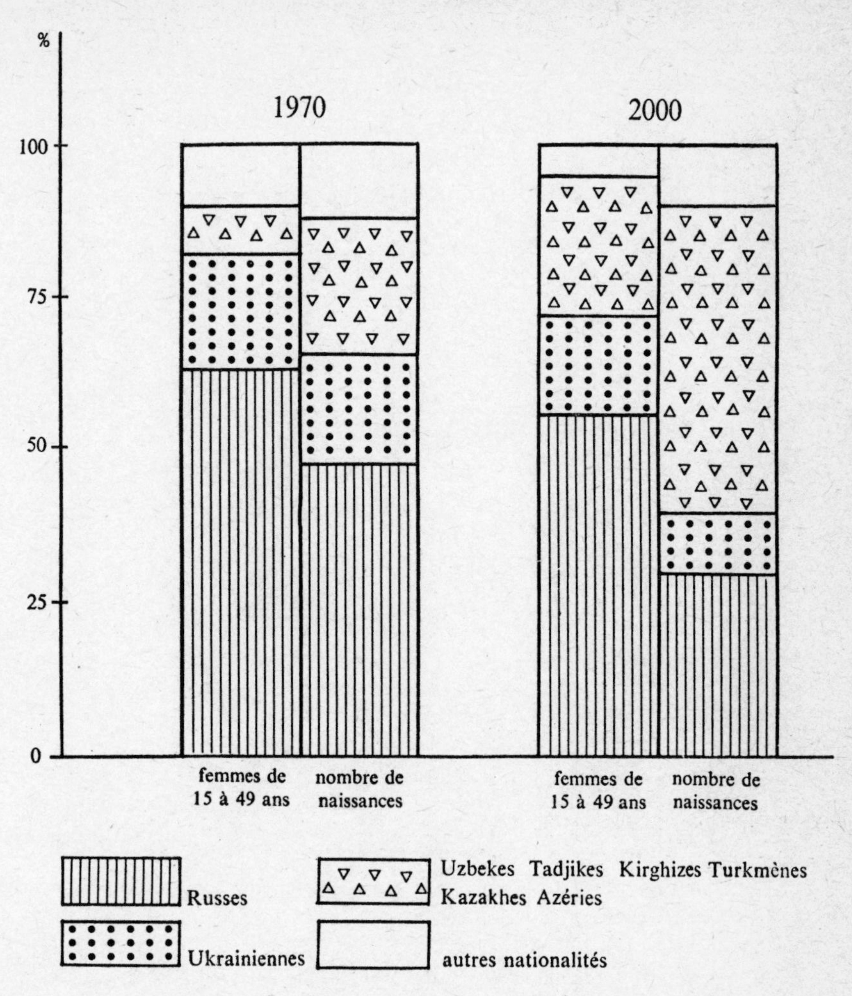

Graphique III.

groupes nationaux voient à un moment donné leur capacité de reproduction décroître, l'avenir est en grande partie commandé par les moments différents où les effets de la structure des populations pèseront sur sa démographie. L'affaiblissement rapide du groupe russo-ukrainien est dû au fait que l'influence de la structure par âge et sexe se fait sentir dès 1975. Pour les Arméniens, Moldaves, Biélorusses, Géorgiens, ce facteur ne pèsera de manière décisive

POPULATION DE L'U.R.S.S., 1950 À 2000
(en milliers)
(RUSSIE, ASIE CENTRALE, TRANSCAUCASIE)

	1950		1960		1970		1980		1990		2000	
	nombre	%	*nombre*	%	*nombre*	%	*nombre*	%	*nombre*	%	*nombre*	%
U.R.S.S.	*180 075*	*100*	*214 329*	*100*	*242 756*	*100*	*267 057*	*100*	*292 324*	*100*	*312 215*	*100*
R.S.F.S.R.	102 191	56,7	119 906	55,9	130 360	53,7	138 842	52	145 686	49,8	147 335	47,2
Asie centrale	*17 499*	*9,7*	*24 402*	*11,4*	*33 187*	*13,7*	*42 449*	*15,9*	*55 742*	*19,1*	*71 903*	*23*
Kazakhstan	6 628	3,7	9 850	4,6	13 116	5,4	15 710	5,9	19 038	6,5	22 328	7,1
Kirghizie	1 740	1	2 172	1	2 968	1,2						
Tadjikistan	1 532	0,9	2 082	1	2 943	1,2	26 739	10	36 704	12,6	49 575	15,9
Turkménie	1 210	0,7	1 594	0,7	2 190	0,9						
Uzbekistan	6 383	3,5	8 704	4,1	11 970	4,9						
Caucase	*7 777*	*4,3*	*9 921*	*4,6*	*12 393*	*5,1*	*14 649*	*5,5*	*17 660*	*6*	*20 671*	*6,6*
Arménie	1 354	0,8	1 867	0,9	2 518	1						
Azerbaïdjan	2 896	1,6	3 894	1,8	5 166	2,2	14 649	5,5	17 660	6	20 671	6,6
Géorgie	3 527	2	4 160	1,9	4 709	1,9						

que dix ans plus tard environ; tandis que les peuples à forte natalité n'en ressentiront les effets que vers 1990 [45].

Peut-on aller au-delà de ces prévisions relativement générales? Et essayer de chiffrer la population future de l'U.R.S.S.? Toujours en partant de la situation et des tendances présentes, des estimations ont été tentées aussi bien en U.R.S.S. que dans le monde occidental. Elles conduisent à conclure — avec plus ou moins de prudence — qu'un équilibre nouveau peut s'instaurer entre les diverses nationalités de l'U.R.S.S. Equilibre nouveau dont rend compte le graphique III qui tente de prévoir l'évolution comparée de la population féminine en âge de procréer et l'évolution des naissances dans les divers groupes nationaux [46]. Equilibre nouveau qui ressort surtout du tableau précédent où l'accent est mis sur trois régions géographiques seulement : Russie, Asie centrale, Transcaucasie, c'est-à-dire sur l'avenir du peuple russe et des peuples musulmans.

Quelle valeur accorder à ce tableau [47]? Quels enseignements en tirer?

Basile Kerblay a fort justement rappelé qu'en 1900, le grand savant russe Mendeleiev prévoyait qu'en 2050 la population de son pays s'élèverait à 800 millions d'habitants [48]. Calcul légitime à cette époque compte tenu qu'au début du siècle, la population de l'Empire doublait en 40 ans. Calcul qui comparé à l'état présent de la population soviétique souligne le caractère aléatoire de tous les pronostics.

Si l'on admet cependant que le taux de croissance actuel sera maintenu jusqu'en 2000 — ce qui est l'hypothèse fondant les prévisions proposées ici — il est clair que cette croissance élargie ne sera maintenue que par l'apport démographique des nations orientales. Dans la mesure où l'U.R.S.S. ne peut, sans inconvénients majeurs pour son développement économique et sa sécurité, envisager un progrès démographique par trop inférieur à celui que l'on indique ici, dans la mesure aussi où il ne peut y avoir à court terme d'autre source de progrès démographique que les régions orientales, la politique soviétique doit miser sur le maintien de leur dynamisme, de leur particularisme et non sur l'uniformisation des comportements de la population soviétique. Cela signifie que le progrès de l'U.R.S.S. est lié à un accroissement des déséquilibres de populations et non à leur rééquilibrage.

Que signifient au juste ces déséquilibres? La montée démographique des peuples musulmans a souvent conduit les observateurs à conclure hâtivement à une révolution totale de la composition de la société pluri-ethnique de l'U.R.S.S. Pourtant, les chiffres qui précèdent incitent à davantage de prudence. En dépit des changements survenus et qui se poursuivront, en dépit de son passage plausible au-dessous de la barre des 50 %, le peuple russe reste à la fin du siècle le peuple le plus nombreux de l'U.R.S.S. Les peuples centro-asiatiques représenteront au mieux un quart de la population soviétique à cette époque, un tiers si l'on y ajoute les peuples du Caucase, dont deux cependant sont chrétiens et historiquement hostiles à l'Islam et à la civilisation turque. Ce progrès des peuples turco-musulmans est considérable, sans aucun doute (en un demi-siècle, leur poids dans l'ensemble aura plus que doublé), mais il n'implique pas que le peuple russe soit submergé par eux, ou dépossédé de sa position prééminente.

Le problème réside moins dans les chiffres bruts que dans la situation nouvelle qui se crée. En premier lieu, la conscience qu'ont les peuples dynamiques de détenir les clés du progrès général de la société soviétique. Ceci peut les conduire à exiger que leur rôle nouveau se traduise en termes de responsabilités politiques nouvelles. En deuxième lieu, ces nouveaux équilibres de population posent des problèmes économiques — emploi, développement régional — qui peuvent, on le verra, s'ils ne sont pas résolus, donner naissance à des oppositions graves. Ce sont donc les problèmes nés de ces nouveaux équilibres qu'il importe d'examiner pour en saisir la portée et les potentialités.

Enfin, une question sous-tend toutes les analyses que l'on peut faire ici. S'agit-il de déséquilibres régionaux? Ou nationaux? Si la société soviétique évolue vers une intégration croissante, si les différences nationales tendent à s'effacer, alors il importe peu que la croissance démographique soit due au dynamisme d'un peuple plutôt que d'un autre. En dernier ressort, c'est la nation soviétique tout entière qui augmente. Si au contraire la société soviétique n'évolue pas vers l'intégration, en ce cas, les déséquilibres entre les divers groupes nationaux peuvent, à terme, être dangereux pour la société tout entière et pour sa cohésion. Ils peuvent alors encourager les tendances à la différence, au détriment de celles qui aideraient à l'intégration. C'est pourquoi les changements démographiques et les perspectives n'ont de sens qu'à la lumière de deux problèmes fondamentaux :

1. Quelle tendance domine la société soviétique? La tendance à l'intégration? La tendance à la consolidation des différences?
2. Dans quels sens joueront les déséquilibres démographiques?

Aideront-ils à l'intégration? Ou bien seront-ils des ferments de différenciation, voire de désintégration?

CHAPITRE III

CHANGEMENTS DÉMOGRAPHIQUES ET CONFLITS ÉCONOMIQUES

Les tendances démographiques ne sont pas des phénomènes isolés dans la vie d'un pays. Ni des phénomènes aux conséquences limitées. Ils façonnent pour longtemps la communauté humaine. Ils déterminent ses relations avec son environnement. Sur un point précis, les changements démographiques récents peuvent avoir en U.R.S.S. un retentissement considérable : la main-d'œuvre va y devenir plus rare.

De prime abord, cela peut ne pas sembler catastrophique. Les sociétés industrielles, actuellement, sont plutôt confrontées aux problèmes du chômage, à l'utilisation de loisirs plus fréquents et plus longs qu'à la recherche de main-d'œuvre. En U.R.S.S. pourtant, en dépit d'un haut degré d'industrialisation, la crise qui menace est celle qui va découler d'une main-d'œuvre insuffisante en nombre et inégalement répartie dans l'espace. C'est pour ce pays un problème neuf qui va à l'encontre des habitudes acquises par l'Etat et par les individus, et exige des solutions d'envergure dont aucune au demeurant n'est encore évidente ni facile à imposer.

Du gaspillage à la rareté : la main-d'œuvre soviétique de la fin du siècle

Le développement économique est partout l'affaire des hommes. Nulle part cela n'a été davantage vrai qu'en U.R.S.S. L'abondance de la main-d'œuvre, qui semblait n'avoir aucune limite, a contribué de manière décisive à la transformation de ce pays. Durant des décennies, la campagne a fourni à l'industrie des travailleurs autant qu'elle en exigeait dans des conditions exceptionnelles. L'Etat, maître de toute l'économie, était maître des hommes nécessaires à son développement. Il pouvait décider des quantités qu'il lui fallait. Il pouvait les répartir où il voulait. Il pouvait les payer à son gré, c'est-à-dire très peu.

Dans le gigantesque effort de changement économique entrepris au début des années 30, cette capacité de l'Etat à disposer d'une réserve humaine quasi illimitée et toute soumise à son pouvoir a été utilisée très largement. Même si la fin de la période stalinienne a eu pour conséquence de rendre la main-d'œuvre moins malléable, ou plus autonome, l'économie soviétique restait largement fondée sur l'abondance de la main-d'œuvre. En dépit des appels a une plus grande productivité, à une amélioration qualitative du travail, l'habitude était solidement ancrée de compter sur le nombre de travailleurs plus que sur le développement et la rationalisation des efforts de chacun pour atteindre les objectifs fixés dans tous les domaines. Le gaspillage des hommes, de la force de travail de l'U.R.S.S., a été pendant près d'un demi-siècle la règle économique. Or cette règle, les changements démographiques imposent de l'abandonner au profit d'une utilisation maximale de la main-d'œuvre désormais disponible. Le problème est-il si aigu? Et urgent?

Sans aucun doute, oui. Les données en sont simples. En 1970, l'U.R.S.S. comptait pour 241,7 millions d'habitants, une main-d'œuvre potentielle de 130,5 millions de personnes. Main-d'œuvre potentielle puisqu'elle recouvre la population apte au travail, celle qui a entre 16 et 60 ans pour les hommes, 16 et 55 ans pour les femmes. Cette main-d'œuvre potentielle n'était pas totalement employée puisque le recensement a dénombré 115,2 millions d'individus exerçant réellement une activité, dont 2,6 millions appartenant aux classes d'âges supérieures à l'âge normal de la population active. Parmi les inactifs recensés, on compte un grand nombre d'étudiants (8 627 000 jeunes gens entre 16 et 19 ans), les femmes au foyer, les militaires et la police (3,2 millions), les invalides [1].

Il est plausible au demeurant que le nombre de personnes réellement actives en U.R.S.S. doive être majoré pour tenir compte de celles qui se livrent à des activités privées, surtout à la campagne. On peut estimer, en fait, que l'armée du travail soviétique est actuellement constituée par 125,6 millions de personnes [2], c'est-à-dire qu'en dépit de ceux qui pourraient — de par leur âge — appartenir à la population active et n'y appartiennent pas, le nombre réel de travailleurs en U.R.S.S. est très proche de la population active potentielle.

Les incidences des changements démographiques sur la population active des années à venir sont évidentes à la lecture du tableau suivant [3] :

I. Croissance estimée de la population active en U.R.S.S. entre 1971 et 2000
(en milliers)

Années (plans)	*Accroissement total*	*Accroissement annuel moyen*	*Taux d'accroissement annuel moyen en %*
1971-1975..........	12 963	2 593	1,9
1976-1980..........	10 378	2 076	1,4
1981-1985..........	2 664	533	0,3
1986-1990..........	2 630	526	0,3
1991-1995..........	3 291	658	0,4
1996-2000..........	8 101	1 620	1,0

Ce tableau correspond bien à l'évolution générale de la population soviétique. La réduction des naissances, enregistrée au début des années 60, se traduit en réduction de main-d'œuvre dès la fin des années 70, pour culminer selon toute vraisemblance vers 1990. Ce n'est qu'alors que la tendance peut commencer à changer et qu'un élargissement de la population active est prévisible. A condition toutefois que le léger redressement démographique auquel on assiste se maintienne et que la démographie dynamique des nations méridionales de l'U.R.S.S. ne fléchisse pas de manière spectaculaire. Car une fois encore, c'est le problème national qui donne ici sa dimension à la stagnation de la population active. Si celle-ci n'augmente qu'à peine, au lieu de subir une réduction dramatique, cela tient à la vitalité de la périphérie. Reprenons, en effet, les mêmes données que celles du tableau ci-dessus, mais en les ventilant entre les diverses régions démographiques de l'U.R.S.S. Alors, les conséquences de la diversité des comportements natalistes sur la main-d'œuvre future sont infiniment plus claires. (Cf. tableau II, page suivante.)

Ce tableau [4] appelle plusieurs remarques. Il témoigne en premier lieu de l'importance exceptionnelle pour l'U.R.S.S. et son avenir du développement démographique des peuples non russes. Si leur poids relatif dans la communauté humaine soviétique augmente considéra-

II. Accroissement de la population active potentielle (estimations) par régions (en milliers)

Années (plans)	*R.S.F.S.R.*			*Asie centrale et Kazakhstan*			*Caucase*		
	Accroissement total	*% de l'accroissement national*	*Taux moyen d'accroissement annuel*	*Accroissement total*	*% de l'accroissement national*	*Taux moyen d'accroissement annuel*	*Accroissement total*	*% de l'accroissement national*	*Taux moyen d'accroissement annuel*
1971-1975	6 039	46,6	1,6	3 089	23,8	3,7	1 059	8,2	3,3
1976-1980	3 928	37,8	1	3 444	33,2	3,5	1 142	11	3
1981-1985	— 813		— 0,2	2 773	104,1	2,4	690	26,1	1,6
1986-1990	— 880		— 0,2	2 880	109,5	2,2	514	19,5	1,1
1991-1995	— 425		— 0,1	3 361	102,1	2,4	548	16,7	1,1
1996-2000	1 964	24,2	0,5	4 380	54,1	2,7	954	11,8	1,8

blement, on l'a vu, sans leur donner pour autant la majorité, en revanche dans les années 1980-1995, il dépendra d'eux et d'eux seuls que l'Union soviétique puisse maintenir sa population active au niveau actuel où, déjà, selon les dirigeants [5], l'économie soviétique est confrontée à une insuffisance de main-d'œuvre. Durant les années où la crise de main-d'œuvre culminera, l'Asie centrale et le Kazakhstan seront l'unique réservoir d'hommes où l'économie soviétique pourra puiser pour répondre à ses besoins [6]. Le rôle économique de cette région dépassera ainsi très largement son poids humain dans l'ensemble soviétique. Au début du siècle prochain, lorsqu'une situation plus favorable et équilibrée s'instaurera, l'Asie centrale comptera encore pour plus de moitié dans l'augmentation de la population active.

Par ailleurs, en comparant l'évolution de ces trois régions et l'évolution de la population active à l'échelle de l'U.R.S.S. entière, on peut en déduire que tous les autres peuples de l'U.R.S.S. se trouveront dans une situation au minimum aussi défavorable que celle de la Russie et qu'ils ne contribueront pas à compenser les déficits de main-d'œuvre russe. Le déficit en main-d'œuvre atteindra toutes les républiques autres que celles d'Asie centrale, Kazakhstan et Caucase à partir de 1980. Dans les républiques baltes, il semble que cette tendance se fera sentir surtout à partir de 1990.

L'U.R.S.S. coupée en deux démographiquement le sera aussi de par l'évolution de sa population active au cours des décennies à venir.

Si enfin l'on compare l'U.R.S.S. démographique à l'U.R.S.S. économique, on entrevoit mieux pourquoi l'inégal progrès des populations constitue un véritable défi à l'avenir de l'économie soviétique. La première donnée en est l'insuffisance de travailleurs. Mais surtout, le déficit en population active est localisé là où les besoins en main-d'œuvre sont les plus grands, dans les régions les plus industrialisées, les plus urbanisées. C'est en Russie et pour partie en Ukraine que se trouvent les plus grands ensembles industriels. La mise en valeur des ressources de Sibérie et d'Extrême-Orient exige aussi des investissements humains considérables. Tous les projets économiques soviétiques vont donc se heurter désormais au problème démographique et à ses conséquences sur l'évolution de la main-d'œuvre. Quelle réponse peut y apporter le pouvoir? Il faut se garder d'oublier que, dans la situation présente de l'U.R.S.S., le pouvoir doit agir sur un double plan : tenter d'accroître la main-d'œuvre disponible, et ajuster sa répartition à la distribution géographique des ressources et des industries.

Une politique générale de la main-d'œuvre est-elle possible en U.R.S.S.? Sans aucun doute, plusieurs solutions peuvent être envisagées ou sont souvent en partie appliquées déjà. L'Etat peut tout d'abord essayer d'étendre aux deux extrêmes la population active. La vie professionnelle est en effet brève en U.R.S.S. Des études qui s'allongent, un service militaire de deux ans, la font commencer tard. La retraite, en revanche, intervient tôt : à 55 ans pour les femmes, à 60 ans pour les hommes.

Peut-on réduire la scolarité obligatoire et au-delà le nombre d'étudiants qui échappent durant des années au travail, au bénéfice d'une formation intellectuelle ou professionnelle? La réduction de la scolarité est improbable car l'Etat soviétique a fait de l'éducation une de ses finalités. Si, actuellement, l'éducation obligatoire ne couvre que huit années, la généralisation d'une scolarité de dix ans reste le projet immédiat. Cette insistance sur la scolarité tient à la fois à l'attachement des Soviétiques au progrès intellectuel et au besoin du pays en travailleurs éduqués. Quand la main-d'œuvre manque, la qualité de celle qui existe est un facteur très important de la vie économique. C'est pourquoi, plutôt que de vouloir réduire la scolarité, le pouvoir s'efforce de développer un enseignement technique au détriment souvent de l'enseignement supérieur où un système de sélection stricte lui permet de limiter les entrées [7].

A l'autre extrémité de la vie active, les retraités sont pour le pouvoir une tentation constante. En fait, ils sont déjà largement associés à la vie active. Le recensement l'a prouvé. Diverses mesures ont d'ailleurs été adoptées pour attirer à nouveau vers le travail les retraités [8]. Cependant, ici, le pouvoir se heurte à une forte opposition de l'opinion. Sans doute les retraités qui gardent ou reprennent des activités sont en nombre croissant. En 1960, on ne comptait que 11 % de retraités ayant une activité. Au recensement de 1970, 19 % des retraités se retrouvent parmi les actifs. Cinq ans plus tard, leur proportion passe à 24,3 % [9]. Il est douteux cependant que le problème de la main-d'œuvre soit résolu par un accroissement continuel de la contribution de ceux qui ont atteint l'âge de la retraite. De plus, la population soviétique s'alarme de toute disposition qui empiéterait sur ses droits à la retraite. Pour satisfaire la main-d'œuvre rurale, il a fallu en 1968 aligner l'âge de la retraite des kolkhoziens sur celui des ouvriers et employés du secteur d'Etat et prendre des dispositions encore plus favorables pour certaines catégories de travailleurs de la campagne [10].

La pression populaire en ce sens s'est clairement manifestée au moment du débat sur la nouvelle constitution. A travers les journaux qui relatent cette consultation à la base, on constate que l'intérêt populaire pour les conditions de travail et la retraite a été considérable. Les citoyens soviétiques craignaient que la constitution ne fût accompagnée d'une élévation de l'âge de la retraite. Ils se sont efforcés de faire inscrire dans la Loi fondamentale, au chapitre du droit à la retraite, l'âge où ce droit était acquis. La passion qui a présidé aux débats sur ce point montre qu'il n'est guère aisé ici de revenir en arrière.

A défaut de toucher à la retraite, le pouvoir peut-il encore drainer vers l'industrie la main-d'œuvre rurale? Ici encore, il semble que les solutions possibles ont déjà été épuisées. Si, en 1950, la population active engagée dans l'agriculture représentait encore 50 millions de personnes, on n'y trouve plus que 37 millions de personnes en 1970 et 35 millions en 1974. D'autre part, les ponctions de main-d'œuvre opérées à la campagne ont eu pour effet d'en arracher la population la plus jeune et souvent aussi les hommes. La campagne a désormais une population plus âgée que la ville et plus féminine. Population moins éduquée aussi et donc moins dynamique. Ceci explique pourquoi la campagne est de moins en moins attirante pour les jeunes dont l'exode vers les villes est une donnée permanente de l'histoire soviétique des dernières décennies. Cependant, la production agricole — du moins telle qu'elle est organisée en U.R.S.S. — exige des bras et de préférence des bras encore vigoureux. Les difficultés de l'agriculture soviétique contraignent le pouvoir à prendre en considération le facteur humain, ici aussi, et donc à tenter de réduire l'hémorragie qui vide les campagnes. Les solutions au problème de la main-d'œuvre ne peuvent donc y être trouvées.

Réduire les effectifs de l'armée, ou la durée du service militaire, pose des problèmes liés à la fonction intégratrice de l'armée dans la société soviétique, sur laquelle on reviendra plus loin. De plus, cette réduction résoudrait peu de choses dans la mesure où les recrues sont largement employées à des travaux civils (par exemple à la construction de la voie ferrée Baïkal-Amour) [11].

Les moyens d'augmenter la main-d'œuvre soviétique sont donc, on le voit, très restreints. Reste à la répartir selon les besoins de l'économie. Ici encore, la situation semble de prime abord appeler des solutions simples. Des régions économiquement développées et industrialisées souffrent déjà et souffriront bientôt plus encore d'une pénurie de main-d'œuvre. En revanche, des régions tournées avant tout vers l'agriculture, où la nature des sols et le climat limitent une extension infinie de l'espace agricole, ont une abondante main-d'œuvre qui sera un jour excédentaire.

Ces situations déséquilibrées coexistent dans un même espace étatique où cohabitent des hommes ayant reçu une même éducation, utilisant largement une langue commune, le russe. Sans prévoir encore l'argument du sous-emploi ici et de la pénurie de travailleurs là, Khrouchtchev annonçait que les Soviétiques auraient tendance à se déplacer toujours plus au gré des besoins économiques. A présent que ces besoins sont pressants, qu'ils conditionnent l'avenir de tous, la solution entrevue par Khrouchtchev, les migrations, peut-elle être mise en œuvre? Peut-on imaginer l'arrivée massive d'Uzbeks dans les villes industrielles de Russie ou dans les villes nouvelles de Sibérie [12]? Pour tenter de répondre à cette question, il faut d'abord jeter un regard sur le passé et le présent, voir dans quelle mesure une telle évolution de la distribution géographique des populations correspond à des mouvements spontanés ou organisés, existant déjà.

Des civilisations réfractaires aux migrations

L'Asie centrale, réservoir potentiel de main-d'œuvre, devrait en principe se prêter aux migrations. Du moins, peut-on le croire, en songeant au passé. Des hautes civilisations qui se sont épanouies dans cette région, certaines étaient nomades. Les routes de l'Asie centrale ont été, des siècles durant, sillonnées par les caravanes. Et au début du siècle encore, la frontière entre nomades et sédentaires était souvent difficile à tracer. Le pouvoir soviétique a brisé ce qui restait du nomadisme et l'a remplacé, là où l'économie l'exigeait, par des transhumances organisées et limitées.

Sans doute, dans le même temps, Staline a-t-il mis au service de l'industrialisation une forme nouvelle de migration, en arrachant à leurs foyers des masses de paysans qu'il jetait dans de lointains bagnes-chantiers. Les peuples d'Asie centrale ont aussi payé leur tribut à ces migrations forcées et meurtrières.

Mais depuis que Staline est mort, que ses successeurs ont voulu fonder leur pouvoir sur un certain degré d'acquiescement de leurs administrés, le temps de ces grandes migrations est révolu. Pour attirer sur les chantiers du Grand Nord des travailleurs, il faut les payer plus cher que les autres. Des salaires élevés pour les régions inhospitalières, l'attraction des grandes villes et des possibilités d'éducation plus poussée pour les enfants, sont-ils, ont-ils été des stimulants suffisants pour inciter jusqu'à présent les peuples de l'Asie centrale à s'éloigner de leur terre natale? On ne peut répondre à cette question sans replacer le problème des migrations dans le cadre général de l'U.R.S.S., sans comparer les comportements de tous les peuples qui y vivent.

Si, jusqu'au recensement de 1970, les statistiques détaillées ont manqué en U.R.S.S. pour donner une idée claire des mouvements de population, depuis lors, les informations qui se multiplient permettent de mieux comprendre l'amplitude et la direction de ces mouvements au cours des vingt dernières années [13]. La population soviétique se déplace essentiellement selon quatre axes : de la campagne vers la ville; de la ville vers la campagne; d'une campagne à l'autre; d'une ville à l'autre. Ces axes s'inscrivent de surcroît dans un second cadre : migrations au sein d'une même région, d'une région à l'autre.

Lorsqu'on prend en considération les diverses directions empruntées par les migrants, on constate que la population soviétique dans son ensemble se déplace beaucoup. Chaque année, 15 millions de personnes au minimum changent de lieu de résidence [14]. Ces mouvements s'effectuent principalement dans le sens ville-ville (38,1 %), campagne-ville (31,4 %), campagne-campagne (17,8 %), ville-campagne (12,7 %).

Ces chiffres témoignent, s'il en était nécessaire, que le centre d'attraction en U.R.S.S. est bien la ville et que la dépopulation des campagnes se poursuit. Des enquêtes ont d'ailleurs montré que le faible mouvement ville-campagne concernait avant tout des personnes âgées qui quittent la ville en même temps que s'achève leur vie active. Mais ces chiffres ne sont que des moyennes dissimulant des variations importantes dans les mouvements humains d'une république à l'autre. Les migrations d'une ville à l'autre sont particulièrement développées en Asie centrale et au Caucase, où elles représentent une part considérable des courants migratoires : 58,7 % en Turkménie, 50,6 % en Azerbaïdjan, 41,5 % en Arménie, 40,6 % en Uzbekistan, 40 % au Tadjikistan, alors que partout ailleurs ce type de migrations représente 30 à 40 % des courants et, en Moldavie, à l'autre extrême, 25,4 %.

Tout au contraire, le mouvement campagne-ville affecte moins l'Asie centrale et le Caucase que d'autres républiques, à deux exceptions près : l'Arménie (33,1 %) et la Kirghizie (33 %). Mais il est très développé en Moldavie (43,3 %), en Biélorussie (42 %) et en Ukraine (33 %). La Géorgie enfin (31,3 %) se situe exactement à la moyenne nationale [15].

La différence existant dans la structure des courants migratoires d'une république à l'autre se complète par une différence dans leur amplitude. Les républiques les plus marquées par des migrations sont la R.S.F.S.R. (17 395 000 personnes en 1968-1969), l'Ukraine (4 385 000), le Kazakhstan (2 073 000). Ailleurs, on trouve moins d'un million de migrants, le chiffre le plus bas étant atteint par l'Uzbekistan qui enregistre pour 1968-1969, 289 600 entrées et 372 300 sorties. L'exemple uzbek illustre une autre particularité des courants migratoires soviétiques : l'opposition, en dépit d'une mobilité assez générale, entre des républiques bénéficiant en dernier ressort d'un apport de population (R.S.F.S.R., Ukraine, Biélorussie, Lituanie, Arménie, Estonie) et des républiques déficitaires en immigrants, ce qui est le cas de toute l'Asie centrale et du Caucase à l'exception de l'Arménie, et qui commence à caractériser la Moldavie [16].

Que les populations soient plus ou moins migratrices, que les migrations dans diverses républiques s'effectuent plutôt d'une ville à l'autre, ou de la campagne à la ville, ces différences dans l'amplitude et la direction des courants migratoires ne doivent pas dissimuler le caractère très général des mouvements de population. L'U.R.S.S. est en perpétuel mouvement. Mais ce mouvement perpétuel modifie-t-il profondément la distribution nationale de chaque république? Disperse-t-il également tous les groupes nationaux? Les prépare-t-il également à des dispersions ultérieures? A ces questions, une première réponse peut être trouvée dans l'analyse de la distribution des groupes nationaux, dans leur république et à l'extérieur, entre 1959 et 1970 (cf. tableau III, p. suivante).

Ce tableau témoigne que, contrairement aux illusions nourries par Khrouchtchev dans le passé, courants migratoires et dispersion nationale sont loin de coïncider. A l'exception des Russes et des Biélorusses, tous les groupes nationaux sont davantage concentrés dans leur république en 1970 que dix ans auparavant. Ce processus de concentration du groupe dans ses frontières nationales est particulièrement remarquable dans le cas d'une nation avec une très forte diaspora, la nation arménienne, et dans le cas de groupes nationaux à très faible natalité comme les groupes baltes. Sans doute, dans le cas des Arméniens, ce changement de situation est-il dû probablement à la différence du comportement démographique entre les Arméniens de la république (qui ont une très forte natalité) et ceux de la diaspora qui semblent adopter le comportement démographique du milieu où ils résident. Dans le cas des Baltes, il s'agit clairement d'un retour des Baltes dispersés vers leurs républiques.

III. Part de la nation titulaire vivant dans la république par rapport à l'ensemble du groupe national en U.R.S.S. (en %)[17]

Nationalités	*1959*	*1970*
Russes	85,8	83,5
Ukrainiens	86,3	86,6
Biélorusses	82,5	80,5
Uzbeks	83,8	84,0
Kazakhs	77,2	79,9
Géorgiens	96,6	96,5
Azéris	84,9	86,2
Lituaniens	92,5	94,1
Moldaves	85,2	85,4
Lettons	92,7	93,8
Kirghizs	86,4	88,5
Tadjiks	75,2	76,3
Arméniens	55,7	62,0
Turkmènes	92,2	92,9
Estoniens	90,3	91,8

En dépit de cette différence importante entre des nations qui se dispersent et des nations qui se rassemblent, le tableau précédent donne à première vue l'impression d'une certaine uniformité. La proportion des membres d'une communauté nationale vivant dans ses frontières par rapport à la totalité du groupe varie relativement peu d'un groupe à l'autre. A l'exception de quelques nations particulièrement concentrées (Géorgiens, Baltes et Turkmènes), presque tous les groupes nationaux comportent environ 80 à 85 % de leurs membres dans leur république, et quelques 15 à 20 % sont dispersés. Faut-il en conclure qu'il y a là une situation partout comparable avec une proportion plus ou moins stable d'éléments coupés de leur groupe, vivant en milieu étranger et par là plus aisés à assimiler?

En d'autres termes, est-ce que tous les groupes nationaux se dispersent indifféremment à travers tout le territoire de l'U.R.S.S., ou bien existe-t-il pour les diasporas des situations différentes? La dispersion russe est une donnée historique traditionnelle, on l'a vu; elle caractérise l'histoire de l'Empire et celle de l'U.R.S.S. Les Russes sont partout représentés mais, clairement, la direction de leurs déplacements se modifie.

On assiste entre 1959 et 1970 à un reflux des Russes de Géorgie qui se traduit, on le sait, par une réduction de leur nombre, à un reflux probablement aussi d'Azerbaïdjan et d'Arménie, tandis que

IV. Distribution géographique des peuples d'Asie centrale [22]

Nations	*Nombre total*	*Kazakhstan*	*Uzbekistan*	*Kirghizie*	*Tadjikistan*	*Turkménie*	*Ailleurs*
Kazakhs	5 299 000	*4 234 000*	476 000	22 000	8 000	69 000	478 000 (R.S.F.S.R.)
Uzbeks	9 195 000	216 000	*7 725 000*	333 000	666 000	179 000	76 000
Kirghizs	1 452 000		111 000	*1 285 000*	35 000		21 000
Tadjiks	2 136 000		449 000	22 000	*1 630 000*		35 000
Turkmènes ...	1 525 000		71 000			*1 417 000*	37 000

leur nombre croît partout ailleurs. De la même manière, les Ukrainiens dont 5,5 millions vivent hors d'Ukraine, qui ont « reçu », entre 1959 et 1970, environ 1 million de Russes [18], ont dans la même période accru leurs effectifs dans toutes les républiques à l'exception de la R.S.F.S.R. [19]. Leurs progrès les plus importants ont été accomplis en Kirghizie (+ 87 %), en Lettonie (+ 82 %), en Estonie (+ 85 %), en Turkménie (+ 66 %), en Biélorussie (+ 43 %). Comme les Russes, les Ukrainiens commencent à se retirer de Géorgie [20]. La dispersion des Biélorusses qui atteint le cinquième du groupe est grande mais dirigée essentiellement vers les autres républiques slaves (964 000 Biélorusses vivent en Russie), le Kazakhstan et les républiques baltes [21]. Les courants migratoires des Slaves les portent donc vers toutes les républiques de l'Union soviétique.

La situation est-elle la même pour les Centro-asiatiques ou Causasiens qui vivent hors de leur république? Font-ils en sens inverse le chemin poursuivi par les Russes ou les Biélorusses? La situation des peuples titulaires des cinq grandes républiques d'Asie centrale peut être ainsi résumée dans le tableau IV.

Ce tableau démontre à l'évidence que l'on ne saurait comparer les migrations des peuples d'Asie centrale à celles des peuples slaves. Les peuples d'Asie centrale émigrent vers les républiques voisines de même civilisation. Seuls les Kazakhs ont une forte communauté installée en Russie d'Europe. Mais pour tous les autres peuples, la part de ceux qui ont quitté la région est infime. Pour l'essentiel, il s'agit de ceux qui appartiennent aux organes politiques et culturels centraux et dont la présence dans la capitale fédérale témoigne de l'existence du fédéralisme.

La situation du Caucase est légèrement différente mais en même temps éloignée aussi du modèle slave [23]. (Cf. tableau V.)

Si Azéris et Arméniens ont assez largement essaimé dans les républiques voisines, les Géorgiens sont plus concentrés. Par ailleurs, dans les trois groupes, la part des nationaux installés en R.S.F.S.R. est beaucoup plus importante que celle des peuples originaires de l'Asie centrale. Le poids du passé explique cette orientation vers la capitale ainsi que le rôle joué longtemps dans le pouvoir central et les diverses institutions qui l'entourent par les Arméniens et les Géorgiens. L'ancienneté de leurs liens avec la Russie et leur haut niveau de culture ont contribué à cette orientation.

Cette brève incursion dans la composition nationale des Etats et des régions avoisinantes contribue à souligner l'opposition entre les deux parties de l'U.R.S.S. D'un côté, des peuples qui, en dépit

V. DISTRIBUTION GÉOGRAPHIQUE DES PEUPLES DU CAUCASE

	Nombre total	*Arménie*	*Azerbaïdjan*	*Géorgie*	*Ailleurs*
Arméniens .	3 559 000	*2 208 000*	484 000	452 000	414 000 (dont 299 000 en R.S.F.S.R.)
Azéris	4 380 000	148 000	*3 777 000*	218 000	237 000 (dont 96 000 en R.S.F.S.R.)
Géorgiens ..	3 245 000			*3 131 000*	114 000 (dont 69 000 en R.S.F.S.R.)

de leurs problèmes démographiques, se dispersent continûment et se mêlent à tous les autres peuples de l'U.R.S.S. au terme de lointaines migrations. De l'autre, des peuples concentrés dans la région où domine la civilisation qui est la leur; ces peuples se déplacent volontiers d'une république à l'autre, mais toujours au sein de leur espace culturel. En revanche, leurs liens avec les autres peuples de l'U.R.S.S. sont très ténus ou dépendants de la présence des autres sur leur sol. Leur attachement à leur milieu n'est pas leur seul élément de différence avec les autres.

A ces migrations qui ne sont que régionales, il faut ajouter une différence du comportement des citadins et des ruraux par rapport au comportement des mêmes catégories dans le reste de l'U.R.S.S. On a déjà vu que, dans l'ensemble, les courants migratoires ont pour principale conséquence de déplacer les habitants de la campagne vers les villes. Les migrations se font avant tout au détriment du monde rural, et cela est aisé à comprendre dans un pays où l'urbanisation et l'industrialisation se poursuivent continûment depuis le début du siècle. Les grands migrateurs sont donc en premier lieu les ruraux.

Sur ce point encore, Asie centrale et Caucase représentent des exceptions à la règle qui prévaut dans le reste du pays. Les paysans restent dans leur campagne et sont infiniment moins migrateurs que les citadins. Les habitants des villes de l'Asie centrale se déplacent, on l'a dit, d'une ville à l'autre. Au Caucase, ils se déplacent un petit peu plus que les ruraux, mais dans l'ensemble, les uns et les autres restent attachés à leur lieu d'origine. Cette différence de comportement avec les autres peuples de l'U.R.S.S. est importante sur un double plan, parce qu'elle révèle des attitudes particulières et par les dimensions du phénomène, dont le tableau suivant [24] donne une idée :

VI. MIGRATIONS COMPARÉES DES CITADINS ET DES RURAUX PAR RÉPUBLIQUES SOCIALISTES ET RÉGIONS ÉCONOMIQUES

Républiques ou régions économiques	*Nombre de migrants pour 1 000 habitants*		*Intensité des migrations des ruraux par rapport aux citadins (citadins = 100)*
	citadins	*ruraux*	
U.R.S.S.	*51,8*	*64,7*	*124,9*
R.S.F.S.R.	55,4	83,9	151,4
— région Nord-Ouest	50,2	90,4	180,1
— région centrale	34,2	69,3	202,6
— région Volga-Viatsk	47,9	77,2	161,2
— Tchernoziom central	44,8	55,3	123,4
— région volgienne	48,3	72,9	150,9
— région du Caucase Nord	58,9	62,3	105,8
— Oural	65,9	102,8	150,0
— Sibérie occidentale	72,1	121,6	168,7
— Sibérie orientale	86,7	128,5	148,2
— Extrême-Orient	101,1	147,1	145,5
— Ukraine (R.S.S.)	41,7	51,5	123,5
— pays baltes (région économique)	41,7	63,2	151,6
— Transcaucasie (région économique)	28,1	23,1	85,1
— Asie centrale (région économique)	46,7	25,1	53,7
— Kazakhstan	75,5	85,5	113,2
— région de Biélorussie	50,2	51,6	102,8
— Moldavie (R.S.S.)	48,2	42,4	88,0

Cet attachement des ruraux à la campagne dans la périphérie méridionale doit-il être attribué à un retard de l'urbanisation qui ne donnerait pas de débouchés aux migrations rurales? L'opposition entre les deux types de comportement est-elle liée à une opposition entre un pays largement urbanisé et un pays qui l'est peu? Ici encore, l'examen des données concrètes, leur comparaison, suggèrent que les explications classiques sont d'un faible secours s'agissant de

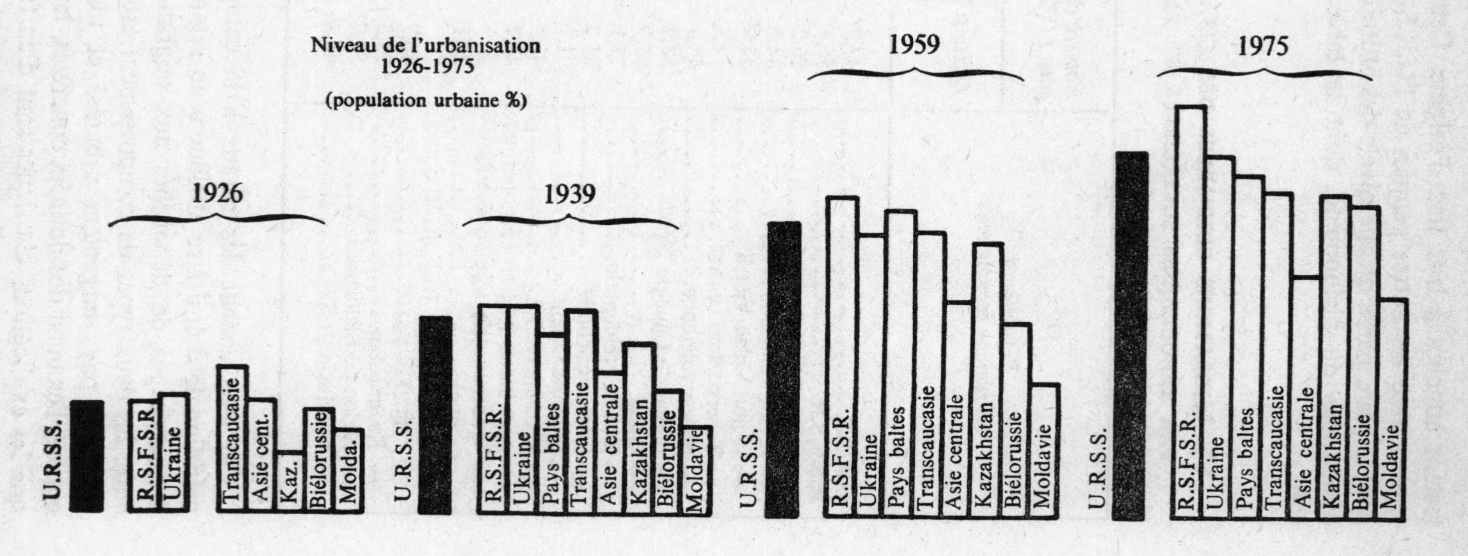

Graphique IV.

l'évolution très particulière des peuples du sud de l'U.R.S.S. Pour s'en convaincre, il suffit de regarder le graphique IV [25] qui retrace l'histoire de l'urbanisation en U.R.S.S. de 1926 à 1975.

On constate ici que le processus d'urbanisation a très fortement affecté la Transcaucasie et à un moindre degré l'Asie centrale (exception faite du Kazakhstan). Néanmoins, l'urbanisation a été pour l'Asie centrale aussi, un processus très continu et régulier. Dans ces deux régions, la stabilité de la population rurale est une donnée très évidente, qui contraste avec des mouvements beaucoup plus amples de population là où l'urbanisation a suivi un cours comparable, en Moldavie par exemple.

Cette différenciation régionale ou nationale, dans la structure des courants migratoires, a été clairement perçue par les autorités soviétiques qui, après 1970, ont multiplié les enquêtes destinées à saisir tous les aspects du phénomène, et ses causes. Ces enquêtes ont complété des données statistiques qui, par leur caractère global, en soulignaient les particularités régionales au détriment des spécificités nationales. Le problème principal qui se pose ici est, en effet, de savoir si dans certaines régions, l'ensemble de la population, toutes nationalités confondues, adopte les mêmes comportements ou bien si les comportements particuliers sont ceux de nations déterminées. En d'autres termes, si l'on prend par exemple le développement des villes de l'Asie centrale, celui-ci est-il dû à un mouvement de toute la population locale vers les villes (ce qui contredit les données concernant la faible mobilité de la paysannerie indigène), ou encore à un accroissement naturel de la population déjà installée dans les villes? Ou enfin, à des arrivées de migrants étrangers à l'Asie centrale?

Les enquêtes ethnographiques faites ces dernières années apportent ici des réponses fort claires. En premier lieu, le comportement des nationalités originaires de l'Asie centrale est infiniment plus sédentaire ou *régional* que celui de la totalité de la population installée dans la région. Ainsi, le recensement de 1970 a repéré qu'au moment où ils étaient interrogés, 5,7 % des citoyens de l'U.R.S.S. étaient installés dans leur lieu de résidence depuis moins de deux ans. Cette proportion tombait entre 1,5 à 2 % pour toutes les nationalités d'origine de l'Asie centrale [26]. D'une manière plus générale, on trouve dans le recensement que toutes les nationalités ayant un taux de migration récente de moins de 2 %, appartiennent au groupe turco-musulman, le point le plus bas étant atteint par les Azéris.

Des enquêtes expliquent cette situation. Ainsi, à la question posée à des ruraux : « Comptez-vous vous installer à la ville? Et quand? »,

16 % des paysans russes (région de Kaliningrad) ont répondu positivement et 11 % ont indiqué qu'ils entendaient réaliser ce projet dans les deux années à venir. En Uzbekistan, en revanche, les amateurs d'un tel changement tombent à 5,5 %, et ceux parmi eux qui pensent le concrétiser dans un avenir relativement proche à 2,9 % [27].

Cette faible attraction de la ville en milieu rural centro-asiatique est confirmée par d'autres enquêtes, telle celle qui a cherché à préciser en Turkménie l'origine des nouveaux citadins. Enquête instructive puisqu'elle montre que les nouveaux citadins ne sont pas, pour l'essentiel, d'anciens paysans turkmènes, mais des immigrés venus d'autres républiques; qu'elle montre aussi, et ceci est un point capital, que loin de croître avec l'urbanisation, l'attrait de la ville tend à diminuer. Si en 1960, la campagne turkmène fournissait 68 % des nouveaux citadins, en 1970, elle n'en fournit plus que 27 % [28]. Mais ces indices suggèrent que les paysans de l'Asie centrale, non seulement ne sont que médiocrement attirés par le milieu urbain, mais qu'il y a de surcroît, dans ces régions, un mouvement de départ dans le sens ville-campagne. Ce mouvement qui apparaît à l'échelle de l'U.R.S.S. tout entière dans les statistiques et qui est généralement le fait de gens âgés, concerne en Asie centrale des éléments jeunes dont l'adaptation à la ville ne se fait pas toujours. Cette faible attraction de la ville est aisée à comprendre dans les conditions socio-démographiques de l'Asie centrale et du Caucase musulman.

En dépit des progrès de l'urbanisation dans ces régions, la population rurale prédominant très largement, c'est elle qui connaît le développement le plus important au moment de l'essor démographique de ces peuples. Partout ailleurs, la réduction de la population des campagnes, son vieillissement qui pèse sur sa démographie, contribuent à donner à la vie rurale son aspect résiduel et à encourager les éléments jeunes et dynamiques à fuir les campagnes. En Asie centrale, au contraire, la campagne est le centre de gravité des nations indigènes. La population y est jeune, active, peu contaminée par les influences extérieures. Les immigrants vont dans les villes, non à la campagne qui représente pour eux un milieu trop homogène. A l'inverse, dans les villes, la présence des Russes ou des Ukrainiens brise l'homogénéité du milieu national, modifie la culture environnante.

On conçoit que, dans ces conditions, les nations de l'Asie centrale ou du Caucase tiennent la campagne pour le lieu privilégié d'une vie nationale, et ne s'aventurent qu'avec prudence dans les villes.

On reviendra plus loin sur ce point décisif pour l'avenir des régions à forte démographie. Sans doute il faut considérer avec Basile Kerblay [29] que les grandes migrations sont une tendance séculaire de l'histoire russe. Mais en même temps, à regarder de près cette histoire, on constate qu'elle a deux composantes : les peuples qui se dispersent continûment aux premiers rangs desquels se trouve le peuple russe; les peuples ancrés dans leur milieu d'origine, qui semblent avoir vécu ce dernier siècle à l'écart des grandes dispersions, et que l'on peut définir comme l'ensemble des peuples musulmans et à un moindre degré les peuples chrétiens du Caucase.

Cette situation peut-elle être maintenue alors que les effets économiques des déséquilibres démographiques vont se manifester? Quelles solutions peut-on trouver aux problèmes de l'emploi et de la répartition des ressources devant une si inégale distribution de la population active? Peut-on organiser les migrations qui, jusqu'à présent, n'ont pas ou peu existé? Peut-on redistribuer la population soviétique, compte tenu des habitudes acquises?

Redistribution de la population, ou redistribution des ressources?

L'U.R.S.S. se trouve actuellement devant une situation critique à l'échelle du pays tout entier. Trois éléments sont, à cet égard, critiques. La pénurie de main-d'œuvre associée à une distribution de la population qui l'aggrave. Le caractère très spontané, anarchique et économique des migrations de la période récente. Enfin, la situation économique actuelle de l'Asie centrale qui est peu préparée à recevoir une population en accroissement constant. On ne reviendra pas ici sur le problème de la pénurie de main-d'œuvre.

En revanche, il importe de voir que l'orientation des courants migratoires, tels qu'ils se sont développés dans la période post-khrouchtchevienne où la pression du pouvoir sur ses administrés s'est relâchée, a conduit à une situation peu propice au progrès économique. L'exemple des migrants russes (les plus nombreux) éclaire ces aspects désordonnés des mouvements de population.

Le tableau suivant donne, sans aucun doute, une grande impression d'organisation. Chaque région de Russie a des liens particuliers avec certaines républiques. Mais aussi, il révèle immédiatement d'étonnantes faiblesses. Tout d'abord, il y a un mouvement de sortie de l'Oural, de Sibérie, de l'Extrême-Orient, régions qui manquent de main-d'œuvre, mais aucun mouvement dans leur direction. La dispersion russe qui, dans le passé, a permis de commencer la mise en

VII. Direction des courants migratoires [30]

Régions économiques de la R.S.F.S.R. campagnes (régions de départ)	*Républiques fédérées* villes (régions d'accueil)
Nord-Ouest	Estonie, Lettonie, Biélorussie
Centre	Biélorussie, Estonie, Lettonie
Volga-Viatsk	Kazakhstan
Tchernoziom central	Ukraine
Région de la Volga	Uzbekistan, Turkménie, Tadjikistan
Caucase du Nord	Azerbaïdjan, Turkménie, Arménie
Oural	Uzbekistan, Tadjikistan, Kazakhstan
Sibérie occidentale	Kirghizie, Kazakhstan
Sibérie orientale	Lituanie, Kirghizie
Extrême-Orient	Géorgie, Kirghizie

valeur des régions les plus rudes, tend à se tourner vers des régions plus accueillantes mais dont les besoins en main-d'œuvre sont moindres.

Le courant qui pousse les paysans du Nord-Ouest vers les républiques baltes éclaire ceci. Les campagnes du Nord-Ouest de la Russie ont atteint un seuil critique de dépeuplement (notamment dans les régions de Novgorod et Pskov), et les kolkhozes et sovkhozes y souffrent d'une pénurie de main-d'œuvre qui affecte leur capacité de production. Néanmoins, les paysans de ces régions se précipitent vers les villes baltes où les nouveaux arrivants se trouvent en compétition pour les emplois avec les paysans originaires de la république [31]. Comme ces républiques attirent beaucoup les paysans russes, cette orientation des migrations présente le double inconvénient de dépeupler encore davantage des régions agricoles pauvres en main-d'œuvre en Russie, et de créer des tensions nationales sur le lieu d'arrivée des nouveaux venus, dans la mesure où la main-d'œuvre urbaine tend à être trop concentrée dans les républiques baltes.

En Asie centrale, on note de même les effets négatifs des migrations russes. Les migrants qui quittent la Sibérie ou l'Oural vont manquer à ces régions déjà très déficitaires en main-d'œuvre et où le pouvoir s'emploie désespérément à la fixer de manière durable. En revanche, ils occupent les emplois urbains dans des régions où l'essor démographique et la volonté du pouvoir de briser l'homogénéité nationale du village devraient conduire à d'intenses migrations internes campagne-ville. Mais l'arrivée massive de Russes laisse actuellement peu de place à une urbanisation accrue des indigènes. Dans cette région d'ailleurs, l'arrivée des Russes suit un cours particulier. Les immigrants transitent souvent par les villages (c'est notamment le cas en Kirghizie), avant de repartir dans une seconde étape vers la ville.

De la même manière, le Caucase du Nord, qui dans l'ensemble dispose d'un excédent de main-d'œuvre, conserve, en dépit d'un mouvement de ruraux vers d'autres républiques, un solde migratoire positif, car le climat de cette région y attire de nombreux immigrants. Ces quelques exemples que l'on pourrait aisément multiplier témoignent des difficultés où se débat le pouvoir en quête d'une organisation rationnelle de la force de travail dans une société où, les contraintes jouant moins, chacun s'organise plus ou moins à sa guise.

Mais c'est peut-être en Asie centrale même qu'il faut chercher la cause majeure des préoccupations du gouvernement soviétique, s'agissant de l'avenir. En effet, le problème est ici celui de la capacité économique de l'Asie centrale à faire face à son développement démographique. La conséquence première du progrès démographique est ici une certaine surpopulation de la campagne qui était déjà reconnue par les experts soviétiques, à l'époque où les effets de ce progrès ne se faisaient pas encore pleinement sentir [32]. La densité de la population agraire s'est très vite accrue, dépassant de très loin la moyenne nationale. Tandis qu'en R.S.F.S.R., on compte 0,4 habitant par hectare cultivé, 0,7 en Ukraine, en Asie centrale la proportion est triple environ, atteignant 2,1 en Uzbekistan, 2,4 au Tadjikistan. Au Caucase, la pression humaine sur le sol est encore plus élevée avec 3,3 en Géorgie [33].

Ce changement s'est produit en peu de temps, puisqu'au recensement de 1959, on constatait que le poids des habitants de la région sur la terre cultivée n'avait que très peu varié par rapport à l'avant-guerre. Cette soudaine surpopulation pose deux problèmes distincts. Dans quelle mesure la mécanisation de l'agriculture, objectif poursuivi par le gouvernement, va-t-elle aggraver le problème de main-d'œuvre? Par ailleurs, peut-on gagner de nouvelles terres en Asie centrale pour les ouvrir aux habitants désormais plus nombreux?

Le premier point appelle à coup sûr une réponse négative. L'Asie centrale est productrice de coton avant tout, et le coton a pour l'U.R.S.S. une importance considérable. Les modes de culture traditionnels sont coûteux. La mécanisation permet à la fois de baisser les coûts et d'accroître le rendement. L'effort engagé en Asie centrale à cet égard semble difficilement réversible et, de surcroît, le gouvernement n'entend pas revenir sur ses objectifs [34]. Dès lors, il est clair que la mécanisation implique la réduction des emplois au moment précis où les hommes se font plus nombreux.

Peut-on alors étendre indéfiniment le domaine cultivé? Ici, c'est le climat et la nature des sols qui conditionnent la réponse. Les projets d'irrigation se sont multipliés au cours des dernières années, mais dans la pratique, l'irrigation a permis, entre 1960 et 1970, de gagner environ 5 % de territoire [35]. Même un accroissement considérable de l'irrigation — à supposer que les sols s'y prêtent — ne permettrait en aucun cas de suivre les progrès de la population. De plus, les régions nouvellement irriguées bénéficient, elles aussi, du programme de mécanisation qui doit rentabiliser plus vite les investissements considérables exigés par l'irrigation, donc la part du travail humain n'y sera pas considérable. La mécanisation complique encore le problème, dans la mesure où elle exige des travailleurs qualifiés formés dans des écoles techniques, alors que la population indigène est encore très peu capable de fournir ces techniciens. L'une des raisons de cette carence est que les écoles techniques sont situées en milieu urbain la plupart du temps, et que les parents répugnent ici à envoyer leurs enfants dans des écoles qui impliquent l'éloignement du milieu familial et l'insertion dans un milieu étranger. C'est pourquoi les emplois techniques à la campagne sont généralement occupés par des immigrés (russes ou ukrainiens) qui sont ainsi en compétition avec les indigènes pour des emplois insuffisants.

La main-d'œuvre excédentaire à la campagne peut-elle être orientée vers la ville et utilisée dans l'industrie locale? Le développement économique de l'Asie centrale est peu propice à une réorientation radicale de la main-d'œuvre de la campagne vers la ville. L'Asie centrale est, avant tout, productrice de matières premières et comme telle, moins développée industriellement que le reste de l'U.R.S.S. La spécialisation économique contre laquelle ses cadres nationaux ont si vivement luttté dans les années 30 est désormais un fait acquis et l'on peut en mesurer aujourd'hui les dangers.

Les républiques de l'Asie centrale, à l'exception du Kazakhstan, sont essentiellement productrices de coton ou d'animaux d'élevage. Autour de ces productions de base, des industries liées à ces richesses se sont développées (industries alimentaires, textiles), mais le rapport entre la production de matières premières et ces industries reste très nettement favorable à l'agriculture.

Le dernier plan quinquennal ne laisse pas prévoir de développement dramatique de l'industrie lourde qui supposerait des investissements considérables et l'organisation du transport du fer qui manque à la région. Du fer, on en trouve au Kazakhstan qui est le troisième producteur de l'U.R.S.S. où il joue un rôle économique central comme source de matières premières pour l'industrie. Mais depuis le premier plan quinquennal 1929-1933, les grandes ressources de la république, fer et minerais, ont été destinées à l'industrie lourde de Russie.

Les ressources kazakhes jouent un rôle déterminant dans le développement des usines de l'Oural et des nouvelles régions industrielles de Sibérie qui dépendent aussi des produits agricoles de cette république. Une réorientation de ces ressources vers l'Asie centrale semble très douteuse, car elle entraînerait un affaiblissement de la capacité de production d'industries déjà très développées.

De surcroît, il faut ici faire intervenir un important facteur de politique extérieure. L'Asie centrale, toute proche de la Chine, constituerait, si elle était très industrialisée, un élément supplémentaire d'attraction pour une Chine en quête de développement rapide. Dans l'état des relations sino-soviétiques, l'U.R.S.S. a tout intérêt à ne pas donner une importance économique décisive, attirante, à cette région dont les populations appartiennent plus au monde de l'Orient qu'au monde européen. Les exigences de l'économie et la proximité de la Chine expliquent pourquoi les voies du développement de l'Asie centrale sont très étroites. Elles expliquent aussi pourquoi, confrontés au problème de l'excédent de main-d'œuvre dans la région, les planificateurs semblent hésiter, pour l'instant du moins, à promouvoir des solutions d'envergure [36].

De fait, aucun choix clair ne semble encore se dessiner, et l'on voit la décision hésiter entre deux pôles. D'un côté, une forte pression existe à Moscou et à la périphérie, en faveur d'un développement industriel de l'Asie centrale, destiné à résoudre sur place les problèmes de main-d'œuvre. Dès 1971, des experts du *Gosplan* ont plaidé l'implantation rapide des industries exigeant une main-d'œuvre abondante (constructions mécaniques, industries chimiques et naturellement industries alimentaires) [37]. Cette tendance s'est développée au cours des années 70 dans le *Gosplan*, et ses défenseurs ont, de manière croissante, tiré argument de la faible mobilité de la population locale qu'ils tiennent de toute évidence pour un fait acquis [38].

Le mot d'ordre pour les tenants de cette thèse est clairement que les choix économiques des années à venir doivent partir des situations locales, c'est-à-dire de la distribution existante de la main-d'œuvre, qui doit avoir pour conséquence un important développement économique des régions riches en main-d'œuvre. Cela dit, les experts du *Gosplan* ne prêchent pas un bouleversement complet de l'économie soviétique, mais suggèrent l'implantation en Asie centrale d'industries qui peuvent y trouver place dans les conditions existantes et avec les ressources locales. Par là même, ils ne tendent à résoudre qu'un aspect du problème, celui de la main-d'œuvre excédentaire, mais n'apportent aucune réponse à l'autre, celui qui résulte de la démographie, à savoir qui travaillera dans les régions déficitaires en main-d'œuvre où, précisément, se trouve concentrée toute l'industrie lourde de l'U.R.S.S.?

C'est plutôt le problème des régions déficitaires qui semble justifier la position contraire d'autres experts qui défendent l'idée d'une « distribution rationnelle des ressources de main-d'œuvre ». Ici, l'approche est différente; elle part des courants migratoires pour en constater le caractère inorganisé, spontané, et le décalage existant entre l'intérêt général et les initiatives individuelles. Dans un ouvrage collectif publié en 1974, divers auteurs ayant constaté que les courants migratoires ne coïncident pas ou peu avec les besoins, concluent à la nécessité d'une régulation des migrations dans le cadre d'un projet économique clair [39]. Cette idée est reprise et développée de manière très précise par A. Topilin, un économiste qui tire du plénum du C.C. du Parti de décembre 1974 la conviction que le choix fondamental fait par le Parti en matière économique va dans le sens d'une répartition rationnelle des ressources en main-d'œuvre, donc de leur redistribution [40].

Analysant les diverses méthodes de répartition de la main-d'œuvre, Topilin écrit : « Si l'on veut tenir compte de l'insuffisance croissante des ressources en main-d'œuvre, il est indispensable de mettre fin à l'absence de coordination qui préside aux diverses formes de distribution territoriales de la force de travail. La coordination, dans l'amplitude et la direction de l'embauche organisée, des migrations et des appels lancés par les entreprises, doit être faite par le *Gosplan* de l'U.R.S.S. sur la base de plans uniques de redistribution des ressources en main-d'œuvre [41]. »

Il est intéressant de voir apparaître, dans le contexte actuel, des notions telles qu'embauche organisée et appel social en liaison avec les migrations. *L'embauche organisée — (Orgnabor) —* a été à l'honneur durant les années de l'industrialisation intensive comme méthode de transfert de la force de travail de la campagne vers la ville. Cette méthode vise à la redistribution régionale de la main-d'œuvre et à sa répartition dans les secteurs économiques les plus déficitaires. Cette forme d'embauche qui tend à adapter au maximum les travailleurs aux besoins d'un lieu et d'une entreprise déterminés, devrait selon les experts permettre de fournir en main-d'œuvre les régions les plus défavorisées de ce point de vue, en même temps que vitales pour l'économie, Sibérie, Extrême-Orient et Extrême-Nord.

La difficulté vient de ce que les travailleurs recrutés jusqu'à présent dans ces régions s'y rendent, attirés par des salaires élevés, pour une période limitée, ce qui rend peu profitable l'investissement en formation, supposé lié à cette forme d'embauche. « Pour fixer sur place les cadres recrutés par *Orgnabor*, il faudrait au maximum encourager les migrations familiales qui, en 1969-1970, ne représentaient que 6 % du mouvement des ouvriers envoyés par cette voie [42]. »

Les migrations familiales, elles, sont appliquées jusqu'à présent au secteur agricole en premier lieu. Des cadres techniques (tractoristes, mécaniciens, etc.) sont envoyés dans les entreprises agricoles des régions encore attardées, pour y promouvoir un certain progrès. C'est ainsi que, pour la période 1961-1970, près de 20 000 mécaniciens sont venus compléter le personnel agricole des districts méridionaux de l'Extrême-Orient. Pour faciliter ce type de migrations, l'une des propositions les plus précises est la migration dans un même village de plusieurs familles d'un village d'origine, de manière à réduire les problèmes d'isolement initial et d'adaptation dans un milieu étranger.

Troisième forme de migration organisée, les *appels sociaux*. Il s'agit ici de pourvoir en un très bref délai à des besoins de main-d'œuvre dans des régions où les conditions naturelles, l'éloignement, etc., ne favorisent guère les migrations volontaires, voire les migrations sociales organisées. Ici, ce ne sont pas les ouvriers qui fournissent la masse de ceux qui répondent à ces appels, mais essentiellement des jeunes gens que le Komsomol encadre, et de jeunes démobilisés, surtout paysans, pour qui cette expérience lointaine représente un stade — presque obligé — de transition entre vie militaire et intégration normale dans le monde du travail.

Cependant, cette forme de migration n'est pas exempte d'inconvénients. Fondée sur l'ardeur, la conviction des sentiments des jeunes appelés, la migration de ce type se caractérise surtout par l'instabilité des migrants qui, à peine venus dans les lieux éloignés où ils sont nécessaires, changent d'entreprise, voire quittent la région. En fait, le problème est un petit peu semblable à celui que posait traditionnellement l'exécution des plans. Chaque collectivité communiste, Komsomol surtout, doit démontrer son enthousiasme pour les grands projets éloignés et l'intérêt général, en ayant régulièrement un certain contingent de volontaires pour y participer. Mais au-delà, une certaine imprécision préside à l'utilisation de cette force de travail. « Le C.C. du Komsomol décide avec le *Gosplan* du nombre de jeunes gens qui doivent répondre à l'appel social, et de leur distribution approximative dans les diverses régions d'arrivée. Ayant reçu leurs ordres de mission, ces jeunes gens restent libres de changer de travail, voire de quitter la région où ils ont été affectés. Nul n'en répond... tout cela est très déplorable [43]. »

A cette situation, comment remédier? Deux voies sont suggérées : une véritable planification de l'utilisation momentanée des jeunes; et un contrôle strict de leur activité dans la période où ils travaillent dans le cadre de l'appel social. Par ailleurs, il faudrait que cet appel ne soit pas orienté avant tout vers la main-d'œuvre masculine, mais qu'un équilibre du recrutement par sexe contribue à retenir sur place des volontaires qui semblent surtout pressés de repartir vers des cieux plus cléments.

Le B.A.M. illustre remarquablement ces difficultés de recrutement. Les conditions très dures de travail dans la région Baïkal-Amour font que la main-d'œuvre féminine, en dépit des efforts accomplis pour la recruter, est utilisée tout à fait à d'autres tâches et en d'autres lieux (notamment dans les services du Transsibérien) et que la main-d'œuvre masculine restant isolée, difficile à fixer, contribue grandement par son instabilité à freiner les travaux.

Toutes les solutions proposées ici vont, on le voit, dans la même direction; elles consistent à tenir la main-d'œuvre pour un bien mobile et à la déplacer vers les centres économiques, plutôt qu'à tenter d'ajuster les choix économiques à la distribution de la main-d'œuvre. Pour y arriver, plusieurs conditions doivent être réunies. Premièrement, une planification très rigoureuse de la politique de la main-d'œuvre qui prenne en considération les problèmes à l'échelle de l'Union et non à l'échelle régionale. Deuxièmement, un contrôle plus strict que celui qui existe actuellement des mouvements et des choix individuels. Troisièmement, une volonté de compenser le caractère relativement autoritaire ou dirigiste de la politique proposée en jouant largement des stimulants sentimentaux et matériels. Le déplacement des familles, pour briser l'isolement du travailleur recruté par embauche organisée; le regroupement de plusieurs familles en un même lieu, pour éviter la rupture avec la communauté initiale; la tentative d'équilibrer le nombre des femmes et des hommes dans le cas des migrations temporaires de jeunes : tout cela s'inscrit dans le cadre d'une tentative d'humanisation des déplacements.

Mais surtout, ce sont les stimulants matériels qui sont au cœur de ce programme : salaires, logements, écoles, tout doit être mis en œuvre pour que les migrants se décident à quitter leur lieu d'origine, pour que surtout, ils se fixent définitivement, ou du moins pour une période relativement longue, dans les contrées humainement déficitaires. Cette thèse de la redistribution de la main-d'œuvre a, sur la thèse de l'adaptation de l'économie à l'existence de la main-d'œuvre, un avantage évident. Elle seule permet, pas totalement d'ailleurs mais pour partie, de répondre aux besoins économiques de l'U.R.S.S. Elle seule permet d'éviter la stagnation des régions économiquement les plus avancées et le recul de l'économie soviétique, car, miser sur les seules régions riches en main-d'œuvre, c'est ouvrir un problème crucial pour toutes les grandes régions économiques.

Ou alors faut-il imaginer deux solutions? L'utilisation sur place de la main-d'œuvre existante grâce à de très importants investissements, et le maintien de la capacité économique des vieilles régions industrielles et des régions dont la mise en valeur se poursuit grâce à l'importation de travailleurs étrangers? Maints indices suggèrent que l'appel à la main-d'œuvre étrangère n'est pas une solution absente de l'esprit des planificateurs soviétiques. Certains grands projets menés en commun par l'U.R.S.S. et des pays socialistes impliquent la contribution de travailleurs originaires de ces pays [44]. Tel est le cas du gazoduc d'Orenbourg. De la même manière, ces travailleurs sont engagés dans des chantiers soviétiques, en raison d'accords d'échanges : matières premières ou biens de consommation/force de travail. C'est le cas des Bulgares et probablement des Coréens relativement nombreux en U.R.S.S. Enfin, certains pays non communistes y ont aussi des travailleurs, en premier lieu la Finlande [45], et même des pays d'Europe occidentale. S'il est difficile d'évaluer exactement le nombre des travailleurs étrangers présents en U.R.S.S. — les estimations varient entre 50 000 et 160 000 environ [46] — il est néanmoins clair, qu'ils ne peuvent se substituer à la force de travail qui manque à l'U.R.S.S. Au mieux, on peut penser que leur venue compense le départ — même limité — mais qui se poursuit depuis le début des années 70 avec régularité, des Juifs, Allemands et Arméniens volontaires à l'émigration [47].

Il faut, dès lors que l'on constate que toute politique qui ne recourrait pas au déplacement de la main-d'œuvre vers les régions déficitaires aurait de très graves conséquences économiques, s'interroger sur la possibilité pour le pouvoir soviétique d'organiser réellement ces migrations sur une grande échelle. Pour y réussir, le pouvoir doit rencontrer la bonne volonté des peuples concernés, bonne volonté qui découlera, pense-t-il, des avantages offerts et de la nécessité. On a un exemple de cette incitation aux migrations par l'appel à l'intérêt matériel dans le décret pris en mai 1973 par le Conseil des ministres de l'U.R.S.S. sur « les nouveaux avantages accordés aux citoyens qui s'installent dans les fermes collectives et d'Etat ». Ce décret visait les kolkhozes et sovkhozes situés dans la région bordant la Chine, et prévoyait l'attribution d'avantages multiples et très importants aux nouveaux colons (primes, vacances, possibilité d'achat d'automobiles et de cycles)[48].

Dans quelle mesure de tels stimulants peuvent-ils entraîner un mouvement de la main-d'œuvre excédentaire d'Asie centrale vers les régions déficitaires? Dans quelle mesure répondent-ils aux problèmes réels des populations? Il est très difficile sur ce point de porter un jugement équitable tant les informations concernant la situation matérielle présente des peuples d'Asie centrale sont contradictoires. Sans doute, le pouvoir soviétique souligne-t-il constamment que le niveau de développement des républiques s'est rapproché jusqu'à un état de quasi-égalité et que le niveau de vie des populations périphériques est souvent supérieur à celui des populations vivant au Centre [49]. Les observateurs étrangers qui ont visité l'Asie centrale confirment généralement ce dernier point, insistant sur la disparité qui existe entre centre et périphérie au bénéfice de celle-ci.

Une étude occidentale effectuée pour l'année 1970 démontrait que les revenus familiaux des kolkhoziens étaient plus élevés dans les cinq républiques d'Asie centrale que dans l'U.R.S.S. prise en totalité et particulièrement dans les républiques slaves [50]. Cette position favorisée de la périphérie est probablement renforcée par la différence des prix existant entre les diverses régions. Ici, c'est une enquête effectuée par des chercheurs soviétiques qui fournit des indications précieuses pour l'appréciation du niveau de vie dans les républiques musulmanes. Selon cette enquête, le coût du panier de la ménagère, calculé pour une famille de quatre personnes, évalué à 100 dans les régions centrales, descendait à 97,7 au Kazakhstan et 90,3 dans les quatre autres républiques de la région [51]. Informations concordantes donc, qui témoigneraient que la vie en Asie centrale est suffisamment facile pour que ses habitants n'aient aucune raison d'aller ailleurs chercher des salaires plus élevés.

Mais ces informations ne rendent pas complètement compte de la situation qui est compliquée par plusieurs variables, la plus importante étant la différence dans la taille des familles. Dès lors, en effet, que l'on passe du revenu familial au revenu par personne vivant dans un foyer, il est clair que le nombre d'enfants, donc la démographie, peut modifier considérablement des comparaisons jusqu'alors favorables à l'Asie centrale. On peut classer de la façon suivante les revenus des kolkhoziens des diverses républiques de l'U.R.S.S.

VIII. Revenus des Kolkhoziens soviétiques (Moyenne nationale = indice 100)

Républiques	*Revenu annuel par famille*	*Républiques*	*Revenu annuel par membre de la famille*
Turkménie	140	Estonie	182
Lituanie	136	Lettonie	151
Estonie	127	Lituanie	143
Géorgie	127	Ukraine	109
Arménie	122	R.S.F.S.R.	108
Uzbekistan	120	Biélorussie	107
Kazakhstan	119	Géorgie	106
Lettonie	119	Moldavie	98
Kirghizie	107	Turkménie	78
Azerbaïdjan	106	Kazakhstan	77
Tadjikistan	105	Arménie	77
R.S.F.S.R.	99	Kirghizie	71
Biélorussie	98	Uzbekistan	68
Moldavie	97	Azerbaïdjan	65
Ukraine	91	Tadjikistan	58

Ce tableau [52] montre que la prise en compte de la dimension de la famille modifie complètement la hiérarchie des revenus selon les républiques. S'agissant du revenu familial, on constate que l'Asie centrale et le Caucase se trouvent au-dessus de la moyenne nationale et dans le peloton de tête, tandis que les républiques slaves et la Moldavie se situent à l'extrême le plus bas de l'échelle et au-dessous de la moyenne.

Mais pour le revenu par personne, le clivage est tout autre. Trois groupes compacts et nettement différenciés se dégagent. Les riches, c'est-à-dire les paysans des trois républiques baltes; les moyens (juste au-dessus et au-dessous de la moyenne nationale), Slaves, Géorgiens et Moldaves; les pauvres, c'est-à-dire les paysans de toutes les républiques musulmanes plus l'Arménie qui, tous, se situent très au-dessous de la moyenne nationale, et dont le revenu est parfois deux fois plus faible que celui des Baltes. Cette situation peut être *grosso modo* étendue à l'ensemble de la population rurale de l'U.R.S.S., c'est-à-dire aussi aux sovkhoziens [53]. Si l'on ajoute à cela que les revenus de la population rurale sont estimés à 87,4 % [54] de ceux des travailleurs de l'industrie, et que l'on tienne compte du fait qu'en Asie centrale et au Caucase la population indigène est davantage employée dans l'agriculture que dans l'industrie, on pourrait, en définitive, en conclure que les revenus — par personne — pour la majeure partie de la population y sont plus faibles que la moyenne nationale.

Les courants migratoires existant jusqu'à présent s'accordent mal avec un tel tableau, ou plutôt avec sa partie inférieure. En effet, il est logique que la population des républiques baltes, qui connaît le plein emploi et des revenus élevés, soit peu mobile. Il est logique aussi, et la réalité en témoigne, que les revenus élevés et les emplois disponibles drainent vers ces républiques des habitants des régions centrales. En revanche, il est inexplicable — au vu des seules données chiffrées — que les travailleurs de l'Asie centrale ne se déplacent pas vers des régions où l'emploi existe et assure des revenus plus élevés.

La stabilité des populations périphériques témoigne soit qu'il n'y a pas pour elles nécessité absolue d'émigrer, soit encore que leur attachement à leur région d'origine est plus fort que leurs difficultés d'existence quotidienne. Dans cette seconde hypothèse, il est permis de douter de l'efficacité des stimulants matériels pour développer les courants migratoires vers le centre.

De toute manière, s'il est clair qu'un problème d'emploi et de revenus existe et s'aggravera à la périphérie, il faut cependant pondérer les données chiffrées concernant les revenus par d'autres éléments, et notamment par les conditions matérielles et morales liées à l'environnement. L'Asie centrale et le Caucase jouissent, dans l'ensemble, de conditions climatiques privilégiées qui rendent très problématique l'adaptation de ceux qui y sont nés aux régions rudes du Centre et surtout de Sibérie. Les conditions climatiques ont des conséquences sur le mode de vie et les habitudes alimentaires qui contribuent à faciliter la vie quotidienne des populations concernées. Ainsi, les fruits et les légumes, qui entrent progressivement dans l'alimentation des citoyens soviétiques, sont un luxe qui pèse lourdement sur les revenus en Russie et dans la plupart des régions déficitaires en main-d'œuvre, tandis qu'à la périphérie méridionale, ils sont autoconsommés par les paysans et devraient par là même être incorporés dans des revenus qui en seraient sensiblement améliorés.

De même, le mode de vie traditionnel qui prévaut encore largement à la périphérie (logement commun à plusieurs générations, enfants gardés par leur mère ou par un proche parent, faible consommation de boissons alcoolisées en régions musulmanes) [55], réduit ici un certain nombre de dépenses qui ailleurs grèvent aussi les budgets familiaux. D'une manière générale, l'autoconsommation est très développée là où l'agriculture familiale est importante. Il est remarquable de constater d'ailleurs qu'en Lituanie et Lettonie où les revenus agricoles sont très élevés, l'autoconsommation est aussi très élevée. Une seule république d'Asie centrale échappe à ce poids de l'économie familiale, en raison de l'importance des fermes d'Etat dans cette région, c'est le Kazakhstan. Mais il faut le rappeler, le Kazakhstan est aussi la seule république où la population titulaire est minoritaire [56].

Ce que l'on peut conclure en définitive de ces constatations contradictoires sur la situation quotidienne, vécue, des peuples d'Asie centrale, puisque c'est là que se situe le problème majeur de demain — main-d'œuvre et emploi —, c'est que ces républiques donnent l'image de la prospérité, même si, comparé à son homologue des républiques occidentales de l'U.R.S.S., l'habitant moyen de l'Asie centrale a des revenus plus faibles. Cette image de la prospérité ne peut être une illusion totale. Elle découle, sans aucun doute, d'un environnement, d'habitudes, de comportements propres à cette région et qui expliquent qu'il soit difficile d'en déraciner celui qui y est né. Cette prospérité apparente peut cependant laisser entrevoir aux intéressés que des problèmes réels, immédiats ou proches se dissimulent à l'arrière-plan.

*
* *

Ces problèmes, comment sont-ils perçus? En termes de changement d'attitude? De rupture, même physique avec le milieu environnant? Ou bien au contraire en termes d'exigences envers le pouvoir soviétique pour une meilleure distribution des ressources et des possibilités, à travers tout l'espace qu'il organise? Cette question ne vaut pas seulement pour les habitants de l'Asie centrale, mais pour tous les grands groupes nationaux de l'U.R.S.S. qui ont tous, désormais, à se déterminer les uns par rapport aux autres et par rapport à l'ensemble qu'ils constituent, dans la mesure où ils sont désormais confrontés à un double défi. Celui du pouvoir central qui affirme l'unité croissante du peuple soviétique par l'unification des conditions économiques et du développement culturel. Celui de l'économie qui partout bute sur les problèmes nés des choix ou des comportements démographiques différents.

CHAPITRE IV

LES FORCES D'INTÉGRATION : POUVOIR POLITIQUE ET MILITAIRE

La société soviétique peut être vue et décrite de deux manières diamétralement opposées. Comme une société multi-ethnique dont les différences se sont soudain approfondies en raison d'écarts démographiques, ou comme une société nouvelle où les forces d'intégration pèsent plus que les différences et travaillent de manière continue à développer l'unité. C'est cette dernière conception qui prévaut dans la Constitution soviétique de 1977 [1]. Dans les deux hypothèses, le rôle du pouvoir central est décisif. Qu'il agisse comme force d'intégration ou comme instrument permettant de contrôler la diversité, il est clair qu'il peut avoir une influence déterminante sur l'avenir de la société soviétique. C'est pourquoi, il importe de voir comment le pouvoir soviétique traite le problème national et quelle tendance d'avenir on peut discerner dans son fonctionnement et dans ses options.

L'avenir en question : le fédéralisme soviétique

Khrouchtchev avait légué à ses successeurs le mot d'ordre de « fusion » des nations comme objectif très rapproché. En dépit de la méfiance, voire de l'hostilité qui s'est attachée à tous les projets qu'il avait soutenus, le thème de la fusion a été maintenu par l'équipe qui lui a succédé. Jusqu'au 25ᵉ Congrès du P.C.U.S. en 1976, c'est-à-dire pendant douze ans, l'équipe au pouvoir a constamment affirmé sa fidélité à cet objectif unitaire. Pourtant, c'est sur ce point que, très tôt, elle s'est heurtée à l'hostilité des élites nationales.

Dès 1966, des polémiques — en apparence de simples débats scientifiques [2] — ont opposé les tenants de la thèse unitaire à des intellectuels ou cadres nationaux qui ont défendu avec passion l'idée de la pérennité des nations. La position de ces défenseurs de la nation était simple. L'Etat soviétique a accompli une tâche historique remarquable en assurant l'épanouissement et l'égalité des nations. Ce faisant, il a démontré l'importance et la permanence du fait national. Essayer d'affaiblir les nations, mettre en question les nations soviétiques, c'est mettre en question la réussite la plus exemplaire du régime soviétique.

Le 25e Congrès semblait marquer la victoire des thèses nationales puisque pour la première fois, depuis 1961, tous les discours consacrés au succès de la politique nationale soviétique [3] saluaient l'*épanouissement* et l'*amitié* des nations, mais omettaient l'objectif si passionnément contesté de *fusion*.

La Constitution de 1977 confirme en partie cette orientation puisqu'elle maintient le système fédéral (art. 70) et sa garantie, le droit à la sécession (art. 72). Pourtant, cette Constitution n'est pas exempte d'ambiguïtés s'agissant de l'avenir du fédéralisme soviétique [4]. En présentant la nouvelle Constitution, Leonid Brejnev [5] l'a justifiée par les progrès économiques accomplis depuis quarante ans, par l'existence en U.R.S.S. d'une *société socialiste avancée*, et surtout par l'émergence d'une communauté historique nouvelle, le *peuple soviétique*. On voit là une première ambiguïté de la Constitution qui affirme que l'évolution de la société soviétique vers le dépassement des différences nationales est évidente, puisque le *peuple soviétique* existe, et en même temps, maintient le fédéralisme qui est la traduction des différences nationales dans le droit. Qu'est-ce qui pèse plus dans la Constitution? L'affirmation unitaire, avec le peuple soviétique? Ou la diversité, avec le fédéralisme maintenu? La lecture de la Constitution incite à opter pour la première hypothèse.

Tout d'abord, l'U.R.S.S. y est présentée comme l'incarnation de l'unité étatique du peuple soviétique, l'instrument commun, unificateur de toutes les nations et nationalités pour édifier le communisme [6]. La définition de l'Union soviétique qui, en 1936, ne soulignait que le fédéralisme et le libre choix des nations qui y adhéraient, est désormais complétée, amplifiée et modifiée en dernier ressort par l'accent mis sur la volonté unitaire et sur la base déjà unitaire de cet Etat [7]. Dès cet article d'ouverture, le fédéralisme apparaît comme une survivance du passé en regard de l'unité développée. Le droit à la sécession rend un son étrange dans cette série de dispositions où la référence est constante aux organes du pouvoir d'Etat de l'U.R.S.S.

Au vrai, que signifie ce droit? Nul ne s'est avisé de l'exercer en U.R.S.S. ni d'en exiger l'application. Sans doute, objectera-t-on, c'est que nul n'en a eu l'idée ou l'envie. Ce qui s'impose pourtant, à lire ce nouveau texte, c'est que du point de vue juridique même, l'exercice du droit de sécession s'est singulièrement compliqué par rapport au texte élaboré en 1936. La Constitution de 1936 était celle d'un Etat, de l'Etat fédéral regroupant des nations diverses qui y avaient adhéré librement (art. 13). Dès lors, la sécession était l'affaire de l'Etat qui, en droit tout au moins, ne pouvait y faire d'objections, dès l'instant où elle s'inscrivait dans un cadre clair.

En 1977, l'Etat soviétique a changé de nature. *Etat de tout le peuple,* il est un Etat d'une nature ambiguë. Il est dominé par le Parti communiste qui en est désormais — constitutionnellement — la force dirigeante, le cœur du système politique (art. 6). Plus encore, l'organisation et l'action de cet Etat doivent être conformes au principe du *centralisme démocratique* (art. 3), principe élaboré par Lénine au début du siècle, à l'usage de son parti révolutionnaire. Depuis 1918, le Parti a presque constamment — mais pas toujours — dominé l'Etat, ou s'est confondu avec lui en U.R.S.S. Depuis 1918, le centralisme démocratique a été appliqué à l'organisation de l'Etat. Néanmoins, Etat et Parti restaient, en droit, séparés, assumant chacun une tâche et une vocation particulières.

En confondant Etat et Parti, en affirmant que le Parti est la force qui dirige l'Etat, que le centralisme démocratique est le principe fondamental de l'organisation de l'Etat, les constituants soviétiques ont porté un coup très dur — en droit du moins — au fédéralisme. Le Parti a pour vocation l'unité. La diversité nationale n'entre ni dans son programme, ni dans ses tâches.

Dès lors, comment le droit à la séparation pourrait-il s'exercer dans un Etat confondu avec le Parti, incarnation du principe unitaire? Le Parti se trahirait lui-même en acceptant des volontés de séparation. Il trahirait aussi le peuple soviétique, dont l'existence est inscrite dans la Constitution, en contribuant à le disloquer. Evidemment, il s'agit là d'une discussion toute théorique; mais, il n'est pas sans intérêt de constater que pour la première fois dans l'histoire institutionnelle de l'U.R.S.S., le fédéralisme, clé de voûte du système, a un contenu affaibli.

La Constitution, au demeurant, éclaire aussi dans ses dispositions pratiques, le recul du fédéralisme. La place qui lui est accordée désormais est bien moindre que celle dont il bénéficiait sous Staline. Il n'est pas incorporé au système politique, mais rejeté après la description du système soviétique (politique, économique et social), des principes de politique extérieure, des droits et devoirs des citoyens, dans la partie consacrée à l'organisation et au fonctionnement du système.

Cette position subordonnée du fédéralisme, à l'écart de ce qui constitue les fondements de l'U.R.S.S. est encore aggravée par les dispositions concrètes concernant les relations entre le système fédéral et ses composantes fédérées. La Constitution de 1936 décrivait minutieusement les compétences de chaque république, dessinait leur domaine. Tout au contraire, le texte actuel ne connaît que les compétences de la fédération qui recouvrent à peu près tout. Aux républiques de découvrir ce qui leur appartient en propre. Même là, elles ne peuvent, dans le silence des textes, être sûres de tenir un domaine qui leur devienne propre, car la Constitution ajoute à la longue énumération des compétences fédérales un article dont l'imprécision est peu rassurante pour les républiques. Article qui laisse à la fédération « la solution des autres problèmes d'importance fédérale » (§ 12, art. 73).

Un humoriste serait fondé à trouver cette situation propice au fédéralisme. Compte tenu du fait que la constitution de Staline pourtant très favorable au fédéralisme, très démocratique, très respectueuse de tous les droits, a servi un dessin centralisateur, totalitaire, érigeant l'illégalité au rang de principe, ne peut-on espérer que les restrictions aux droits nationaux dans la présente constitution auront exactement l'effet contraire? Qu'une constitution, d'où le fédéralisme s'efface peu à peu, le servira et le renforcera en dernier ressort? Raisonnement séduisant, certes. Mais les jeux de l'esprit ne doivent pas dissimuler la réalité. La Constitution est un programme pour l'avenir immédiat. Elle est aussi un moyen d'action pour tenter de réduire les volontés nationales accrues.

Cette Constitution représente, en premier lieu, une réponse au débat ouvert par Khrouchtchev en 1961, sur l'avenir de l'U.R.S.S. Sa volonté unitaire, si critiquée à la périphérie, constitue la trame de la Constitution de 1977. On a conservé le fédéralisme, sans doute. Mais, était-il possible de le supprimer purement et simplement sans provoquer de vives réactions dans les républiques?

La situation à la périphérie témoigne que le pouvoir central doit composer, partiellement au moins, avec ses administrés non russes dont certains sont très véhéments. Le centre pouvait-il s'engager dans une épreuve de force ouverte? Provoquer une cascade d'immolations par le feu? D'attentats à la bombe? Voire une explosion populaire étendue? Les incidents dispersés des dernières années témoignent que les manifestations d'opposition sont devenues pos-

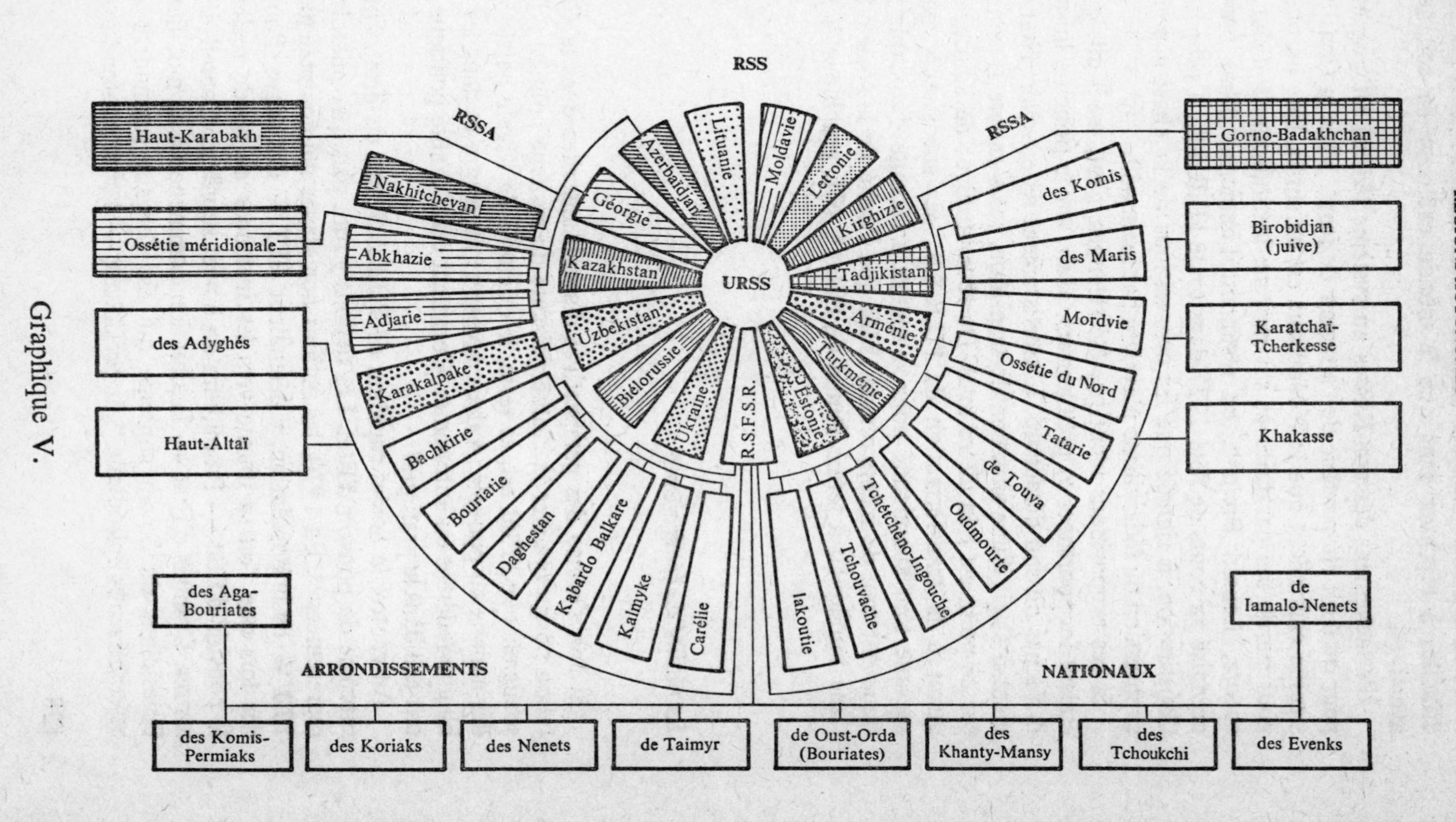
NATIONS ET NATIONALITÉS DE L'U.R.S.S.
(Organisation politique)
RSS
RSSA
RSSA
REGIONS AUTONOMES
URSS
Lituanie
Moldavie
Lettonie
Kirghizie
Tadjikistan
Arménie
Turkménie
Estonie
R.S.F.S.R.
Ukraine
Biélorussie
Uzbekistan
Kazakhstan
Géorgie
Azerbaïdjan
Nakhitchevan
Abkhazie
Adjarie
Karakalpake
Bachkirie
Bouriatie
Daghestan
Kabardo Balkare
Kalmyke
Carélie
Iakoutie
Tchouvache
Tchétchèno-Ingouche
Oudmourte
de Touva
Tatarie
Ossétie du Nord
Mordvie
des Maris
des Komis
Haut-Karabakh
Ossétie méridionale
des Adyghés
Haut-Altaï
Gorno-Badakhchan
Birobidjan (juive)
Karatchaï-Tcherkesse
Khakasse
ARRONDISSEMENTS
NATIONAUX
des Aga-Bouriates
de Iamalo-Nenets
des Komis-Permiaks
des Koriaks
des Nenets
de Taimyr
de Oust-Orda (Bouriates)
des Khanty-Mansy
des Tchoukchi
des Evenks

Graphique V.

sibles en U.R.S.S. Non pas faciles, ni sans danger. Mais possibles et difficiles à réprimer sans que le monde extérieur en soit aussitôt averti.

L'attachement des non-Russes au système fédéral est trop évident pour qu'il ait été possible de l'attaquer de front. Mais la Constitution signifie clairement que le fédéralisme est en sursis. Elle lui ôte aussi pour partie ses garanties et ses moyens institutionnels d'agir. Plus encore, Leonid Brejnev, en résumant l'immense débat populaire organisé au cours de l'été 1977 dans toute l'U.R.S.S., à propos de la Constitution, a signalé que les propositions de la «base» pour une suppression du fédéralisme n'avaient pas manqué [8].

Si ces propositions n'ont pas été retenues, c'est, a-t-il dit, qu'elles étaient inopportunes et prématurées. Mais, sur le principe lui-même, il n'a pas dit son désaccord. L'avertissement ici est clair. Non seulement il s'agit d'une situation de transition, mais encore le consensus sur ce point est loin d'être total. Du rêve utopique de Khrouchtchev quant à la transformation de l'U.R.S.S., ses successeurs qui ont presque tout abandonné pour se mettre à l'écoute du peuple soviétique ont tout de même retenu l'idée que l'unité de la société soviétique impliquait à terme l'unité de l'Etat [9]. (Cf. graphique V.)

La réalité du fédéralisme

Si l'on s'écarte des perspectives d'avenir inscrites dans la Constitution pour examiner la réalité présente du système politique, il faut souligner que l'Etat est, et reste, le domaine de l'égale participation des nations au pouvoir. A deux niveaux : au centre et dans les républiques fédérées ou autonomes. Comment cette égalité politique s'inscrit-elle dans la pratique?

Au centre, le Soviet suprême de l'U.R.S.S. est, en droit, l'organe suprême du pouvoir d'Etat. Les nations y sont plus qu'équitablement représentées [10]. En 1970, les nations non slaves qui comptaient pour 26,1 % de la population, y détenaient 40,3 % des sièges. Pourtant, dès lors que l'on se tourne vers les instances où réside réellement le pouvoir d'Etat — Praesidium du Soviet suprême, Conseil des ministres, Comités d'Etat — la situation commence à se modifier. Au Praesidium du Soviet suprême qui est l'organe permanent d'une assemblée très épisodique [11], la présidence — qui se confond avec les fonctions de chef d'Etat — a toujours été assumée par des Slaves, sauf dans le cas de Mikoian (1964-1965).

Au Conseil des ministres de l'U.R.S.S., la part des Russes, et plus généralement des Slaves est écrasante puisqu'ils détiennent 90 % des postes et en ont toujours assumé la présidence (exception faite de Staline, mais qui ne saurait être tenu, pas plus que Mikoian d'ailleurs, pour un représentant des nationalités). Il en va de même de la plupart des Comités d'Etat dont les compétences se situent à la fois au centre et dans les républiques (*Gosplan*, sécurité d'Etat, etc.). Cette présence insuffisante des élites politiques nationales au centre leur interdit de participer sur un pied d'égalité au processus de décision.

En contrepartie, les pouvoirs d'Etats républicains sont-ils totalement aux mains des nationalités concernées? Ici aussi, théorie et pratique ne coïncident pas exactement. Sans aucun doute, les assemblées et les gouvernements des Etats nationaux reflètent-ils bien la composition ethnique des populations. Quand on considère les divers organes des pouvoirs républicains — Soviets suprêmes, gouvernements — on constate que partout les représentants de la nation titulaire de la république occupent tous les postes. Le nombre de Russes y est limité, souvent inexistant. Plus encore, alors que sous Staline certains postes clés — ministère de l'Intérieur, Sécurité — étaient apparemment réservés aux Russes [12], désormais la règle de l'attribution de ces postes à des cadres nationaux semble avoir prévalu.

En Ukraine, en 1977, le ministre de l'Intérieur est Ivan Golovtchenko et le président du K.G.B. se nomme Vitali Fedortchouk. Des noms purement ukrainiens. En Lettonie, l'intérieur est attribué à Iannis Brolich et le K.G.B. à Longin Avdiukevitch. On peut ainsi multiplier les exemples de ce transfert — incontestable — des responsabilités des Russes à leurs homologues des nationalités concernées. Pourtant, il serait dangereux de tirer de cette situation des conclusions trop hâtives sur le degré d'autonomie des pouvoirs républicains. Plusieurs données en montrent les limites.

En premier lieu, il faut évoquer le pouvoir des soviets suprêmes des républiques qui, à l'image du Soviet suprême de l'U.R.S.S. sont, en droit, détenteurs de tout le pouvoir d'Etat. Leurs députés sont, sans aucun doute, des nationaux qui élisent à leur tour un Praesidium composé lui aussi d'éléments nationaux. Mais la pratique politique montre que les soviets républicains sont, par rapport au Soviet suprême de l'U.R.S.S., des assemblées inférieures. Ce qui en témoigne, c'est d'abord le moment choisi pour réunir ces soviets suprêmes. Ils tiennent *toujours* leurs sessions après celles du Soviet suprême de l'U.R.S.S., ce qui suggère que leurs débats répètent les débats qui ont déjà eu lieu et reprennent les décisions qui ont déjà été prises à Moscou. Si au contraire le Soviet suprême de l'U.R.S.S. voulait amplifier les débats périphériques, à tout le moins en tenir compte, l'ordre des réunions serait inversé.

Cette situation de dépendance des soviets républicains se traduit aussi dans la publicité accordée par la presse à leurs débats. Elle est infiniment moins importante que celle que reçoivent les sessions du Soviet suprême de l'U.R.S.S., et le résultat de cette différence dans le traitement des assemblées est que l'on dispose d'infiniment moins d'informations et moins complètes sur l'activité des soviets républicains — même à l'intérieur des républiques — que sur les sessions du Soviet suprême de l'U.R.S.S. Tout concourt ainsi à souligner que les décisions importantes se prennent au centre et que les assemblées républicaines en assurent surtout la diffusion.

Le second trait caractérisant les pouvoirs nationaux concerne la répartition des compétences ministérielles entre centre et périphérie. Quand on regarde la composition des gouvernements républicains, on est frappé par la disproportion existant entre les attributions fédérales et celles des républiques. La fédération exerce ses attributions sur tout l'espace soviétique par l'intermédiaire des ministères fédéraux-républicains et des Comités d'Etat soumis à la double autorité de l'organe central correspondant et du Conseil des ministres de la république.

Quelle que soit la république que l'on prenne en exemple, on constate que, s'agissant des ministères, la répartition est à peu près la suivante : environ une vingtaine de ministères fédéraux-républicains pour cinq à six ministères républicains. A ce poids prééminent des ministères soumis à une double autorité, s'ajoute la disproportion éclatante des tâches.

Les ministères fédéraux-républicains couvrent tous les domaines importants. Prenons l'exemple du gouvernement de Biélorussie dans sa composition de 1977. Ministères fédéraux-républicains : agriculture, communications, construction d'équipements industriels, culture, éducation, finances, industries alimentaires, affaires étrangères, forêts, santé, éducation spécialisée secondaire et supérieure, construction industrielle, bâtiment, justice, sol et ressources hydrauliques, industries légères, viande et produits laitiers, approvisionnement et stockage, construction rurale, bois et industries de transformation du bois, commerce.

Le domaine des *ministères proprement républicains* se trouve en revanche limité à des questions d'intérêt tout à fait local : construction et utilisation des routes, consommation, logement et services communaux, industries locales, transports automobiles, industrie de la tourbe, sécurité sociale.

A peu de détails près, toutes les républiques reprennent ce schéma d'organisation. En Estonie, le nombre de ministères fédéraux-républicains tombe à 19 (y manquent les constructions rurales, les ressources hydrauliques et les forêts), et les ministères républicains à 5. En Lettonie, il y a 20 ministères fédéraux-républicains et 5 ministères républicains. En Ukraine, en 1975, on constate une inflation de ministères, 28 fédéraux-républicains pour 6 ministères républicains.

D'une république à l'autre, les variations sont dues généralement, dans le cas des ministères placés sous double contrôle, à des spécificités économiques (place faite en Ukraine au problème des fermes d'Etat, du développement hydraulique, des métaux ferreux; en Asie centrale, aux problèmes de l'irrigation). Dans ces cas particuliers, des ministères spécialisés s'imposent que l'on ne trouve pas dans la totalité des républiques.

En revanche, le domaine de la compétence républicaine est très clair et résiduel : les routes d'intérêt local, la sécurité sociale, les transports locaux, les services de consommation, les services municipaux. Les variations y sont de très faible importance. Le poids du centre sur les républiques périphériques est encore accentué par le rôle des comités d'Etat très nombreux aussi. En Biélorussie toujours, il y a 15 Comités d'Etat ou administrations spécialisées en 1977, dont 12 soumis à la double autorité du centre et du Conseil des ministres républicains et 3 seulement relevant du seul gouvernement biélorusse :

— sous double autorité :
  Gosplan, construction, contrôle populaire, cinéma, édition, impression et diffusion, radio-télévision, prix, travail, enseignement professionnel et technique, sécurité d'Etat (K.G.B.), technique et équipements agricoles, statistiques;
— relevant de la seule autorité républicaine : protection de la nature, approvisionnement matériel et technique, approvisionnement en gaz.

Les Comités d'Etat sont, on le voit, divisés selon les mêmes critères que les ministères, et les problèmes laissés à la compétence exclusive des républiques sont à la fois peu nombreux et strictement limités dans leur intérêt. Ici encore, d'une république à l'autre, la situation ne varie guère.

Plusieurs remarques s'imposent ici. Tout d'abord, que si la Constitution de 1936 et surtout la Constitution actuelle de l'U.R.S.S. n'ont pas défini avec précision les domaines de compétence respectifs de la fédération et des républiques, il est clair néanmoins que la pratique s'est faite dans un sens toujours plus favorable à l'élargissement des compétences fédérales. Cela est évident, notamment quand on prend en considération les deux articles ajoutés en 1944 [13] et qui semblaient être une mise en valeur de la souveraineté des Etats nationaux de l'U.R.S.S. : le droit d'avoir des formations armées nationales et une politique étrangère indépendante.

La clause concernant les armées nationales n'a pas été appliquée puisqu'elle allait à l'encontre des lois militaires; elle sera d'ailleurs supprimée dans la Constitution de 1977. Quant à la politique étrangère, certaines républiques s'efforcent d'en avoir une. L'Ukraine et la Biélorussie bénéficient chacune d'un siège aux Nations Unies et dans diverses organisations internationales.

Tous les Etats socialistes d'Europe orientale (y compris la Yougoslavie, mais à l'exclusion de l'Albanie) ont des consulats généraux à Kiev, tandis que Cuba, l'Inde et l'Egypte ont des consulats à Odessa. En fait, les consulats installés à Kiev sont là en raison d'accords passés avec le gouvernement soviétique et non pas avec la république d'Ukraine. Le ministre du commerce ukrainien a signé au début des années 70 quelques accords commerciaux avec la Pologne, la Roumanie et la Hongrie [14]. Mais il s'agit là d'accords limités en nombre et surtout de faible portée. Pour l'ensemble, l'Ukraine délègue, ou doit déléguer ses compétences internationales à l'U.R.S.S. Parfois, elle la sert directement; c'est le cas au Canada où l'existence d'une très forte colonie ukrainienne explique probablement que l'ambassade soviétique compte dans ses rangs de nombreux diplomates d'origine ukrainienne.

Seule parmi les autres républiques, l'Estonie jouit sur le plan international d'un statut un petit peu privilégié, dans la mesure où elle peut entretenir des relations relativement faciles avec la Finlande voisine à qui l'unit une communauté de culture.

Ces quelques liens épars avec des pays extérieurs à l'U.R.S.S. ne constituent évidemment pas des politiques étrangères particulières; ils témoignent au contraire du très faible degré d'autonomie des Etats nationaux.

Une seconde remarque concerne les tendances récentes à l'élargissement du champ d'activité des organismes fédéraux par des procédures administratives; ceci en dépit de l'affirmation, constamment répétée lors du 25e Congrès, de la nécessité de transférer des compétences fédérales aux instances républicaines. Un bon exemple de cette pratique opposée aux déclarations de principe est fournie par la transformations en 1976, du Comité d'Etat du travail et des salaires.

Jusqu'en août 1976, date de sa transformation [15], ce comité se trouvait dans une situation assez particulière. Comité d'Etat, il était, comme tous ses homologues, représenté dans les républiques par des agences placées sous la double autorité du gouvernement local et du centre. Cependant, en même temps que ce comité avait des agences républicaines, on trouvait dans beaucoup de républiques, mais non partout, des comités à compétences uniquement républicaines qui se consacraient aux problèmes de l'*utilisation des ressources en main-d'œuvre*. Cette division des tâches — centralisation des problèmes généraux du travail et décentralisation des problèmes de l'emploi — ajoutée au fait que la sécurité sociale était toujours du ressort propre des républiques, contribuait à leur laisser un domaine réservé, celui des problèmes humains du travail où l'autorité républicaine pouvait s'exercer de manière assez continue et conséquente.

La réforme du Comité d'Etat pour le travail et les salaires ne met pas officiellement en question cette répartition des compétences. Néanmoins, elle met implicitement en question l'utilité des instances républicaines. En effet, le Comité d'Etat devient désormais *Comité du travail et des questions sociales*, ce qui lui donne des attributions beaucoup plus étendues que celles qu'il avait précédemment, puisqu'aux salaires s'ajoutent, dans les questions sociales, les problèmes d'emploi, de distribution de la main-d'œuvre, voire, mais cela est moins sûr, la sécurité sociale.

On comprend la nécessité d'une telle réforme. Tant que la main-d'œuvre était abondante en U.R.S.S. et que le plein emploi était assuré, on pouvait considérer que toutes les questions pouvaient être résolues à l'échelon local. Mais les disparités démographiques font que, désormais, aussi bien le problème de l'emploi que celui de la répartition géographique de la main-d'œuvre requièrent des solutions globales, que l'on opte pour une redistribution des investissements ou une politique de migrations de la main-d'œuvre. Aucune république ne peut résoudre seule des problèmes de ce type. La justification de cette centralisation des problèmes de main-d'œuvre est évidente [16]. Mais la conséquence de cette réforme est évidente aussi. Les ministères ou administrations purement républicains n'ont plus de raisons d'être.

Ainsi s'effrite un petit peu plus — même si la rationalité économique le justifie — le domaine réservé des républiques. Dans le cas présent, il s'agit sans doute d'un progrès de la centralisation, imposé par des nécessités immédiates. Il est cependant incontestable que cette centralisation accrue n'est compensée par aucun transfert de compétence dans quelque autre domaine moins complexe; qu'en tout état de cause, elle s'inscrit dans une perspective générale d'effacement des structures étatiques nationales.

De cette rapide plongée dans l'organisation de l'Etat soviétique au centre et à la périphérie, on peut tirer deux conclusions. En premier lieu, il existe, entre la période stalinienne et les années récentes, une différence très grande dès lors qu'il s'agit de la part jouée par les nationaux dans la vie politique de l'Etat. Sans aucun doute, cette part n'est pas la même au centre et à la périphérie. Dans les institutions fédérales, les nations sont parfaitement représentées au Soviet suprême, mais à peine présentes dans les organes du pouvoir d'Etat et l'administration. En revanche, dans les républiques, les cadres nationaux sont partout et presque exclusivement présents. Il n'y a plus, comme dans le passé, parachutage de Russes aux postes gouvernementaux; il n'y a plus surtout de « postes réservés » en raison de leur importance pour le contrôle des populations non russes. Toutes les charges gouvernementales peuvent être, et sont, en règle générale, attribuées à des nationaux. Deuxièmement, et cette remarque va à l'encontre de la première, la part prépondérante des Russes dans le pouvoir central, et le déséquilibre manifeste — et croissant à la périphérie — entre les domaines de compétences fédérales et républicaines [17] dont témoignent les divers secteurs ministériels, ces deux éléments font que la décision politique est essentiellement centralisée et par conséquent échappe aux non-Russes. La vie politique et économique soviétique est ainsi soumise à un clivage où la décision est l'affaire du pouvoir central qui fait peu de place aux non-Russes, tandis que les nationaux ont chez eux la quasi-exclusivité de la gestion ou de l'application des décisions qu'ils n'ont pas prises.

Ce décalage entre décision centralisée et mise en œuvre explique l'importance considérable et croissante des ministères et comités d'Etat subordonnés à une organisation correspondante à Moscou. C'est cette subordination qui sert à contrôler les cadres locaux. On voit ici l'évolution qui s'est produite depuis Staline en matière de contrôle.

Sous Staline, le contrôle s'opérait par l'intermédiaire des hommes. Les cadres russes placés aux postes clés exerçaient un contrôle direct sur l'appareil d'Etat national. Ses successeurs ont préféré substituer à ce contrôle direct et ouvert, un contrôle plus administratif résultant de la dépendance des appareils. On peut sans inconvénient majeur confier la responsabilité de secteurs clés à des cadres nationaux, dans la mesure où ils sont responsables non seulement devant leur gouvernement, mais aussi devant l'administration centrale située à Moscou et dont, en dernier ressort, ils dépendent, puisqu'en cas de conflit entre compétence fédérale et compétence républicaine, il n'y a pas de procédure d'arbitrage, mais prééminence admise de la première.

Cette situation n'est probablement pas exempte d'inconvénients. Les cadres républicains sont-ils toujours prêts à accepter de n'être que des exécutants d'une politique élaborée à un niveau supérieur? Les élites républicaines sont-elles toujours prêtes à admettre que leur gouvernement ne soit qu'une instance seconde en responsabilité, et soumise à un contrôle vertical, qui limite considérablement et continûment la souveraineté juridique des républiques? Il est clair qu'il y a là des motifs de tensions, voire de conflits. Si tensions et conflits restent sous-jacents ou dispersés, c'est qu'à ce contrôle administratif du centre s'ajoute un contrôle plus direct et efficace, celui exercé par le Parti.

Le Parti : parti de tout le peuple soviétique?

Plus que l'appareil d'Etat, le Parti communiste de l'U.R.S.S. occupe une place ambiguë dans l'équilibre national du pays. Lénine avait toujours conçu son Parti en organe privilégié d'une classe, le prolétariat, donc imperméable aux intérêts et aux différences nationales. Avant 1917, il avait repoussé l'idée d'une organisation de la classe ouvrière recouvrant les particularités nationales de la société russe [18]. Pourtant, après la révolution, la création de l'Etat fédéral était accompagnée d'une reconstruction parallèle du Parti. A l'intérieur de chaque république fédérée, un Parti communiste républicain fut établi [19]. Ici, commence d'ailleurs le malentendu.

Ces partis républicains sont, en fait, partie intégrante du Parti communiste de l'U.R.S.S., et n'ont pas de droits propres supérieurs à ceux des organisations de régions. Les membres de ces partis sont officiellement membres du P.C.U.S., et l'organisation républicaine semble être ainsi une appellation particulière, vide de tout contenu spécifique. La fonction de ces partis est de témoigner du fédéralisme soviétique par le seul fait de leur existence. Mais, ils ne confèrent ni en droit, ni en fait, aucune autonomie aux communistes locaux. Ceci est aisé à comprendre. Par vocation, le Parti communiste est une structure d'unité, d'intégration, non de diversité.

L'existence de ces partis peut-elle se justifier aussi par la volonté d'équilibrer, au sein de l'organisation fédérale, les diverses composantes ethniques de l'U.R.S.S., par le nombre des nationaux et par la participation aux décisions? A travers ses organisations républicaines et centrales, le P.C.U.S. favorise-t-il l'égalité nationale? Ou bien le centralisme? Une première réponse découle de l'observation des effectifs du P.C.U.S., et du poids relatif à l'intérieur de cette organisation des divers groupes nationaux. A cet égard, l'histoire de l'U.R.S.S. est avant tout marquée par l'écart entre la représentation de divers groupes nationaux dans le Parti. Au 1er janvier 1976, le P.C.U.S. comptait 15 638 891 membres, et plus d'une centaine de groupes nationaux y étaient représentés [20].

Le tableau suivant [21] permet à la fois de voir la composition nationale présente du Parti, et la manière dont elle a évolué dans les années post-staliniennes.

Nationalités	*% des membres du P.C.U.S.*			*Part de la nationalité dans la population totale*	*Rapport Parti / population*	*Nombre de communistes pour 1 000 habitants*
	1961	*1967*	*1976*	*1970*	*1976/1970*	*1976/1970*
Russes	63,54	61,86	60,63	53,37	1,14	74
Ukrainiens	14,67	15,63	16,02	16,86	0,95	62
Biélorusses	2,98	3,35	3,60	3,75	0,96	62
Uzbeks	1,48	1,73	2,06	3,80	0,54	35
Kazakhs	1,55	1,57	1,81	2,19	0,83	53
Géorgiens	1,77	1,65	1,66	1,34	1,24	80
Azéris	1,10	1,28	1,48	1,81	0,82	53
Lituaniens	0,44	0,56	0,68	1,10	0,62	40
Moldaves	0,28	0,37	0,43	1,12	0,38	25
Lettons	0,35	0,39	0,42	0,59	0,71	46
Kirghizs	0,28	0,31	0,32	0,60	0,66	34
Tadjiks	0,34	0,37	0,41	0,88	0,47	30
Arméniens	1,67	1,58	1,50	1,47	1,02	66
Turkmènes	0,28	0,28	0,31	0,63	0,49	32
Estoniens	0,25	0,30	0,32	0,42	0,76	49
Divers	9	8,78	8,35	10,07	0,83	54

Ce tableau suggère plusieurs constatations. Tout d'abord, le poids de certains groupes nationaux dans le Parti excède leur part dans la population totale. C'est le cas des Géorgiens qui sont le plus fortement sur-représentés, puis des Russes et des Arméniens. A l'autre extrême, les peuples baltes et la plupart des peuples musulmans (exception faite des Kazakhs et des Azéris) sont très fortement sous-représentés. Cependant, si l'on compare la situation présente à celle qui prévalait au début des années 60, on constate une réduction des inégalités nationales dans le Parti. Tandis que le poids des Géorgiens, Russes et Arméniens tend à se réduire, d'autres, essentiellement les Biélorusses, Ukrainiens, Azéris, voient leur position s'améliorer légèrement.

Cette évolution découle incontestablement d'une politique systématique tendant à réduire les inégalités nationales dans la composition du Parti. Elle découle aussi, dans certains cas, d'un progrès de l'urbanisation, ou bien de la démographie, ou encore de l'association de ces deux facteurs. Dans quelle mesure s'agit-il d'un progrès continu vers l'égalité? Dans quelle mesure est-il également significatif partout? Il est difficile de porter un jugement sur l'évolution de la composition nationale du P.C.U.S. sur une longue durée, parce que les éléments comparables d'appréciation manquent. Si, depuis le début des années 60, le Parti fournit les statistiques concernant les représentations nationales, il n'en allait pas de même dans la période stalinienne. Ce que l'on connaissait, c'était la composition des délégations nationales aux congrès, d'où l'on pouvait tenter de déduire ce que représentait chaque groupe national dans le Parti. Si l'on compare ces données avec celles de 1961, on constate un certain décalage entre les délégations nationales et la composition nationale du Parti. Telle quelle, cette comparaison confirme les tendances générales que l'on a dégagées pour la période postérieure (cf. tableau p. suivante).

De ce tableau qui, une fois encore répétons-le, ne donne pas une image correcte des composantes nationales du Parti, on peut néanmoins déduire que, dans les années de guerre et jusqu'à la fin de la période stalinienne, Staline avait accordé un poids prééminent aux Russes, et réduit considérablement la représentation des Ukrainiens et Biélorusses qui, jusqu'alors, étaient beaucoup mieux représentés. Les peuples musulmans, en revanche, terriblement sous-représentés dans le Parti avant la guerre, amorcent dès la fin de la guerre une lente remontée.

L'après-stalinisme a sans aucun doute rompu avec ces tendances excessives du stalinisme, et conduit à une situation un petit peu plus équilibrée, même si elle ne reflète pas réellement la composition nationale de l'U.R.S.S. La situation actuelle reflète au demeurant certaines tendances historiques.

Délégations des P.C. républicains aux congrès du P.C.U.S.[22]

Républiques	% de la population soviétique		% des délégués du congrès		
	1939	*1959*	*18e Congrès 1939*	*19e Congrès 1952*	*22e Congrès 1961*
R.S.F.S.R	63,9	55,9	65,8	65	63,1
Ukraine	18,2	20	18	12,8	16,3
Biélorussie	3,3	4,1	2,9	2,2	2,9
Géorgie	2,1	1,9	2,5	2,7	2,1
Azerbaïdjan	1,9	1,8	2,5	1,9	1,6
Arménie	0,8	0,8	1	1,1	0,8
Uzbekistan	3,7	3,9	1,5	2,1	2,5
Turkménie	0,7	0,7	0,4	0,7	0,6
Kirghizie	0,9	1	0,3	0,7	0,7
Tadjikistan	0,9	0,9	0,3	0,5	0,6
Kazakhstan	3,6	4,5	2,5	3,5	3,9
Carélie-Finlande [1]	—	—	—	0,3	—
Estonie [2]	—	0,6	—	0,5	0,5
Lettonie [2]	—	1	—	0,8	0,9
Lituanie [2]	—	1,3	—	0,6	0,7
Moldavie [3]	—	1,4	—	0,6	0,7

1. Constituée en république, seulement entre 1940 et 1955.
2. Incorporées à l'U.R.S.S. en 1940.
3. Devenue république fédérée en 1940.

Les Géorgiens et les Arméniens sont nombreux dans le Parti, parce que leur rôle, dès avant la révolution, a été considérable dans la social-démocratie. L'implantation du Parti au Caucase était ancienne. Le souvenir des organisations prérévolutionnaires, des leaders nationaux, a donné aux organisations républicaines une capacité d'attraction que n'ont pas, par exemple, les partis de l'Asie centrale où le communisme, avant la révolution, était essentiellement russe, donc colonial. Après 1917, les partis nationaux y ont été soit dominés par des Russes, soit par des cadres politiques issus des mouvements nationaux et qui ont transposé leurs luttes nationales dans le Parti communiste, ce qui a entraîné des purges constantes de ces organisations. On ne peut dès lors s'étonner que les P.C. restent faibles là où ils sont apparus tardivement et n'ont guère été enracinés dans le milieu national.

La composition nationale du P.C.U.S. mérite aussi d'être regardée à un niveau moins élevé, celui des nations qui ne sont pas organisées dans des Etats souverains. On ne peut en dresser un tableau d'ensemble, parce que les statistiques du P.C.U.S. sont incomplètes, mais on doit, une fois encore, constater une variété très grande des situations. Un cas intéressant est celui des Juifs presque constamment sur-représentés dans le P.C.U.S. Dans les années 20 [23], ils représentent 1,8 % de la population soviétique (recensement de 1926), mais 5,2 % du Parti en 1922 et 4,3 % en 1927. En dépit des restrictions apportées aux droits culturels des Juifs, ils représentent encore 5 % de l'effectif du Parti en 1940. Par la suite, leur représentation tombe nettement, mais en 1976, il y a encore 2 % de Juifs au Parti, alors qu'ils représentent 1 % de la population totale de l'U.R.S.S.

Encore parmi les peuples qui ont souffert de discrimination ou en souffrent toujours, il est intéressant d'examiner le cas des Tatars et des peuples déportés pour collaboration, qui tous sont continûment sous-représentés dans le Parti. Les Tatars qui avec leurs 5 millions d'habitants forment 2,5 % de la population soviétique, ne constituent que 1,9 % des effectifs du Parti. Les peuples déportés pendant la guerre sont dans une situation plus grave encore avec un taux de représentation dans le parti continûment inférieur à leur poids réel dans la population, comme le montre le tableau suivant [24].

Nationalités	*Parti — 1976 (25e Congrès)*		*Population (recensement 1970)*		
	Nombre	*%*	*Nombre*	*%*	*Rapport Parti/population*
Balkars	3 893	0,02	60 000	0,02	1,00
Ingouches	2 763	0,02	158 000	0,07	0,29
Kalmyks	6 411	0,04	137 000	0,06	0,67
Karatchaïs	5 191	0,03	113 000	0,05	0,60
Tchétchènes	12 959	0,10	613 000	0,25	0,40

Sans doute ne peut-on, en l'absence de données concernant les autres peuples déportés (Allemands, Tatars de Crimée), tirer des conclusions définitives de la situation des peuples qui figurent dans ce tableau; mais tout suggère que le pouvoir continue à se méfier de ceux qui ont si terriblement souffert dans les années d'après-guerre, et qu'il préfère les maintenir à l'écart de tous les centres de décision.

On voit donc émerger du tableau général de la composition du Parti des situations contradictoires, mais que l'histoire aide à comprendre. Juifs écartés des fonctions dirigeantes, privés de l'exercice de leurs droits nationaux, mais à qui leur haut degré d'éducation, une distribution presque exclusivement urbaine, assurent une place encore importante à la base du Parti. Peuples supprimés — en droit — par Staline, restaurés dans leur droit par la suite (exception faite des Tatars de Crimée), mais dont la dispersion et la destruction nationale n'ont pas favorisé l'existence ni le développement après 1956. Qu'ils se tiennent à l'écart d'eux-mêmes par rancœur, ou que plus vraisemblablement encore le pouvoir souhaite les maintenir en quarantaine, le résultat ne varie guère d'un peuple à l'autre. Leur existence politique reste très réduite.

Parfois cependant, des peuples très voisins historiquement par leur niveau de développement, leur mode de vie, sont étonnamment divers par la place qui leur est faite au sein du Parti. Si l'on prend pour critère le rapport Parti/population, on est frappé par le haut degré de participation des Caréliens (1,67 %), des Komis (1,54 %), des Kumyks (1,25 %), opposé au très faible degré de participation des Maris (0,40 %), des Touvas et Khakasses (0,67 % chacun) et des Oudmourtes (0,69 %). Pourquoi compte-t-on un grand nombre de communistes parmi les premiers et pas parmi les seconds? Ni l'histoire, ni les facteurs sociologiques ne semblent pouvoir y répondre clairement. A la réduction des inégalités entre grands peuples, ne correspond pas, semble-t-il, un souci semblable pour les petites nationalités.

Considéré globalement, le P.C.U.S. semble témoigner d'une participation croissante à la vie politique des non-Russes. Et d'une égalisation du rôle politique joué par les diverses nations. Cette impression est cependant contredite par une série de faits d'une nature différente. Tout d'abord, un coup d'œil jeté sur la composition nationale de certaines organisations républicaines montre que la part des nationaux dans le Parti est souvent loin de correspondre à leur poids dans la République. Ainsi, en Lettonie et Moldavie, où les nationalités titulaires représentent respectivement 56,8 % et 64,6 % de la population totale, leur part dans le Parti n'atteint pas les 50 %. En Lituanie, l'écart entre les Lituaniens dans la population (88 %) et dans le Parti (66 %) est encore plus remarquable. 34 % d'Ukrainiens, Polonais, Russes, donnent au P.C. de

Lituanie, une coloration internationale qui ne reflète que d'assez loin la structure nationale de la population républicaine.

Plus troublant encore est l'écart entre partis républicains et communistes nationaux au sein du P.C.U.S. La Lettonie fournit encore un exemple de ces singularités difficiles à expliquer. Lors d'une conférence des dirigeants du Parti letton tenue à Riga le 1er février 1977 [25], pour y discuter des problèmes d'organisation du Parti, le Premier secrétaire Auguste Voss a insisté sur les défauts du recrutement. En fait, ce qui ressort des déclarations de Voss, c'est le décalage existant entre un P.C. de Lettonie dont les effectifs n'augmentent que très lentement et les communistes lettons dans le P.C.U.S. dont le nombre augmente plus rapidement.

Une situation identique ressort des déclarations faites au dernier congrès du P.C. d'Azerbaïdjan par le président de la Commission des mandats, I. Askerov, qui soulignait que, dans la période séparant les deux derniers congrès du P.C. 1971-1976, le P.C.A. avait admis dans ses rangs 29 274 membres. Mais aussi, il dénombrait pour la même période, 47 502 nouveaux communistes d'Azerbaïdjan dans les rangs du P.C.U.S. [26]. Même si l'on ne possède pas d'informations permettant d'étendre ces faits à d'autres républiques [27], il y a là un mystère que l'on peut peut-être résoudre de la façon suivante : des résidents provisoires dans les républiques (militaires, techniciens, etc.) même figurant dans les statistiques locales de population peuvent relever directement du P.C.U.S. sans transiter par l'organisation républicaine, en dépit du caractère territorial des activités du Parti. Cette hypothèse contribue à montrer le caractère artificiel de l'échelon républicain du Parti qui est une simple branche du P.C.U.S., souvent négligée par les communistes non enracinés dans la république.

On peut déjà tirer de ce regard jeté sur les effectifs communistes une conclusion contradictoire. Le P.C.U.S. tend, sans aucun doute — en dépit d'un certain nombre de déséquilibres — à apparaître comme le reflet de la société multinationale soviétique. En même temps, les faiblesses des organisations républicaines soulignent la vocation centralisatrice du P.C.U.S., qui est le Parti unique de toutes les nationalités et non le regroupement de tous les partis nationaux.

Un recrutement mieux équilibré est-il synonyme d'une participation plus ou moins égale à la décision politique? Pour y répondre, il faut examiner les organes du pouvoir du Parti, au centre et sur le plan local.

Dès lors que l'on se tourne vers les organes centraux où se fait la décision : Comité central, Bureau politique, Secrétariat, la situation bascule d'un coup par un affaiblissement de la représentation des nationalités.

Au Comité central déjà, on constate que 82 % des délégués appartiennent au groupe slave qui représente 73 % de la population seulement [28]. Cet écart s'accentue encore dans les deux organes suprêmes. Parmi les membres du Politburo, deux nationaux sur 16, et 3 sur 6 parmi les candidats. Quant au Secrétariat, on n'y trouve aucun représentant des nationalités. Le Secrétaire général Leonid Brejnev et les dix secrétaires sont tous d'origine slave, sont tous russes ou dénationalisés (c'est le cas de Brejnev), tous représentants d'une politique de centralisation.

C'est pourquoi il importe de s'interroger sur les nationaux présents au Politburo. Qu'est-ce qui explique la position exceptionnelle qu'ils occupent dans le P.C.U.S.? Sont-ils là en tant que représentants des cadres nationaux? Ou en tant que représentants de la politique centrale à la périphérie? Leurs biographies éclairent leurs positions. Parmi les titulaires du Politburo, se trouvent un Kazakh, Kunaev, et un Ukrainien, Chtcherbitski.

Kunaev, Premier secrétaire du Parti communiste du Kazakhstan depuis 1964, est un authentique représentant de la classe politique kazakhe de formation stalinienne. Entré au Parti en 1939 à 27 ans, il fait partie des cadres techniques puis politiques nationaux qui apparaissent au lendemain des purges qui ont détruit toute l'élite nationale de la période postrévolutionnaire. Au temps du stalinisme, il fait carrière dans l'appareil d'Etat et ne passe dans celui du Parti qu'au début des années 60, pour atteindre, en 1971, une position privilégiée comme membre du Politburo.

Tout autre est le cas de Vladimir Chtcherbitski. Agé de 58 ans, lors du 25e Congrès, Chtcherbitski est depuis toujours un homme de l'appareil dont la carrière a été étroitement associée à celle de Leonid Brejnev. Très jeune, il a occupé des fonctions au Komsomol avant d'exercer des fonctions dirigeantes à tous les échelons du Parti ukrainien. Il a aussi été, dans les années 60, président du Conseil des ministres d'Ukraine. Cette double carrière lui assure une parfaite maîtrise de tous les organes du pouvoir local, où il semble être avant tout un représentant de Brejnev, chargé d'assurer le succès de ses positions en Ukraine. Si Chtcherbitski semble donc beaucoup moins représentatif des intérêts nationaux que son collègue kazakh, que dire de l'Azerbaïdjanais Aliev que le 25e Congrès a porté parmi les suppléants?

Sa promotion assure une représentation du Caucase que la chute du Géorgien Mjavanadzé, en 1972, avait exclu du Politburo. Premier secrétaire du P.C. d'Azerbaïdjan, Geidar Ali Reza Ogly Aliev est avant tout l'homme des services de sécurité. Dès 1941, à dix-huit ans, il entre au N.K.V.D. et jusqu'en 1969, où il devient Premier secrétaire du P.C. d'Azerbaïdjan, sa carrière se déroule dans les organes de sécurité, tantôt au centre, mais surtout en Azerbaïdjan, où ce cursus culmine à la présidence du K.G.B. local entre 1967 et 1969. Hors ce nouveau venu, on trouve parmi les suppléants du Politburo deux autres représentants de la périphérie, le Biélorusse Macherov et l'Uzbek Rachidov. L'un et l'autre y sont des anciens. Macherov, dont la carrière s'est déroulée dans l'appareil du Komsomol (dès 1944) puis du P.C. de Biélorussie, est entré au Politburo au 23ᵉ Congrès, en 1966. Rachidov, Premier secrétaire du P.C. d'Uzbekistan, a derrière lui une longue carrière dans l'appareil du Parti et de l'Etat uzbek qui s'est déroulée sans encombre depuis son entrée au Parti en 1939, à vingt-deux ans. Au Politburo cependant, où il est entré au 22ᵉ Congrès en 1961, il est le doyen des suppléants et l'un des plus anciens de cet organe après Brejnev, Kossyguine et Souslov.

Cet aperçu de la composition nationale des organes réels du pouvoir du Parti suggère plusieurs remarques :

— Tout d'abord qu'à ce niveau, il n'est plus question de chercher le reflet de la structure nationale de l'U.R.S.S., voire du Parti. La prééminence russe, à un second degré celle des Slaves, est totale. La composition du Secrétariat en témoigne.

— Certaines nationalités semblent mieux que d'autres être représentées au Politburo. D'une part, Ukraine et Biélorussie, de l'autre Asie centrale ou plus largement républiques musulmanes. En revanche, on notera l'absence totale de Géorgiens et Arméniens pourtant sur-représentés dans le Parti, et celle des Baltes. Ceci témoigne de la précarité du critère « représentation des groupes nationaux dans le Parti », pour juger de l'accès réel d'un groupe national à la sphère de décision.

— Enfin, il est remarquable que les mouvements démographiques du début des années 70 n'aient pas pesé le moins du monde sur la composition des organes dirigeants qui ne se renouvellent guère. Les nouveaux venus du Politburo sont des Russes, en ce qui concerne les membres titulaires (Romanov, Premier secrétaire du comité régional de Leningrad et le maréchal Oustinov, ministre de la Défense) et l'unique nouveau venu parmi les suppléants, Aliev, vient en remplacement d'un dirigeant national déchu de ses fonctions, Mjavanadzé.

— Une ultime remarque concerne l'accès des nationaux à un domaine essentiel de la vie politique, la *nomenclature*. Relèvent de la nomenclature les postes figurant sur une liste établie par le Comité central du P.C.U.S., qui sont au nombre de 30 000 à 40 000 et dont l'attribution est de la compétence exclusive des organisations du Parti [29]. Il est clair que si la liste des postes relevant de la nomenclature est de la compétence du Comité central, ce sont des organes restreints chargés des problèmes de cadres qui décident de l'attribution de tel ou tel poste figurant sur la nomenclature. Une section du Comité central a la charge des problèmes de cadres. L'absence de dirigeants nationaux au secrétariat du Comité central, véritable exécutif du Parti, suggère qu'à ce niveau, la décision fondamentale du choix des individus aux postes les plus responsables de l'U.R.S.S. échappe aux nationalités. Cependant, on peut s'interroger sur leur capacité à peser sur ce problème à l'autre extrémité du système politique, c'est-à-dire dans les secrétariats des partis républicains. Ceci conduit à examiner la composition des appareils dirigeants dans les républiques et à voir dans quelle mesure, sur place, les communistes nationaux sont maîtres de leur destin [30].

Dans les républiques comme à Moscou, l'instance la plus élevée du Parti est, en droit, le Comité central, en fait, le Secrétariat. Organe permanent, le Secrétariat est caractérisé à la périphérie par le rôle décisif joué par les deux premiers secrétaires et par la division des tâches entre eux. Le choix des secrétaires, qui est sans aucun doute le produit des décisions centrales, permet-il de définir une politique de la nomenclature? Quels critères président au choix des deux principaux personnages des partis républicains? Quelles tâches précises justifient leurs positions privilégiées? Parlons des tâches pour tenter de comprendre la politique qui conduit au choix des hommes.

Le Premier secrétaire d'un parti républicain a une fonction précise. Il est officiellement le personnage le plus haut placé du Parti. Il dirige, contrôle, coordonne au nom du Comité central. Le Second secrétaire est un personnage plus complexe. Tout d'abord, si au cours des dernières années une pratique a prévalu, qui met en avant un *Second* secrétaire doté de ce titre, il est des cas où celui qui fait fonction de Second secrétaire est officiellement appelé secrétaire ou encore porte tantôt un titre, tantôt l'autre [31]. Une seconde difficulté tient au caractère parfois encore imprécis des tâches qui lui sont confiées. Depuis la fin des années 50, le Second secrétaire a, de manière générale et croissante, pleine compétence sur les problèmes d'encadrement et d'organisation. Dans certains cas cependant, il est chargé de problèmes économiques, tandis que le Premier secrétaire s'occupe des cadres [32].

Une évolution s'est faite depuis la chute de Khrouchtchev dans le sens d'une spécialisation rigoureuse des secrétaires. Aux fonctions dirigeantes officielles du numéro 1 correspondent les fonctions décisives de sélection des cadres du Second secrétaire. C'est lui qui, dans les républiques, est chargé en fait de la nomenclature; il est ainsi le véritable représentant du pouvoir central dans les républiques. Ce n'est pas un hasard si un excellent spécialiste des problèmes du Parti, Jerry Hough, a utilisé à ce propos, le terme de *préfet* [33]. A voir fonctionner le système depuis une quinzaine d'années, on constate d'abord l'importance croissante de ce Second secrétaire, importance que justifie la part qu'il joue dans le choix des cadres à l'échelon des républiques. On constate aussi comment s'est créé un délicat équilibre entre Premier et Second secrétaires. Le Premier bénéfice d'un prestige considérable qui le désigne pour devenir membre des organes centraux du Parti.

Les représentants des nationalités que l'on trouve au Politburo du P.C.U.S. sont des premiers secrétaires, non des seconds. Ceci implique-t-il une prééminence, un pouvoir plus grand des premiers? La pratique montre qu'il n'en est rien. Le Second secrétaire, loin d'être subordonné au Premier, l'équilibre et le contrôle. On comprend mieux la position respective de chacun en regardant les titulaires de ces postes dans toutes les républiques (R.S.F.S.R. exceptée puisqu'elle n'a pas, rappelons-le, d'organisation communiste propre), dans un passé récent et au début de 1978 lors de l'entrée en vigueur de la nouvelle Constitution.

Pour le passé, un expert australien du P.C.U.S. [34] a essayé de décrire tous les cas de figures possibles pour la composition des secrétariats des républiques fédérées, mais aussi des régions autonomes et ce, de 1954 à 1976. En dépit d'un défaut dans la méthode — les républiques autonomes sont difficiles à comparer aux républiques fédérées, à la fois en raison de leur différence de statut, d'un environnement qui les rend plus aptes à l'assimilation et généralement d'une différence de taille de la population — son analyse mérite d'être reprise ici, car elle dégage certaines règles et souligne en définitive la spécificité des grandes républiques.

L'auteur, en prenant en considération 259 premiers et seconds secrétaires de 34 républiques (14 fédérées, 20 autonomes) dégage ainsi six cas de figures, en partant de la nationalité des secrétaires. Il faut relever que lorsqu'il parle des Ukrainiens qui jouent un rôle important aux côtés des Russes dans les républiques non slaves, il les considère comme des *Ukrainiens* lorsqu'ils sont dans leur propre république, mais les assimile aux Russes lorsqu'ils sont hors d'Ukraine. En regroupant les carrières de ces 259 dirigeants pendant 22 ans (1954-1976), on arrive à la répartition nationale suivante :

DISTRIBUTION NATIONALE DES SECRÉTARIATS [35]
1954-1976

Postes	*Russes*		*Nationaux*		*Total*
	Chiffre absolu	*%*	*Chiffre absolu*	*%*	*Chiffre absolu*
**S.S.R.* — 1er secrétaire ...	6	4,8	38	28,4	44
S.S.R. — 2e secrétaire.....	48	38,4	25	18,6	73
***A.S.S.R.* — 1er secrétaire.	28	22,4	38	28,4	66
A.S.S.R. — 2e secrétaire...	43	34,4	33	24,6	76
TOTAL..................	125	100,0	134	100,0	259

* (S.S.R. : République fédérée)
** (A.S.S.R. : République autonome)

Ce tableau témoigne que la certitude classique quant à la distribution du pouvoir du Parti dans les républiques — le Premier secrétaire est toujours national, le Second est toujours russe — n'est pas entièrement fondée. Sans doute, le nombre de Russes et de nationaux n'est-il pas loin d'être équilibré avec cependant un léger avantage aux nationaux : 134 pour 125. De plus, ce tableau témoigne que des nationaux ont occupé dans des proportions non négligeables le poste de Second secrétaire tant dans les républiques que dans les formations autonomes.

Pourtant, l'examen des cas de figures possibles montre que dans cette apparente variété de situations, des règles se sont progressivement imposées réduisant la diversité qui paraît découler des chiffres ci-dessus.

— *1ᵉʳ cas : le Premier et le Second secrétaire sont des nationaux* (pour la plus grande partie de cette période).

C'est la situation qui a prévalu, de 1954 jusqu'au début des années 70, dans trois républiques fédérées : Ukraine, Biélorussie, Arménie; et dans deux républiques autonomes incluses dans la R.S.S. de Géorgie : Adjarie et Abkhazie [36].

— *2ᵉ cas : les deux secrétaires sont nationaux* (pendant le début de la déstalinisation).

Dans quatre républiques : Lettonie, Lituanie, Géorgie, Azerbaïdjan, les deux secrétaires sont nationaux dans les années 50, mais la fin de la décennie voit le remplacement du Second secrétaire national par un Russe. C'est ainsi que sont éliminés, en Lettonie, Krouminch (une première fois en 1956, puis après un bref retour deux ans plus tard, en 1960 définitivement), en Lituanie, Soumanskas (Second secrétaire de 1954 à 1956), en Géorgie, Georgadze (Second secrétaire en 1954-1956) et en Azerbaïdjan, Samedov (1952-1955). Depuis lors, dans ces quatre républiques, le Second secrétaire sera en permanence un Russe.

— *3ᵉ cas : le Premier secrétaire est un national, le Second est russe.*

Ceci a été constamment appliqué pour quatre républiques seulement, toutes situées en Asie centrale : Uzbekistan, Kirghizie, Tadjikistan et Turkménie, et dans quatre républiques autonomes dont trois situées au Caucase : Nakhichevan, Nord-Ossétie et Daghestan, ainsi que dans la R.S.S.A. karakalpake en Asie centrale.

— *4ᵉ cas : les deux secrétaires sont des Russes.*

Il s'agit là de situations temporaires qui ont existé au lendemain de la disparition de Staline, dans deux républiques seulement. Au Kazakhstan entre 1954 et 1957, en Moldavie de 1954 à 1959. Dans les deux républiques, cette russification des emplois a été remplacée d'abord par une division identique des tâches selon un ordre inhabituel, un premier secrétaire russe et un second secrétaire national. Dès 1961, l'ordre était inversé et de manière continue, le 3ᵉ cas de figure y est devenu la règle.

— *5ᵉ cas temporaire : Premier secrétaire russe, Second secrétaire indigène.*

Ce cas s'est présenté de manière temporaire, on l'a vu, au Kazakhstan (1957-1960) et en Moldavie (1959-1961). Il est significatif que depuis 1961 il n'ait été repris nulle part. Jusqu'à ce moment, il a aussi caractérisé la situation de quelques républiques autonomes : Carélie (1950-1958), Bachkirie (1953-1957), Tatarie (1957-1960), Kalmyk (1957-1961). Mais dans les R.S.S.A. le début des années 60 marque le passage au 3e modèle.

— *6e cas permanent : Premier secrétaire russe, Second secrétaire indigène.*

Ce modèle s'applique de manière permanente à certaines républiques autonomes : les trois républiques de langue finnoise de la moyenne Volga (Maris, Oudmourtes et Mordves) et la R.S.S.A. Tchétchèno-Ingouche au Caucase.

Cette division des groupes nationaux en « situations politiques » conduit à conclure dans un premier temps que toutes les combinaisons sont imaginables. Cependant, à y regarder de plus près, on constate que si toutes les combinaisons s'appliquaient et s'appliquent aux républiques autonomes, les républiques fédérées ne rentrent que dans les quatre premiers cas; que de surcroît une évolution s'est faite, s'agissant des républiques fédérées, qui a unifié totalement le régime auquel elles sont soumises.

Avant d'en venir au présent, on peut tenter d'expliquer les différents statuts des républiques dans le passé. Dans les régimes de faveur, le plus haut degré a été atteint par les deux républiques slaves, les trois républiques du Caucase et les trois républiques baltes. La situation la plus défavorable a été celle du Kazakhstan et de la Moldavie pour une courte période. La plus proche des règles présentes, celle des quatre républiques d'Asie centrale. Pourquoi ces différences?

Dans le premier groupe des « favorisés », celui qui très longtemps a conservé ses cadres nationaux, le statut privilégié de l'Ukraine et de la Biélorussie est aisé à comprendre. La solidarité slave, la proximité culturelle, l'association des Ukrainiens et des Biélorusses au pouvoir russe dans les autres républiques périphériques, ont longtemps estompé la force des sentiments nationaux des peuples slaves et les ont fait apparaître, surtout les Ukrainiens, en position de « second frère aîné » [37].

Les Arméniens ont, de leur côté, fait preuve d'un grand degré de loyalisme à l'égard de l'U.R.S.S., dans la mesure où les massacres de 1916 leur ont montré que la survie de leur nation passait par la protection russe. De plus, l'importance de la diaspora arménienne dans l'espace soviétique a apporté au régime le concours de cadres parfois dénationalisés qui ont joué dans les organes centraux un rôle non négligeable. L'Arménie a, de surcroît, comme la Géorgie, bénéficié, même à l'époque stalinienne, d'un statut culturel privilégié. Alors que tous les peuples de l'U.R.S.S. étaient privés de leurs écritures, les Arméniens et les Géorgiens ont conservé, avec leur écriture, l'intégrité de leur langue. Après 1954, la tolérance du pouvoir soviétique à l'égard du Patriarcat d'Etchmiadzin a rendu à l'Arménie son caractère de foyer national pour toute la diaspora. Il est clair que les successeurs de Staline ne pouvaient brutalement remettre en question le statut quelque peu exceptionnel du Caucase. Les décisions et les alignements y ont été modulés.

Dans les républiques baltes enfin — et particulièrement en Estonie — il est plausible que les cadres nationaux qui conféraient, pour un temps, à ces républiques un statut privilégié, aient été beaucoup moins représentatifs de leur nationalité qu'il n'y paraît au vu de leur nom. L'exemple du Second secrétaire du P.C. d'Estonie entre 1953 et 1964, Lentsman, illustre ce propos. Lentsman était en effet fils de communistes estoniens réfugiés en U.R.S.S., au temps de l'indépendance de leur pays. C'est ainsi que Lentsman naquit en Crimée, y fut éduqué et n'entra en Estonie qu'au lendemain de la Seconde Guerre mondiale. Parmi les dirigeants nationaux baltes des années 50, on trouve de très nombreux cas de ce type, dénationalisés par une éducation reçue en territoire soviétique, et utilisés ensuite comme représentants de l'élite nationale dans la patrie qu'ils n'avaient guère connue.

Mais dès le début des années 60, la diversité s'organise autour d'une règle que le temps confirmera. Le poste de Second secrétaire devient décisif; c'est lui qui représente la centralisation, tandis que le Premier secrétaire incarne la diversité fédérale. Dès lors, un modèle unique va s'imposer. Le Premier secrétaire sera partout national. C'est lui qui sera représentatif à l'intérieur des républiques et représentatif des républiques dans le P.C.U.S. En revanche, le Second secrétaire sera dans les républiques l'émanation du centre, celui qui relaiera les décisions centrales et proposera sur un terrain qu'il connaît les nominations importantes au centre.

En quelques années, toutes les républiques seront dotées d'un pouvoir dyarchique : Premier secrétaire national/Second secrétaire russe. La situation était complètement unifiée au début de 1978. Elle mérite qu'on s'y arrête, qu'on en examine les modalités, car ainsi s'éclaire la conception soviétique du rôle du Parti auquel la Constitution de 1977 assigne une place décisive dans la vie politique soviétique. Le tableau suivant qui indique la répartition actuelle de

I. Premiers secrétaires des P.C. républicains en 1977

République	*Nom*	*Année de naissance*	*Nationalité*	*Situation au P.C.U.S.*	*Date d'entrée en fonction*	*Fonction précédente*
Arménie	Demirchian (Karen)	1932	Arménien	Membre C.C.	novembre 1974	2e secrétaire du gorkom d'Erivan en 1972 Secrétaire du C.C. du P.C. d'Arménie en 1974
Azerbaïdjan	Aliev (Geidar Ali Reza Ogly)	1923	Azéri	Membre C.C. Candidat au Politburo	juillet 1969	Président du Comité d'État pour la sécurité (K.G.B.) d'Azerbaïdjan
Biélorussie	Macherov (Petr)	1918	Biélorusse	Membre C.C. Candidat au Politburo	mars 1965	2e secrétaire du P.C. de Biélorussie
Estonie	Käbin (Johannes)	1905	Estonien	Membre C.C.	avril 1950	1948-1950 : secrétaire du C.C. du P.C. d'Estonie
Géorgie	Chevarnadzé (Edouard)	1928	Géorgien	Membre C.C.	septembre 1972	1er secrétaire du gorkom de Tbilissi
Kazakhstan ...	Kunaev (Teimur Iman Kuli Ogly)	1912	Kazakh	Membre C.C. Membre du Politburo	1960-1962 puis 1964	Président du Conseil des ministres du Kazakhstan

République	*Nom*	*Année de naissance*	*Nationalité*	*Situation au P.C.U.S.*	*Date d'entrée en fonction*	*Formation précédente*
Kirghizie	Usubaliev (Turdakun)	1919	Kirghiz	Membre C.C.	mai 1961	1er secrétaire du gorkom de Frounze
Lettonie	Voss (August)	1916	Letton	Membre C.C.	avril 1966	Secrétaire du C.C. du P.C. de Lettonie
Lituanie	Grichkiavichus (Pyatras)	1924	Lituanien	Membre C.C.	février 1974	1er secrétaire du gorkom de Vilnius
Moldavie	Bodioul (Ivan)	1918	Moldave	Membre C.C.	1961	2e secrétaire du P.C. de Moldavie
Tadjikistan ...	Rasulov (Djabar)	1913	Tadjik	Membre C.C.	1961	Ambassadeur extraordinaire de l'U.R.S.S. au Togo
Turkménie	Gapurov (Mukhamed-nazar Gapurovitch)	1922	Turkmène	Membre C.C.	1962	Appareil du Parti de Turkménie
Ukraine	Chtcherbitski (Vladimir)	1918	Ukrainien	Membre C.C. Membre du Politburo	mai 1962	Président du Conseil des ministres d'Ukraine
Uzbekistan	Rachidov (Safar)	1917	Uzbek	Membre du C.C. Candidat du Politburo	mars 1959	Président du Praesidium du Soviet suprême d'Uzbekistan

II. Seconds secrétaires des P.C. républicains en 1977

République	*Nom*	*Année de naissance*	*Nationalité*	*Situation au P.C.U.S.*	*Date d'entrée en fonction*	*Formation précédente*
Arménie	Anisimov (P. P.)	1928	Russe	Candidat C.C.	mars 1973	Chef-adjoint du département Organisation du C.C. du P.C.U.S.
Azerbaïdjan	Pougatchev (Iou. N.)	1926	Russe	Candidat C.C.	avril 1977	2e secrétaire du P.C. de Kirghizie
Biélorussie	Aksenov (A. N.)	1924	Biélorusse	Membre C.C.	juillet 1971	2e secrétaire de l'obkom de Vitebsk
Estonie	Lebedev (C.)	1918	Russe	Candidat C.C.	février 1971	Chef de section du département Organisation du C.C. du P.C.U.S.
Géorgie	Kolbin (G. V.)	1927	Russe	Candidat C.C.	avril 1975	2e secrétaire de l'obkom de Sverdlovsk
Kazakhstan ...	Korkin (A. G.)	?	Russe	néant	août 1976	Secrétariat du P.C. kazakh en 1976 — auparavant industrie lourde
Kirghizie......	Fomitchenko (K.E.)	?	Russe	néant	juillet 1977	

République	*Nom*	*Année de naissance*	*Nationalité*	*Situation au P.C.U.S.*	*Date d'entrée en fonction*	*Fonction précédente*
Lettonie	Beloukha (N. A.)	1920	Ukrainien	Candidat C.C.	mars 1963	Chef-adjoint du département Organes du Parti du C.C. du P.C.U.S.
Lituanie	Kharazov (V. I.)	1918	Russe	Candidat C.C.	avril 1967	Inspecteur du C.C. du P.C.U.S.
Moldavie	Merenichtchev (N. V.)	1919	Russe	Candidat C.C.	décembre 1973	2e secrétaire du Comité du Parti de Leningrad
Tadjikistan	Poloukarov (Iou. I.)	1920	Russe vraisemblablement	Candidat C.C.	mai 1975	Chef de section du département Organisation du C.C. du P.C.U.S.
Turkménie	Pereudin (V. N.)	1923	Russe vraisemblablement	Candidat C.C.	avril 1975	De 1963 à 1965 : dans le « bureau d'Asie centrale » du C.C. du P.C.U.S. Puis président du Comité de contrôle populaire de Turkménie
Ukraine	Sokolov (I. Z.)	1928	Russe	Membre C.C.	février 1976	1er secrétaire de l'obkom de Kharkov
Uzbekistan	Grekov (L. I.)	1928	Russe	Membre C.C.	juillet 1976	2e secrétaire du gorkom de Moscou

la dyarchie du secrétariat montre l'évolution récemment survenue.

En juxtaposant ces deux tableaux, on peut faire diverses constatations. Tout d'abord qu'il y a une nette opposition entre la stabilité, voire l'ancienneté dans le corps des premiers secrétaires, et le renouvellement rapide des seconds. Dans quatre républiques seulement sur quatorze (Arménie, Géorgie, Lituanie et Ukraine), les premiers secrétaires sont entrés en fonction au début des années 70. Encore, le cas de la Lituanie est-il particulier, dans la mesure où le changement de secrétaire a été dû à la disparition par trépas du titulaire précédent du poste, Antanas Snieckus. Dans les trois autres cas, la déposition des titulaires était l'aboutissement de crises politiques.

En Géorgie, Mjavanadzé, qui avait accédé aux fonctions de Premier secrétaire dans la phase aiguë de la lutte pour la succession de Staline (lutte particulièrement âpre car les adversaires de Beria ont cherché à détruire ce qu'ils considéraient être sa « maffia »), était démis en 1972 de ce poste qu'il occupa pendant dix-neuf ans. Raison de cette déposition : la corruption généralisée dont Mjavanadzé et son entourage avaient encouragé l'exercice dans la république [38]. Il est incontestable que l'ère de Mjavanadzé a été caractérisée par la permanence et l'ampleur de pratiques scandaleuses à tous les niveaux, et que nulle part plus qu'en Géorgie, la corruption n'a été au cœur du pouvoir. Mais la déposition du Premier secrétaire s'est heurtée à une réaction violente de la population qui a vu dans l'indignation — tardive — de Moscou, une opération antigéorgienne et non la volonté d'arrêter des malversations de longue date célèbres. La personnalité du nouveau Premier secrétaire ne pouvait qu'encourager cette interprétation. Chevarnadzé qui succède en septembre 1972 à Mjavanadzé a, à 44 ans, une longue carrière d'apparatchik. Entré au Parti à vingt ans, il n'a presque jamais cessé depuis lors de travailler dans l'appareil du Komsomol et du Parti. De 1964 à 1972, sa carrière est réorientée vers les organes de sécurité. Sans doute, tant dans le Parti qu'à la tête du ministère de l'Intérieur, Chevarnadzé a-t-il toujours travaillé en Géorgie. Cependant, dans la mesure où la lutte contre la corruption est le résultat de décisions prises à Moscou [39], où ses insuffisances sont constamment critiquées dans l'appareil central du Parti [40], Chevarnadzé est, aux yeux de ses compatriotes, l'exécutant d'une politique décidée au centre et non l'incarnation d'une politique nationale.

En Arménie, c'est aussi la corruption qui a servi de prétexte à une série de purges qui, de 1971 à 1974, ont modifié l'encadrement de la république et placé au poste de Premier secrétaire Karen

Demirchian [41]. Cependant, à la différence de son homologue géorgien, Demirchian est non seulement un homme de l'appareil, mais aussi un ingénieur dont la vie a été un temps consacrée en partie à son métier. La montée dans l'appareil du Parti d'un technocrate répond à certaines préoccupations de la population de la république, concernant le développement industriel de la région.

Quant à la destitution de Pierre Chelest en Ukraine, elle a coïncidé avec une attaque générale contre le nationalisme ukrainien qui donne à la crise interne une dimension particulièrement dramatique.

Hors ces quatre cas où les crises ont d'ailleurs permis l'arrivée au pouvoir d'hommes plus jeunes, les premiers secrétaires des républiques semblent relativement inamovibles. Face à eux, les seconds secrétaires sont remarquables d'abord par la rapidité de leur renouvellement. Dans deux cas seulement — Lettonie et Lituanie —, ils sont entrés en fonction avant 1970. Plus de la moitié ont été nommés après 1975. Pourtant, quand on analyse de manière comparative les carrières des secrétaires républicains dans l'espace de vingt-deux années, on constate une plus grande stabilité des emplois à ce niveau. Le tableau ci-dessous rend compte de cette évolution.

STABILITÉ DES SECRÉTAIRES RÉPUBLICAINS

Nombre d'années passées en poste :	*en 1955*	*en 1960*	*en 1965*	*en 1970*	*en 1975*
Premiers secrétaires	4,8	5,2	7,5	8,3	9,9
Seconds secrétaires	1,9	3,2	3,6	5	6,6

Ce tableau témoigne clairement qu'en dépit des purges, du changement assez général des seconds secrétaires, l'évolution s'accomplit dans le sens d'une stabilisation des cadres dirigeants. Cette stabilisation n'a pas empêché un rajeunissement progressif des secrétariats nationaux. Les seconds secrétaires, parce que plus mobiles, sont dans l'ensemble plus jeunes que leurs collègues premiers secrétaires. C'est aux postes de seconds secrétaires que l'on voit vraiment se dégager une nouvelle génération politique, celle des hommes de cinquante ans qui, devenus adultes dans les dernières années du stalinisme, n'ont pas été dans l'ensemble impliqués dans les brutalités staliniennes. Faut-il pour autant les tenir pour très différents de leurs prédécesseurs? Sans doute non, car de Staline ils ont surtout connu la guerre, l'unanimité dans la lutte, et sont probablement pour cette raison enclins à davantage adhérer au système qu'à le contester.

Une autre différence fondamentale entre les deux groupes tient au déroulement des carrières. Les premiers secrétaires ont pour l'essentiel passé leur vie dans leur république. Lorsqu'ils en sortent — et c'est l'exception — c'est pour occuper durant une brève période des emplois dans les appareils d'autres républiques périphériques, mais rarement aux postes de secrétaires. Dans quelques cas, on les trouve en poste dans la R.S.F.S.R.; ceci est vrai surtout des Slaves plus préparés culturellement à de tels mouvements, et des Baltes émigrés en Russie au temps de l'indépendance.

Dans les autres groupes nationaux, on compte deux exceptions notables : Mjavanadzé, l'ex-Premier secrétaire de Géorgie que la carrière militaire avait d'abord écarté de sa république natale, et le Premier secrétaire arménien Demirchian qui a travaillé un temps à Leningrad avant d'entamer une carrière locale continue en 1966. Il en va tout différemment des Russes qui ont généralement navigué d'une république à l'autre.

Dans la plupart des cas, les seconds secrétaires viennent de la R.S.F.S.R. Mais certains semblent « tourner » d'une république à une autre. Tel est le cas de V. Kharazov qui était en poste au Kazakhstan (1954-1961) avant d'être nommé en 1967 en Lituanie. Tel est plus clairement encore le cas de Iou. Pougatchev qui a été successivement Second secrétaire du P.C. de Kirghizie puis d'Azerbaïdjan. Si jusqu'à la fin des années 50 cette pratique était très courante [42], depuis lors le pouvoir central paraît moins enclin à spécialiser certains de ses cadres dans les « postes russes ». Sans aucun doute, les Russes qui accèdent au poste décisif de second secrétaire républicain, ont toujours une expérience importante de l'appareil. Dans l'équipe présente, plus de la moitié des secrétaires ont appartenu à l'appareil central du Parti, c'est-à-dire ont travaillé dans les divers départements du Comité central. Les autres sont partagés à peu près également entre deux types d'expériences : carrière dans des organisations régionales en Russie, ou bien dans d'autres régions non russes. Dans tous les cas, il paraît clair que presque tous les Russes, quel que soit leur cursus antérieur, ne sont pas des novices par rapport aux problèmes nationaux.

Ceci ressort d'une analyse non plus des cadres géographiques de leur action, mais des fonctions précédemment assumées. Ici encore, c'est en comparant la carrière des premiers et des seconds secrétaires que l'on peut le mieux voir ce qui caractérise les uns et les autres. Les premiers secrétaires ont en général été nommés à ce poste après avoir occupé un poste similaire à l'échelon régional ou un poste inférieur dans l'appareil central de leur république. Une autre voie d'accès au secrétariat est la présidence du Conseil des ministres où l'on trouve généralement de nombreux candidats aux postes suprêmes du Parti. Cette liaison très courante entre présidence du Conseil des ministres et secrétariat du Parti confirme ce qui a été maintes fois souligné, c'est que le poste de président du Conseil des ministres (mais non les postes de ministres) appartient *de fait* à la hiérarchie du Parti. Un président du Conseil des ministres passe aisément à la tête du Parti et *vice versa.* Il n'en va pas de même des ministres, à l'exception du chef du Comité pour la sécurité d'Etat (K.G.B.) dont la place dans la hiérarchie gouvernementale est aussi très particulière.

Dans le cas des seconds secrétaires, le passage par l'appareil du Comité central du P.C.U.S. semble une condition absolue de leur promotion. Au sein de l'appareil central, deux voies préparent, si l'on se réfère aux cas connus, aux secrétariats républicains. D'une part, un certain nombre de secrétaires ont occupé les fonctions d' « inspecteur » ou « chef de section » voire « chef-adjoint de département » dans le *département d'Organisation* du C.C. du P.C.U.S. Dans ce département, il est clair que le problème de cadres et de nominations est central. Par ailleurs, il existe au sein des organes du C.C. du P.C.U.S. des subdivisions régionales [43]. Certains responsables de l'appareil central apparaissent dans les congrès des P.C. républicains comme représentants du C.C. du P.C.U.S., ce qui indique aussi des responsabilités régionales. Dans quelques cas, on peut constater qu'il y a eu passage d'un poste géographiquement spécialisé de l'appareil central à un deuxième secrétariat républicain. Il en va ainsi de Pereudin qui a travaillé de 1963 à 1965 dans le bureau d'Asie centrale du C.C. du P.C.U.S. et qui est actuellement Second secrétaire du P.C. de Turkménie. Il en va de même de Lebedev [44] qui est passé du secteur « Biélorussie et Républiques baltes » au C.C., au secrétariat d'Estonie; ou encore de Poloukarov au Tadjikistan.

Sans doute ne peut-on affirmer avec certitude que les seconds secrétaires ont toujours été préparés dans l'appareil central à la république qui leur sera confiée. Néanmoins, ils ont dans de très nombreux cas eu une compétence régionale acquise au C.C. ou une compétence dans le problème des cadres qui est l'élément principal du pouvoir des seconds secrétaires.

D'une manière générale, on constate que les premiers secrétaires ont souvent une expérience dans les affaires de l'Etat et de l'administration, tandis que les seconds secrétaires sont des hommes de l'appareil du Parti. Cette différence de carrière, d'expérience, d'origine, contribue à assurer la subordination effective des premiers secrétaires aux seconds. Subordination de fait qui s'accompagne d'un prestige extérieur plus grand des premiers secrétaires. A eux, revient l'honneur d'incarner les partis nationaux; de parler en leur nom; de les représenter.

Leur représentativité et leur subordination expliquent peut-être une dernière différence entre premiers et seconds secrétaires : la très grande vulnérabilité des premiers. On a noté déjà que les premiers secrétaires étaient plus stables que les seconds. Mais ils n'en sont pas pour autant plus protégés qu'eux. Tout au contraire, Y. Bilinsky a noté dans une étude pénétrante sur les cadres nationaux le taux élevé de « pertes politiques » des premiers secrétaires nationaux [45]. Ce faisant, il ne nie pas que les premiers secrétaires jouissent d'une longévité politique incontestable. Mais il entend montrer que cette longévité débouche souvent sur des chutes spectaculaires. Dans les purges, ce sont les premiers secrétaires qui sont livrés à la réprobation publique. La carrière d'un premier secrétaire s'achève souvent par une expulsion brutale. Les seconds secrétaires (cela est vrai des Russes, non des seconds secrétaires nationaux que les changements de cette décennie ont fait disparaître), en revanche, disparaissent généralement avec discrétion si c'est dans la disgrâce, ou bien sont promus à d'autres postes.

Ces diverses remarques montrent que le secrétariat des partis nationaux est un équilibre délicat entre *pouvoir réel* et *contrôle centralisé,* d'une part, et *représentation du pouvoir,* et *souveraineté apparente,* d'autre part. Le contrôle des hommes et des institutions s'opère à travers une instance décisive de l'appareil du Parti, le poste de second secrétaire. L'histoire récente témoigne qu'après une longue période de politique pragmatique et discontinue, le pouvoir central a mis au point une stratégie claire et cohérente : celle qui permet de contrôler rigoureusement le choix des cadres politiques, administratifs et techniques à tous les niveaux des républiques non russes. L'uniformisation des procédures de contrôle, la plus grande cohésion du système politique, semblent être les caractéristiques de la politique actuellement suivie en matière d'intégration nationale.

L'armée : instrument d'intégration?

Les auteurs soviétiques qui analysent aujourd'hui le processus de formation de la nation soviétique soulignent à l'envi le rôle décisif joué par l'armée dans cette création d'une nouvelle communauté historique. Ce rôle dévolu à l'armée est, sans aucun doute, par trop oublié en Occident où l'armée soviétique est toujours vue comme un instrument de la puissance internationale de l'U.R.S.S., tourné vers le monde extérieur. De là une méconnaissance partielle de l'armée soviétique, de ses tâches, de ses problèmes, de ses ambiguïtés. L'armée soviétique est-elle vraiment ce monolithe que voit se développer le monde occidental à ses frontières? N'est-elle que puissance et menace externe? La voir ainsi seulement c'est, une fois encore, oublier que l'armée soviétique comme l'U.R.S.S. tout entière est multinationale, qu'une de ses fonctions est d'aider à l'intégration des nations. Pour comprendre cette fonction et les conséquences qui en découlent, un regard sur le passé s'impose.

L'Empire des tsars avait cherché à édifier une armée cohérente. C'est pourquoi nombre de ses sujets en étaient exclus : ce que l'on appelait les *allogènes,* c'est-à-dire quarante-cinq groupes nationaux. Au premier rang de ceux-ci, les musulmans. La guerre et la révolution vont poser pour la première fois le problème des armées nationales [46]. Dans la foulée des mouvements nationaux qui bouleversent l'espace russe en 1917-1918, des formations militaires nationales apparaissent. Les jeunes Etats nationaux qui se forment et qui veulent l'indépendance s'efforcent de la fonder sur des armées hâtivement constituées mais capables, espèrent-ils, de maintenir le statut récemment acquis. De son côté, le pouvoir issu de la révolution d'Octobre s'efforce de mobiliser à son profit les énergies nationales. Partout où le contrôle bolchevik est établi, Lénine et Trotsky ont à conforter ce contrôle en intégrant les forces armées nationales dans l'Armée rouge en voie de création.

Jusqu'en 1920, cette tâche dont la nécessité est à leurs yeux impérative dès la première heure de la révolution, se heurte à des difficultés presque insurmontables. La guerre civile et l'intervention étrangère imposent une grande prudence. Faibles, isolés, les bolcheviks ne peuvent prendre le risque de jeter dans le camp de leurs adversaires des nations pour qui l'indépendance importe beaucoup plus que la révolution. Pour gagner leur appui, il faut composer avec elles, tolérer qu'elles développent des armées qui ne font qu'accroître les volontés d'indépendance. Très tôt, la difficulté d'un tel compromis apparaît. Des armées nationales s'équipent au Caucase, en Ukraine.

Les musulmans si constamment écartés de la vie militaire vont très loin dans cet effort de formation d'une armée et, fait inquiétant, ils utilisent pour cela les structures du pouvoir soviétique.

Au sein du Commissariat aux nationalités dirigé par Staline, un commissariat musulman a été créé au début de l'année 1918. Le président de cet organisme, un Tatar, Mullah Nur Vahitov, va couvrir de son autorité la création d'un *Collège militaire musulman* (en quelque sorte un ministère des armées musulmanes) qui va mettre sur pied une Armée rouge de musulmans. En principe, tout cela est subordonné au Commissariat du peuple à la guerre, donc à Trotsky. En pratique, les deux hommes qui mènent cette opération, les Tatars Vahitov et Sultan Galiev, poursuivent des buts totalement étrangers à ceux des bolcheviks. Ils pensent — et l'on voit ici se développer des idées qui ressurgiront plus tard chez Mao Tsé-Toung — que pour les nations peu développés, qui n'ont pas de prolétariat, c'est l'armée qui doit assurer leur encadrement, une armée forte, hiérarchisée, politisée, qui incarne la conscience nationale encore confuse et sert de pépinière de cadres nationaux. Le rôle futur des armées du Tiers monde est ainsi défini dès 1920 par des musulmans de Russie, précurseurs par trop ignorés. Si la tentative de former une armée musulmane unique — préfigurant l'armée de libération chinoise — échoue parce que l'Armée rouge réussit à en coiffer ou incorporer des secteurs entiers, des unités nationales musulmanes se développent au sein de chaque groupe national [47].

Dès 1919, Lénine tente de reprendre en main cette situation dont il évalue précisément le danger [48]. Des décisions répétées du parti bolchevik affirment que toute activité militaire doit se trouver sous l'autorité de l'Armée rouge. Et l'extension du pouvoir soviétique en 1920-1922, qui conduit à la création de la fédération, passe par la coordination de l'Armée rouge et des armées nationales, ce qui signifie la subordination totale des secondes à la première. La conséquence de cette mainmise du pouvoir bolchevik sur les unités militaires que chaque groupe national considère comme le symbole de la souveraineté reconquise est une crise dramatique qui oppose en 1923 le pouvoir soviétique et les nationalités. Crise dont les manifestations sont diverses, mais le sens identique d'un bout à l'autre de l'U.R.S.S.

En Asie centrale, la crise prend la forme d'une révolte armée que le pouvoir mettra des années à vaincre. Des bandes armées de maquisards, glorieux va-nu-pieds, les Basmatchis, propagent durablement l'insécurité dans la région et incarnent pour leurs compatriotes l'esprit de résistance. Les leaders de l'Ukraine, plus insérés dans le système, dénoncent à la tribune du 12ᵉ Congrès du Parti communiste (avril

1923), la violence qui leur est faite par l'intermédiaire de l'armée. Nikolaï Skrypnik, bolchevik au passé incritiquable [49], y déclare : « Aujourd'hui, l'armée reste un instrument pour la russification de l'Ukraine et pour toute la population non russe [50]. » Un autre Ukrainien reprend après Skrypnik la même accusation et précise : « N'oublions pas que l'Armée rouge n'est pas seulement, objectivement, un instrument pour éduquer la paysannerie dans un esprit prolétarien, elle est un instrument de russification. Nous expédions des dizaines de milliers de paysans ukrainiens à Toula et nous les obligeons à tout comprendre en russe. Est-ce correct? Evidemment non. Pourquoi le prolétariat a-t-il besoin de cela? Nul n'en sait rien. C'est là l'effet de l'inertie de la structure de commandement grand-russienne. Notre haut commandement est russe de manière prédominante. Même ainsi, les paysans ukrainiens expédiés à Toula et placés sous commandement russe pourraient recevoir une éducation politique et culturelle dans leur propre langue. Voici la seconde question, former des cadres militaires s'exprimant dans les langues nationales [51]. »

Skrypnik et son compagnon ont ainsi posé clairement les problèmes de l'armée. Le pouvoir soviétique l'utilise pour russifier les non-Russes et pour les contrôler. L'armée est tout entière dominée par les Russes. Elle ne remplit aucune fonction éducative réelle dans la perspective de l'égalité des nations.

A cette crise, le pouvoir soviétique apporte deux réponses destinées à apaiser les nationalités, mais aussi à éviter les inconvénients d'un développement des armées nationales. Lénine est alors malade, écarté définitivement des affaires, mais on peut tenir pour acquis que la réaction de ses collègues correspond aux inquiétudes qu'il a toujours éprouvées dans ce domaine. Cette réponse, c'est le refus d'armées nationales en tant que telles, mais en même temps la possibilité pour tous les groupes nationaux de prendre place et d'assumer des responsabilités dans l'Armée rouge. Le refus d'armées nationales ressort du démantèlement systématique des unités musulmanes et de la condamnation en juin 1923 du théoricien de l'Armée rouge musulmane Sultan Galiev [52].

Au cours d'une conférence dramatique du Parti communiste tenue à Moscou du 9 au 12 juin 1923, Staline définit, à travers son attaque contre Sultan Galiev, les lignes directrices et les limites de la politique nationale. Politique qui, dans le domaine militaire, va être fondée sur la promotion de cadres indigènes capables de diriger des unités nationales à l'intérieur d'une Armée rouge qui est celle de l'Union soviétique entière et qui a un commandement unifié [53].

Cette politique s'inscrit dans le cadre d'un plan militaire quinquennal, appliqué dès 1924. Frounze qui a remplacé Trotsky au Commissariat du peuple à la guerre, définit ainsi ce plan : « Nous édifions notre armée de telle sorte qu'aucune nationalité ne se sente brimée, ni isolée. En même temps, il faut que l'armée soit un corps unique et fort [54]. »

Ces efforts débouchent, dès la fin des années 20, sur un changement profond des relations de la population avec l'armée. Le service militaire est alors étendu à la quasi-totalité de la population mâle qu'un encadrement national permet d'incorporer plus aisément. Mais la promotion massive d'officiers d'origine non russe, la multiplication de formations ethniquement homogènes ne donnent pas pour autant à l'armée, au sommet, une coloration différente de celle qu'elle avait précédemment. L'armée soviétique reste très russe dans son commandement, et la différence nationale n'est appliquée qu'aux échelons inférieurs et moyens. Telle quelle, une telle concession est vite jugée dépassée.

Le 7 mars 1938, de nouvelles lois vont modifier radicalement la physionomie de l'armée et mettre fin au « libéralisme » national qui a présidé à son organisation depuis 1924 [55]. Tous les citoyens soviétiques mâles, sans distinction de nationalité ou de culture, sont définitivement soumis aux obligations militaires. L'armée s'unifie. Les unités nationales sont supprimées au profit d'unités ethniquement mêlées. Les dispositions réglementaires précisent que le service militaire doit être accompli dans un environnement multinational. Les écoles militaires, la formation des cadres, tout échappe au principe national. Ceci signifie, outre la dispersion des individus issus du même groupe national, que la langue de l'armée redevient la seule langue commune aux peuples de l'U.R.S.S., le russe.

Depuis 1938, ces principes d'organisation militaire n'ont connu qu'une période d'éclipse. Durant la Seconde Guerre mondiale, le souci de l'efficacité a conduit Staline à en revenir momentanément à des unités nationales rapidement formées et prises en charge matériellement par les républiques qu'elles représentaient. Mais l'ère des divisions kazakhe ou azérie n'a pas duré. Et cela en dépit du fait que le 1er février 1944, le Soviet suprême adoptait une loi sur la création de forces armées républicaines et sur le transfert des commissariats à la défense, du niveau fédéral au niveau fédéral-républicain [56]. La Constitution devait refléter ce changement jusqu'en 1977. Mais il s'agit là de préparer, pour des raisons internationales, une nouvelle image de l'U.R.S.S. Le droit théorique à posséder des forces armées témoigne, en principe, de la souveraineté des républiques fédérées.

Et l'U.R.S.S., forte de cet argument, obtient deux sièges supplémentaires dans les organisations internationales d'après-guerre qui seront attribués à l'Ukraine et à la Biélorussie.

En pratique, l'après-guerre qui semble consacrer une autonomie militaire des républiques, consacre tout au contraire le retour aux conceptions de 1938. Dès la guerre terminée, les unités nationales disparaissent. L'armée est chose trop sérieuse pour être confiée aux nationalités. Le 12 octobre 1967, une loi militaire stipule clairement que le service militaire obligatoire a une seule finalité : le brassage humain des recrues dans des unités mêlées, et le brassage culturel par l'utilisation constante dans cette période de la langue russe. L'armée soviétique est ainsi conçue, au terme d'hésitations et de revirements, comme instrument privilégié d'intégration nationale [57]. Grâce à un long service militaire (deux ou trois ans selon les armes), les recrues issues de divers milieux nationaux se trouvent, pendant une période prolongée, arrachées à leur milieu géographique et culturel d'origine, et plongées dans un milieu différent, théoriquement pluri-ethnique, mais à dominante russe. L'usage constant de la langue russe, l'éducation politique en même temps que technique reçue alors, visent à modifier profondément la conscience nationale et la perception du monde environnant des jeunes appelés. Cette vocation spécifique de l'armée soviétique a souvent été soulignée par les dirigeants. Brejnev disait lors du cinquantenaire de la fédération en 1972 : « Notre armée est une armée particulière en ce sens qu'elle est une école d'internationalisme, d'éducation des sentiments de fraternité, de solidarité et de respect mutuel de toutes les nations et nationalités de l'Union soviétique. Nos forces armées sont une famille unique, l'incarnation vivante de l'internationalisme socialiste [58]. » Ce rôle exceptionnel conféré à l'armée explique pourquoi la nouvelle Constitution de l'U.R.S.S. introduit l'obligation du service militaire universel dans les fondements du système soviétique (I, art. 31) et non, comme on aurait pu l'attendre, dans l'organisation administrative et le fonctionnement des institutions.

Si la fonction intégratrice assignée à l'armée ressort clairement des textes qui l'organisent et des déclarations des dirigeants, on ne peut néanmoins éviter deux questions décisives quant à la relation entre les intentions exprimées et la réalité. L'armée est-elle réellement cette famille unie, cohérente, à l'image d'une société pluri-ethnique, capable par là même d'aider à l'intégration des diverses composantes de cette société? A-t-elle une influence mesurable sur la conscience de ceux qui sont passés dans ses rangs?

L'armée reflète-t-elle la nation? Oui, répondent les spécialistes soviétiques, puisqu'il n'est pas d'armes qui n'accueillent des représentants de toutes les nationalités. A la base, parmi les recrues, l'universalité du service militaire suggère qu'en effet, l'armée globalement considérée est à l'image de la société soviétique. Peut-on en déduire que toutes les armes font également place à des recrues originaires de tous les groupes nationaux? Les ouvrages militaires soviétiques sont très positifs à cet égard [59]. La logique et les observations dont on dispose suggèrent cependant une situation plus nuancée. Les armes très sophistiquées requièrent un certain degré d'éducation et une bonne connaissance de la langue de l'armée : le russe. C'est pourquoi on trouve les recrues de l'Asie centrale, par exemple, plus employées dans les détachements affectés aux travaux de construction que dans certains secteurs modernes [60]. La connaissance du russe, l'éducation liée à un plus ou moins grand degré d'urbanisation entraînent sans aucun doute une certaine ventilation des recrues qui confère aux divers corps de l'armée sinon une configuration ethnique précise, du moins reflète en partie la coupure démographique : républiques occidentales plus avancées et républiques orientales agraires et plus fermées linguistiquement.

Mais c'est surtout dans l'encadrement militaire que le problème national se pose. Les données précises manquent quant à la composition ethno-culturelle du corps des officiers et du haut commandement, mais des informations dispersées dans le temps et l'espace donnent néanmoins une image plausible des cadres militaires. La carrière militaire repose sur divers éléments. Le choix personnel d'abord, lié à la perception qu'a l'individu des avantages moraux et matériels que comporte ce type de carrière. L'aptitude ensuite à un tel choix, aptitude fondée sur un niveau convenable d'éducation et la maîtrise totale du russe. Dans certains groupes nationaux, ces conditions sont aisément remplies. Il s'agit en premier lieu des peuples d'origine slave et de certains groupes non slaves enclavés dans la république russe et qui ont traditionnellement fourni des cadres à l'armée : Tatars, Tchouvaches, Mordves, etc. Les seules indications d'origine ethnique remontent à la Seconde Guerre mondiale. A cette époque, le poids des Slaves était prédominant tant dans la masse que dans le corps des officiers. Les cent divisions d'artillerie étaient composées de 90 % de Slaves dont 51,18 % de Russes, 33,93 % d'Ukrainiens et 2,04 % de Biélorusses [61]. Le corps des officiers reflète alors cette distribution majoritairement slave, mais en la déséquilibrant au profit des Russes qui en forment alors près de 90 %, suivis par les Ukrainiens et les Biélorusses [62]. Un tableau de l'encadrement dans les forces aériennes et l'artillerie des années de guerre fait apparaître en même temps que cette « slavisation » de l'armée, d'étranges lacunes.

	Officiers de rang inférieur et moyen de l'aviation en 1943	*Officiers supérieurs de l'artillerie à la fin de la guerre*
Ukrainiens	28 000	6 000
Biélorusses	5 305	1 246
Arméniens	1 079	240
Tatars	1 041	173
Géorgiens	800	129
Tchouvaches	405	—
Mordves	383	99
Ossètes	251	—

Deux points sont ici particulièrement remarquables. Tout d'abord que l'auteur de ces données indique que les Russes représentaient la masse principale de cet encadrement. Ensuite, que toutes les grandes nations musulmanes sont absentes de ces indications, ce qui suggère que le nombre des officiers qui en sont issus était inférieur aux chiffres les plus bas figurant dans ces tableaux. Aucune donnée de ce genre n'a été publiée pour la période actuelle, mais des enquêtes sur les origines socio-géographiques des officiers confirment ce que l'on sait de la situation prévalant durant la guerre.

L'Etoile rouge [63], organe de l'armée soviétique, a publié les résultats d'une enquête portant sur 1 000 officiers de rang inférieur et moyen. Selon cette enquête, 82,5 % sont issus de familles ouvrières et 17,5 % seulement de familles paysannes. Sans doute, l'échantillon a-t-il incorporé des éléments de toutes les nationalités. Cependant, l'origine ouvrière suggère qu'il s'agit principalement de nationalités plus industrialisées. Le haut commandement soviétique est toujours présenté comme émanation d'une nation soviétique unifiée. Ici, les origines nationales ne sont jamais évoquées. Un auteur occidental a compilé diverses listes d'officiers généraux et, se fiant aux noms, en a tiré la conclusion suivante : « Parmi les généraux nommés entre 1940 et 1976, 91 % sont slaves (60 % russes, 20 % ukrainiens, 4 % biélorusses, 7 % difficiles à assigner avec précision à l'un de ces deux groupes mais 2 % sont probablement polonais). »

S'agissant des officiers généraux membres du Soviet suprême de l'U.R.S.S., 95 % sont slaves (80 % russes, 15 % ukrainiens). Sur une liste de 42 officiers généraux mentionnés par la presse en 1975-1976, 40 sont slaves, les deux derniers sont l'un arménien, l'autre d'origine allemande. Parmi les membres du C.C. du P.C.U.S., les officiers généraux élus entre 1952 et 1976 sont au nombre de 101 (y compris Brejnev en raison de son titre militaire récemment acquis). 97 officiers généraux sont d'origine slave, dont 78 Russes (35 membres du Comité central, 36 candidats et 7 membres de la Commission centrale de contrôle). Parmi les quatre non-Russes, outre Brejnev, les quatre membres du C.C. semblent être tous Ukrainiens; les dix suppléants se répartissent vraisemblablement en Ukrainiens (8 sur 10) et Polonais. Les quatre non-Russes sont le maréchal Bagramian (Arménien) et trois autres dont les patronymes suggèrent soit une origine juive dans deux cas, soit une origine allemande. Si cette composition ethnique paraît à certains égards traduire des différences dans les niveaux d'éducation, ce qui expliquerait l'absence totale dans l'armée de cadres supérieurs d'origine musulmane, cette explication est insuffisante en sens inverse, à justifier l'absence de Baltes ou de Géorgiens qui se situent au sommet de la pyramide pour ce qui est du degré général d'éducation. De la même manière, le très faible nombre de Juifs est peu compatible avec le fait que cette communauté se place en U.R.S.S. au premier rang quant à l'éducation, juste avant les Géorgiens.

Il est clair ainsi que l'armée soviétique n'est pas le reflet de la société, mais le reflet du pouvoir et du degré d'assimilation des groupes nationaux ou de leur coopération avec le pouvoir. L'armée fait une place notable — même si elle n'est pas en proportion exacte de son importance — au groupe ukrainien qui ici, comme dans les domaines du pouvoir politique, apparaît en « associé » du peuple russe. Cette association a un revers; elle implique une russification des cadres militaires, donc l'existence d'un milieu national profondément russifié [64].

L'armée influe-t-elle sur les mentalités de ceux qui sont passés dans ses rangs? Est-elle un instrument de socialisation efficace, inculquant à ses recrues, grâce à une période de coupure durable de leur environnement national, la langue russe et les valeurs sociales de l'U.R.S.S.? T. Rakowska-Harmstone, qui a étudié ce problème, souligne que la situation diffère selon le niveau auquel on se situe. Ceux qui ont choisi, après le service militaire, de rester dans l'armée, ont implicitement choisi de s'intégrer, de conformer leurs attitudes, leurs convictions à celles que requiert l'armée. Choisir l'armée, c'est accepter non seulement l'ensemble des valeurs soviétiques, mais la russification [65]. Tout autre est la situation des recrues qui, à la fin de leur service, quittent l'armée. Dans quelle mesure ces hommes sont-ils marqués par cette période, exceptionnelle, de leur existence, où ils sont isolés dans un milieu étranger? Pour Ivan Dziuba, l'armée est un instrument remarquable de dénationalisation dont il décrit ainsi les effets : « Des millions de jeunes Ukrainiens rentrent, après leurs années de service militaire, désorientés nationalement et démoralisés linguistiquement. Ils deviennent de plus à leur tour une force exerçant une influence russificatrice sur d'autres jeunes et sur la population dans son entier. Sans parler du très grand nombre d'entre eux qui ne rentrent jamais en Ukraine. Il n'est pas difficile d'imaginer combien cela est terriblement dommageable au développement national [66]. »

Les remarques de Dziuba s'appliquent-elles aux autres groupes nationaux de l'U.R.S.S.? Pour en juger, des enquêtes seraient nécessaires. Dans une enquête consacrée au phénomène du bilinguisme en U.R.S.S., la question d'une seconde langue (clairement le russe) dans l'armée avait été posée. Très curieusement, le savant ouvrage qui en est sorti mentionne divers moyens de faire progresser le russe, mais l'apport de l'armée n'y est pas évoqué [67]. En l'absence d'informations précises, on en est réduit aux hypothèses et surtout aux données fournies par le recensement de 1970. Ce que suggère le recensement, c'est que certains peuples se russifient lentement, d'autres ne se russifient guère. Ce sont les premiers qui sont les plus mobiles et les autres qui ne quittent pas leur territoire. Les Ukrainiens se situent dans la première catégorie avec les Biélorusses. Les peuples musulmans, les peuples du Caucase, les Baltes pourtant soumis comme les autres au service militaire, ne montrent pas de signes de dénationalisation.

La conclusion que l'on peut tirer de ces situations contradictoires est que les peuples les plus vulnérables à la russification — slaves ou petits peuples — sont certainement ceux que le service militaire contribue à éloigner de leurs solidarités nationales. En revanche, ceux qui viennent d'un milieu national peu entamé ne semblent pas davantage entamés par le service militaire. Peut-être, au contraire, prennent-ils davantage conscience, dans un milieu purement russe, des forces d'intégration qui sont à l'œuvre, de la distance entre la théorie (une armée supranationale) et la réalité (une armée russe) et tirent-ils de là un argument de plus pour leur attachement sourcilleux aux valeurs nationales.

Enfin, on peut se demander à la lecture de la presse si les jeunes gens des républiques fédérées ne sont pas plus souvent que d'autres tentés d'éviter le service militaire et si les autorités locales n'y prêtent pas parfois une main complice. Sans doute est-ce une pratique courante dans toutes les sociétés, mais il reste significatif que ce soient les Arméniens — et aussi les Ukrainiens — dont le manque de civisme est ainsi dénoncé [68].

*
* *

Etat, Parti, Armée, trois instruments d'intégration qui fonctionnent ensemble pour atteindre un but défini sans ambiguïté dès 1917, le passage de la diversité à l'unité. Instruments d'intégration de la société? Ou instruments de contrôle avant tout? Sans doute, ces appareils s'associent-ils les élites des peuples de la périphérie jadis dominés. Mais ils le font à deux conditions : que ces élites adhèrent sans réserve au projet du pouvoir qui implique la transformation profonde des sociétés dont elles sont issues; et qu'elles soient elles-mêmes l'avant-garde de cette transformation, plus que les représentantes de leur milieu d'origine. Centralisation autour de la Russie, par le véhicule de la langue russe, telle est la fonction essentielle des trois appareils qui assurent l'autorité du pouvoir soviétique d'un bout à l'autre de l'espace où il s'étend. Cette interprétation de l'intégration est claire, elle est avant tout fondée sur le contrôle absolu du centre sur la périphérie. Mais il serait simpliste de réduire au contrôle la conception soviétique de l'intégration; d'oublier qu'à ce contrôle par les appareils, il faut ajouter la promotion des élites nationales formées à l'œuvre d'unification.

CHAPITRE V

LES LANGUES EN U.R.S.S. : INSTRUMENTS D'INTÉGRATION OU DE CONSOLIDATION DES NATIONS ?

Nul système politique ne s'est, au XXe siècle, davantage penché sur le problème des langues parlées par ses administrés que le système soviétique. La politique linguistique est sans aucun doute l'aspect le plus original de l'action menée par le pouvoir en matière nationale. C'est aussi, cela est certain, sa plus parfaite réussite. Même si cette réussite n'est pas exempte d'ambiguïtés, il faut examiner ce qu'a été le sens de cette politique, où elle a conduit la société soviétique et de quel poids elle pèse sur l'intégration nationale.

L'égalité des nations par un égal développement des langues

Si le pouvoir soviétique a, d'emblée, prêté une telle attention aux langues, c'est parce qu'il en a discuté bien avant que ses dirigeants soient au pouvoir, mais surtout parce que, dans l'Empire dont il assure la relève, le problème de la formation des élites nationales, le problème du changement culturel des sociétés différentes avaient été passionnément débattus. Dès 1917, les bolcheviks sont conscients que dans une société multi-ethnique, le choix de la langue politique et des langues de l'éducation est un problème décisif. De là dépend le modèle politique et la nature des relations interethniques. A l'origine, le pouvoir soviétique doit prendre en compte plusieurs problèmes. Les susceptibilités nationales d'abord. Comment mieux rassurer des nations qui sortent de « la prison des peuples » qu'en leur rendant le signe le plus précieux, le plus tangible de leur existence [1], leurs langues? Ensuite, le pouvoir doit faire face au problème proprement politique de la cohabitation des nations. Il s'affirme égalitaire, émancipateur des nations. L'ensemble qu'il constitue, pour n'être pas une version déguisée de l'Empire, doit associer sur un pied d'égalité tous les groupes nationaux au pouvoir et au progrès. Il choisit au nom de l'égalité de les y associer dans leur spécificité, donc dans leur langue. Enfin, se pose le problème de l'éducation rapide de toutes les sociétés de l'U.R.S.S. C'est à travers les langues qu'elles connaissent que cette éducation de masse devrait être la plus facile à réaliser. Tout commandait en 1917-1918 la promotion des langues nationales [2] : la générosité, et le réalisme politique. On a vu ailleurs comment ce choix s'était développé à travers l'élaboration de langues et d'alphabets, puis par l'unification des alphabets. La situation à laquelle l'U.R.S.S. est arrivée à la fin des années 50, quand la société est pratiquement tout entière insérée dans le réseau éducatif, est une situation exceptionnelle par le très grand nombre de langues qui se sont consolidées et par le fait qu'elles sont toutes langues d'éducation, c'est-à-dire que les groupes qui les utilisent disposent d'un réseau scolaire dans ces langues.

En principe, toutes ces langues sont égales puisque la Constitution soviétique stipule que les citoyens soviétiques ont tous « la possibilité d'utiliser leur langue maternelle et les langues des autres peuples de l'U.R.S.S. [3] », et qu'elle ne comporte aucune référence à une langue unique.

Pourtant une hiérarchie de fait s'est au cours des années établie qui comporte quatre groupes des langues [4] :

1. le russe, langue des relations internationales des peuples de l'U.R.S.S.;
2. les langues littéraires nationales des républiques fédérées : ukrainien, biélorusse, uzbek, kazakh, kirghiz, turkmène, tadjik, arménien, azebaïdjanais, géorgien, moldave, letton, lituanien, estonien;
3. les langues littéraires des républiques et des régions autonomes : tatar, bachkir, oudmourte, avar, adyghé, ossète, khakasse, tchétchène, etc. (en tout environ quarante langues);
4. les langues écrites qui remplissent des fonctions sociales très limitées dans les districts nationaux de quelques peuples du Nord et d'ailleurs : koriak, nenets, nanaï, kurde, etc. (en tout à peine plus de dix langues).

Cette description rend très exactement compte de la situation présente, nettement plus rationnelle que celle qui existait au début des années 30. Des 130 langues existant, les parlers artificiellement érigés en langues pour de toutes petites communautés ont disparu d'eux-mêmes, car ceux qui les parlaient ont préféré, à l'isolement auquel les condamnait l'usage d'une langue incompréhensible à la quasi-totalité de l'U.R.S.S., l'assimilation à une langue courante qui leur permettait de s'insérer dans la vie nationale [5]. Pour les petits peuples du Nord, le russe, et cela est logique, a généralement rempli cette fonction. Même ainsi, près de 70 langues coexistent en U.R.S.S. Leur maintien suppose l'existence d'écoles, de publications, c'est-à-dire de toute une culture écrite. Il serait faux d'assimiler à un simple folklore, ou à une bizarrerie sans signification du système soviétique, cette richesse linguistique préservée. Ces langues, par leur existence même, ont permis à des communautés de préserver leur identité dans un système qui, au-delà des différences linguistiques, cherchait à réaliser une unité profonde de la culture politique. Ce que les langues nationales véhiculent, ou sont supposées véhiculer, c'est une culture commune — le socialisme, la modernité — d'autant plus acceptable qu'elle passe par des canaux différenciés.

L'égalitarisme linguistique n'est pas, cependant, dans le projet des dirigeants soviétiques un point d'arrivée. C'est une première étape vers un nécessaire bilinguisme — langue nationale associée à la langue de tous les peuples de l'U.R.S.S., le russe [6] — puis vers une utilisation toujours plus étendue, mais volontaire, de la langue commune. Progressivement, les langues nationales devraient devenir une composante accessoire d'une personnalité nationale transformée, l'*Homo sovieticus,* où ce qui est commun à tous gagne constamment du terrain sur le particulier.

L'évolution des langues nationales devait, en principe, favoriser aussi le bilinguisme. En premier lieu, la cyrillisation presque générale des alphabets à la fin des années 30 (à l'exception des langues baltes, du géorgien et de l'arménien) a supprimé un obstacle important aux contacts linguistiques. Un second facteur favorisant le bilinguisme a été la pénétration dans toutes les langues de mots techniques qui étaient empruntés au russe [7]. Dans les années 40, ce processus semblait pouvoir rapidement transformer, de l'intérieur même, les langues les plus éloignées du russe.

Quel est désormais le bilan de cette politique égalitaire sous-tendue par un projet d'intégration culturelle? Après soixante ans, c'est-à-dire deux générations, que sont les membres des diverses nations de l'U.R.S.S.? Quelles langues parlent-ils? Quelles langues étudient-ils? Quel est leur degré d'intégration culturelle?

Des langues nationales en progrès

On peut aisément mesurer la situation linguistique de l'U.R.S.S., parce que tous les recensements (y compris celui effectué sous l'Empire) ont insisté sur la langue. Le tableau suivant montre comment les groupes s'identifient à leur langue.

% de membres d'un groupe national considérant leur langue comme langue maternelle [8]

Nationalités	*1926*	*1959*	*1970*
Russes	99,7 %	99,8 %	99,8 %
Ukrainiens	87,1 %	87,7 %	85,7 %
Biélorusses	71,8 %	84,2 %	80,6 %
Lituaniens		97,8 %	97,9 %
Lettons		95,1 %	95,2 %
Estoniens		95,2 %	95,5 %
Moldaves	92,3 %	95,2 %	95 %
Géorgiens	96,5 %	98,6 %	98,4 %
Arméniens	92,4 %	89,9 %	91,4 %
Azerbaïdjanais	93,8 %	97,6 %	98,2 %
Kazakhs	99,6 %	98,4 %	98 %
Uzbeks	99,1 %	98,4 %	98,6 %
Turkmènes	97,3 %	98,9 %	98,9 %
Tadjiks	98,3 %	98,1 %	98,5 %
Kirghizs	99 %	98,7 %	98,8 %
Tatars	98,9 %	92 %	89,2 %
Tchouvaches	98,7 %	90,8 %	86,9 %
Bachkirs	53,8 %	61,9 %	66,2 %
Mordves	94 %	78,1 %	77,8 %
Maris	99,3 %	95,1 %	91,2 %
Oudmourtes	98,9 %	89,1 %	82,6 %
Komis	96,5 %	88,7 %	83,7 %
Caréliens	95,5 %	71,3 %	63 %
Kalmyks	99,3 %	91 %	91,7 %
Kabardins	99,3 %	97,9 %	98,1 %
Ossètes	97,9 %	89,1 %	88,6 %
Tchétchènes	99,7 %	98,8 %	98,8 %
Peuples du Daghestan	99,3 %	96,2 %	96,5 %
Karakalpaks	87,5 %	95 %	96,6 %
Bouriates	98,1 %	94,9 %	92,6 %
Iakoutes	99,7 %	97,5 %	96,2 %
Juifs	71,9 %	21,5 %	17,7 %
Allemands	94,9 %	75 %	66,8 %
Polonais	42,9 %	45,2 %	32,5 %

Que déduire de ce tableau?

Tout d'abord une différence significative entre les nations. D'un côté on trouve celles qui ont une république à l'intérieur de laquelle les droits linguistiques sont fort bien préservés. Les langues nationales y sont conservées comme premières langues par plus de 90 % de leurs membres et les pourcentages plus faibles (Ukrainiens, Arméniens) sont dus de toute évidence à l'existence de diasporas importantes. En revanche, les nationalités vivant dans des républiques ou régions autonomes sont souvent moins bien protégées linguistiquement. Au bas de l'échelle se situent deux groupes n'ayant pas de territoire propre, les Juifs et les Polonais. Les Allemands, au contraire, en dépit de la perte de leur territoire national, ont moins perdu leur langue propre que les deux groupes précédents.

Une deuxième constatation concerne la situation des langues dans la période séparant les deux derniers recensements. En 1961, Khrouchtchev affirmait que les langues nationales s'affaiblissaient, perdaient leurs adeptes; or, presque toutes les nations non seulement témoignent d'une remarquable stabilité, mais même d'un attachement croissant à leurs langues nationales; enfin, les groupes les plus attachés à leur langue sont ceux de la périphérie musulmane ou du Caucase. Et parmi les petites nationalités, c'est aussi chez les peuples musulmans ou bouddhistes que l'on trouve le plus grand degré de fidélité aux langues, et même parfois un progrès.

Lorsqu'on regarde les données générales des recensements, on constate que la population urbaine est moins totalement attachée à sa langue nationale, de même que la population masculine. Mais ici encore les données globales sont différentes selon les nations considérées. Les peuples musulmans, ceux du Caucase, même lorsqu'ils s'urbanisent, perdent très peu l'usage de leur langue; de même que la différence entre les langues parlées par les hommes et les femmes est minime, voire inexistante. En d'autres termes, là où la langue maternelle conserve une position très forte, ni l'urbanisation, ni le sexe, ne changent réellement la situation. En revanche, les nationalités qui lentement perdent l'usage de leur langue sont davantage soumises à des influences extérieures.

En définitive, loin de montrer un effacement progressif des langues, le recensement témoigne que la société soviétique des années 70, éduquée, soumise à des rencontres fréquentes avec la langue russe par l'intermédiaire des média, tient fermement à sa langue maternelle.

Cette stabilité — voire cette progression des langues nationales — est-elle accompagnée d'une progression simultanée de la langue russe? Le recensement de 1970 permet de répondre à cette question puisque les Soviétiques étaient interrogés sur leur aptitude à utiliser une autre langue de l'U.R.S.S.

Ici, il faut noter en premier lieu que parmi ceux qui avaient perdu l'usage de leur langue nationale, en 1959, 10 183 000 l'avaient échangé contre le russe [9].

En 1970, le nombre de ceux qui ont opté pour le russe passe à 13 019 200, ce qui représente une progression notable en chiffres absolus, mais nullement en pourcentage des non-Russes qui passent de 9,5 à 8,6 %. Deux conclusions s'imposent ici. L'assimilation linguistique, toutes langues confondues, n'a que très peu progressé en onze ans. Et la part du russe ne change guère non plus. Le vrai problème est celui du bilinguisme qui préoccupe les dirigeants soviétiques et les pédagogues [10].

Dans quelle mesure les peuples non russes, qui s'en tiennent fermement à l'usage de leur langue, ont-ils, au cours de leur éducation, acquis l'usage du russe? Le recensement montre qu'il existe sur ce point des groupes très différenciés. Un premier groupe est composé de Juifs qui ont en majorité opté pour la langue russe et pour qui la seconde langue est désormais leur langue maternelle et non plus le russe [11]. En effet, 72,8 % des Juifs de l'U.R.S.S. considèrent la langue russe comme langue maternelle (82 % au Birobidjan) et 16,3 % (15,7 % au Birobidjan) parlent cette langue en seconde position. On peut considérer que l'assimilation linguistique du groupe juif est réalisée pleinement. Les Allemands et les Tatars semblent aussi suivre la même voie. Les premiers sont à plus de 70 % parfaitement russophones, même s'ils conservent mieux que les Juifs la connaissance de leur langue. Quand aux Tatars qui restent très attachés à leur langue maternelle, ils représentent un très bon exemple de la progression du bilinguisme puisque, dans l'ensemble, 62,5 % d'entre eux disposent avec le russe d'une langue qu'ils connaissent très bien [12].

Pour ces trois nations, les raisons de leur plus ou moins rapide assimilation sont claires. Elles sont soit totalement privées d'un territoire propre, et par là même ont des droits réduits ou inexistants dans le domaine de l'éducation; soit, et c'est le cas des Tatars, très dispersées, plongées dans un environnement étranger qui pèse fortement en faveur de l'adoption d'une langue autre que la leur.

Un second groupe se dessine, dont la cohérence quant à la situation ethno-géographique est beaucoup moins claire. Ce groupe est celui où une part déjà plus conséquente de la population, variant entre 25 et 50 %, est bilingue, tout en manifestant un grand attachement à sa propre langue. On retrouve dans ce groupe les peuples slaves dont le bilinguisme trouve une explication dans la proximité linguistique, les peuples baltes culturellement très avancés, les Moldaves culturellement très attardés. Parmi les Slaves, les Biélorusses semblent être les plus soumis à un processus assez rapide de russification linguistique. Leur langue a reculé assez nettement entre les deux recensements au bénéfice du russe adopté par près de 10 % de Biélorusses vivant dans leur république et près de 57 % de ceux qui sont à l'extérieur. A ce poids important et croissant des Biélorusses assimilés, s'ajoute la masse de ceux qui sont russophones en dépit de leur attachement à leur langue. Ils sont 52 % dans la république même et 35 % à l'extérieur. C'est là un phénomène d'importance. Plus de 60 % de la population biélorusse à l'intérieur de la république connaît bien le russe, et presque tous les Biélorusses dispersés — ils sont 20 % et ont tendance à se disperser davantage — ont acquis une bonne connaissance du russe au détriment de leur langue ou avec elle. Ici, le fléau de la balance semble pencher d'autant plus inexorablement vers la progression du russe qu'entre les deux recensements tous les indices — recul de la langue maternelle, progression du russe en deuxième langue et dispersion accrue — s'additionnent. La situation des Ukrainiens paraît suivre un cours identique, mais à un rythme plus lent. Le recul de la langue ukrainienne, pour ceux qui vivent dans leur république et pour ceux qui sont dispersés (ils sont un petit peu moins de 14 %), est très exactement compensé par le progrès de la langue russe adoptée comme première langue désormais par 8,6 % des Ukrainiens de l'intérieur et par la moitié des Ukrainiens dispersés. Si, pour ces derniers, la connaissance du russe est générale, parmi ceux qui vivent dans leur république, moins d'un tiers encore l'ont adopté pour seconde langue. Deux données séparent Biélorusses et Ukrainiens et font que l'évolution ukrainienne paraît à certains égards moins inquiétante. Tout d'abord la russification des Ukrainiens se fait plus lentement, aussi bien lorsqu'il s'agit de passer de l'ukrainien au russe, que pour l'emploi du russe en seconde langue. De plus, contrairement aux Biélorusses qui continuent à quitter leur république, les Ukrainiens semblent au contraire s'y concentrer plus que dans le passé [13]. En outre, les Ukrainiens sont plus urbanisés que les Biélorusses. Si l'on admet que les villes constituent le milieu le plus favorable à la progression du russe, on voit nettement qu'une résistance s'esquisse en Ukraine en dépit de l'urbanisation, pour protéger l'existence de la langue nationale.

Les Moldaves aussi sont menacés dans leur personnalité linguistique. La langue russe progresse lentement au détriment de la langue nationale, mais très nettement à ses côtés. Près de 34 % des Moldaves installés dans leur république sont bilingues; il en va de même de la moitié des 14,5 % des Moldaves qui vivent à l'extérieur. Pourtant, deux éléments auraient dû, en principe, préserver les Moldaves d'une pénétration rapide du russe. Leur langue d'abord. Même écrite en alphabet cyrillique, ce n'est pas une langue slave mais une forme modifiée du roumain. Leur faible degré d'urbanisation aussi. En dépit de ces facteurs en apparence favorables au développement de la langue nationale, les Moldaves se situent assez haut dans l'échelle de l'assimilation linguistique.

Les apparences semblent militer pour le classement dans le même groupe des peuples baltes. Si le russe y progresse à peine au détriment des langues nationales, il est assez répandu comme seconde langue. 45 % des Lettons le parlent, 35 % des Lituaniens, 27 % des Estoniens. Mais ici la connaissance plus ou moins étendue du russe reflète plus un haut degré de développement culturel et urbain, qu'un quelconque abandon des langues nationales. Les peuples concernés sont protégés d'abord par l'imperméabilité de leur langue au russe. Elles appartiennent toutes trois à des groupes linguistiques totalement différents du slave; elles utilisent un alphabet latin. Pour ces peuples, le russe est une véritable langue étrangère, non une langue voisine. De plus, comme partout ailleurs, l'usage du russe se développe mieux hors de la république qu'à l'intérieur; mais les années séparant les deux recensements ont été marquées par une concentration accrue des populations concernées dans leurs républiques.

Un dernier cas, celui du peuple kazakh, vient enrichir ce groupe des peuples plus ou moins bilingues. Sans doute, les Kazakhs sont-ils beaucoup plus fermement attachés à leur langue que les Ukrainiens, par exemple. Mais ils sont aussi beaucoup plus avancés dans la voie du bilinguisme qu'eux. 41,8 % des Kazakhs — aussi bien ceux qui sont dans la république que ceux qui vivent à l'extérieur — parlent russe. C'est le seul peuple d'Asie centrale à entrer dans la catégorie des bilingues que l'on pourrait appeler « avancés »; c'est aussi le seul peuple chez qui le bilinguisme soit également développé à l'intérieur et à l'extérieur des frontières républicaines. Mais ici une explication s'impose aussitôt. Les Kazakhs ont dans leur république une position minoritaire puisqu'ils constituent actuellement, ayant d'ailleurs amélioré leur position, à peine le tiers de la population totale. La préservation de la langue nationale dans une situation minoritaire est toujours une tâche difficile.

On voit donc que le russe peut progresser dans des situations très différentes. Là où sa pénétration est favorisée par la proximité des langues ou au minimum par un alphabet commun, et là où les langues sont totalement différentes. Il peut progresser dans des sociétés essentiellement urbaines mais aussi là ou l'urbanisation est lente à s'accomplir. Il progresse au rythme du développement intellectuel, mais aussi dans un milieu intellectuellement moins favorisé.

Un troisième groupe enfin est formé des peuples pour qui le russe reste une langue très lointaine. Tous les grands peuples du Caucase et de l'Asie centrale sont dans ce cas. Ceux qui se prêtent le plus à la pénétration du russe sont encore les Arméniens, parce qu'ils ont une très large diaspora (45 % de la population arménienne totale). Ce qui, dans ces conditions, est remarquable, ce n'est pas leur degré de russification linguistique, mais le degré d'attachement à la langue arménienne. Au cours des années séparant les deux recensements, le russe est devenu la première langue d'un nombre d'Arméniens à peine plus élevé qu'auparavant (19,6 % au lieu de 17,9 %). En seconde langue même, le russe est parlé par 23,3 % des Arméniens vivant dans leur république et 41,2 % de ceux qui sont à l'extérieur. Quel signe plus évident de la vitalité nationale d'un groupe que celui-ci? Près de la moitié de ce groupe est insérée dans un milieu qui lui est étranger, et cependant plus de 90 % préservent leur langue; moins de 40 % ont appris le russe. Il est vrai que bon nombre d'Arméniens vivent dans la république voisine de Géorgie où le nationalisme linguistique se manifeste hautement. Le géorgien est conservé comme langue maternelle par presque tous ceux qui vivent dans leur pays. Sa position s'affaiblit nettement au bénéfice du russe hors de Géorgie (28,1 % ont choisi le russe) mais c'est là une donnée négligeable dans la mesure où seulement 3,5 % de Géorgiens vivent hors de leur patrie. En dépit d'un très haut niveau culturel, les Géorgiens — et c'est là une donnée remarquable — connaissent peu le russe en seconde langue (20 %). En revanche, ils s'enorgueillissent du fait que leur langue, pourtant dotée, comme l'arménien, d'un alphabet unique au monde, et ne se rattachant à aucun autre groupe linguistique existant en U.R.S.S., s'est imposée comme première langue à 100 000 personnes vivant dans la république et est parlée couramment par un groupe complémentaire de 164 000 non-Géorgiens [14].

Dès que l'on aborde les peuples musulmans, la connaissance du russe devient de plus en plus faible. En première langue, le russe ne recueille qu'un pourcentage dérisoire d'adeptes dans les républiques de l'Asie centrale et en Azerbaïdjan (moins de 1 % de la population vivant dans la république). En seconde langue, les plus avancés sont à cet égard les Kirghizs dont 19 % connaissent le russe, suivis par les Tadjiks (16 %), les Azéris (14,9 %), les Turkmènes (14,8 %), les Uzbeks (13 %). Ce qui, dans ces chiffres, est significatif, c'est avant tout que la langue nationale, loin d'avoir reculé au cours des dernières années, a presque partout consolidé, voire amélioré ses positions. C'est ensuite que le russe ne progresse que très lentement.

Si l'on compare, en définitive, l'évolution de ces trois grands groupes, on constate que les progrès du russe coïncident moins avec une situation sociologique claire — développement de l'urbanisation [15] et recul du monde rural — qu'avec un statut politique (absence ou existence d'un Etat propre) et une situation géographique (la périphérie caucasienne et centro-asiatique semble beaucoup moins vulnérable que la partie occidentale de l'U.R.S.S.). Mais un autre facteur est aussi à prendre en considération, c'est le caractère plus ou moins authentique des cultures, voire des langues nationales. La langue biélorusse, dans sa forme actuelle, a été forgée par le pouvoir soviétique à partir de parlers différents et imposée à la population au nom de la politique de « biélorussisation » qui prévalait dans les années 20 [16]. C'est en fait une création artificielle, qui a mis du temps à s'imposer et n'est probablement pas en mesure de lutter contre la concurrence du russe, trop proche et plus réel. Le cas du moldave est dans une certaine mesure similaire. Pour donner aux Moldaves une personnalité propre, pour les convaincre qu'ils ne sont pas des Roumains, le pouvoir soviétique leur a imposé l'usage d'un dialecte régional du roumain, modifié dans sa forme écrite par l'adoption de l'alphabet cyrillique. La langue moldave apparaît ainsi comme une fabrication aussi artificielle que la nation moldave, et c'est probablement ce caractère artificiel qui l'empêche de résister efficacement au russe.

Tout au contraire, les langues du Caucase et de l'Asie centrale qui ont véhiculé de riches cultures, qui sont identifiées à une longue tradition historique, sont des symboles d'existence nationale que les membres de chaque communauté défendent d'autant plus que leur épaisseur historique est réelle.

Cependant, pour qu'une langue vive, il faut qu'elle soit enseignée. Plus encore, il faut qu'elle soit la base même de l'enseignement, que toutes les connaissances passent par son truchement. Dans quelle mesure toutes les nations et nationalités disposent-elles des moyens éducatifs de maintenir leurs langues intactes? Dans quelle mesure la situation respective des langues nationales et du russe est-elle le reflet du système d'enseignement soviétique?

Ces deux termes sont-ils associés dans une politique cohérente dans le temps et dans l'espace?

Chaque groupe national possède, on l'a dit, un droit absolu à disposer d'un réseau d'établissements culturels — écoles, universités, publications — dans sa propre langue. A cet égard, la doctrine soviétique a d'ailleurs évolué [17]. Dans les années 20, l'éducation nationale était impérative parce que symbolisant l'égalitarisme proclamé. Au contraire, depuis le milieu des années 30 et surtout depuis la Seconde Guerre mondiale, l'acquisition du russe devient généralement une condition importante de promotion sociale. Khrouchtchev, qui avait une vue volontariste de l'évolution nationale, a essayé, au demeurant, d'accélérer ce qu'il considérait comme un critère décisif d'évolution, le passage au russe. C'est pourquoi, dans la réforme de l'enseignement qu'il promulgue en 1958, il introduit une clause concernant le droit des parents à choisir la langue dans laquelle les enfants seront éduqués [18]. Cette disposition, en apparence innocente, est d'une importance capitale. En premier lieu, elle suggère que l'intérêt bien compris des enfants impose l'étude dans une langue qui n'est pas la leur. Deuxièmement, en remplaçant le principe général d'une éducation en langue nationale par un choix, Khrouchtchev plaçait les citoyens non russes dans une position très difficile. Depuis 1958, le pouvoir insiste constamment, pesamment, sur le rôle du russe dans le rapprochement des nations et sur la nécessité d'un bilinguisme total. Laisser aux parents le choix d'une éducation qui ne déboucherait pas sur ce bilinguisme, c'est leur faire courir le risque de sembler peu soucieux du rapprochement des nations. Il y a là une pression morale incontestable. Mais le choix n'est pas la seule donnée du problème. Il s'en ajoute une autre, celle des possibilités. Les parents ont-ils partout, de manière égale, la possibilité de choisir entre un cursus national ou un cursus russe? Ici les variations d'une région à l'autre sont considérables et les données à prendre en considération, multiples. Tout d'abord, le système soviétique comporte trois types d'écoles. Les écoles en langue nationale, les écoles où l'enseignement se fait en russe et des écoles qui ont un cursus mixte. Une deuxième variable est liée à la durée de l'enseignement dispensé dans les écoles. Certaines écoles ne dépassent pas le niveau de l'enseignement élémentaire. D'autres, en dépit du fait que le cycle complet d'enseignement est de dix ans, ne couvrent que huit années d'enseignement. Une troisième variable concerne les règles d'enseignement du russe dans les écoles non russes qui subissent des changements d'une république à l'autre ou au sein de la même république. Il est particulièrement difficile de dresser un tableau général de l'éducation des nationalités car, à ces variations dans les situations particulières, s'ajoute en l'occurrence un problème d'information. Les recensements, si riches en données sur le développement général de l'éducation à l'intérieur de chaque groupe national, passent cependant sous silence le problème des langues d'enseignement. Pour combler une si grave lacune, on ne dispose que d'informations partielles et souvent différentes de nature. Pour tenter de comprendre la situation scolaire des nationalités, il faut ici séparer les grandes nationalités dotées de leur république et celles qui sont incorporées comme république ou région autonome dans un cadre différent. Comme on peut l'imaginer, la situation des Slaves est dominée par la parenté des langues qui leur sont propres et du russe, ce qui, on l'a vu, tend à favoriser les progrès du russe. Pour l'Ukraine, des informations datant de l'époque du dernier recensement [19] permettent de constater les difficultés de l'enseignement ukrainien. Sur les 27 500 écoles régulières de la république, 22 000 dispensaient un enseignement en ukrainien; 4 700 en russe et les autres dans diverses langues de minorités (polonais, hongrois, moldave). En apparence, la situation de l'ukrainien paraît bonne. En pratique, elle l'est beaucoup moins. D'abord, parce qu'en vingt ans le nombre d'établissements enseignant le russe a presque doublé, tandis que le nombre d'écoles ukrainiennes tombait de 28 000 à moins de 23 000. Ensuite et surtout, parce que ces chiffres mêlent toutes les écoles, quelles que soient la longueur des cursus et la dimension de l'établissement. Or, une école urbaine dispensant un cycle complet d'enseignement a facilement dix fois plus d'élèves qu'une école rurale de quatre ans. Des informations partielles suggèrent qu'en milieu urbain les écoles sont plutôt russes, tandis qu'elles sont plutôt ukrainiennes à la campagne. Dans ces conditions, on peut penser que la part faite à l'enseignement ukrainien est beaucoup moins belle qu'il n'y paraît de prime abord. Quant à l'enseignement supérieur en Ukraine, tout suggère que la langue russe y occupe une place prééminente. Le caractère ethniquement très mêlé des étudiants, mais aussi des enseignants, est en faveur de cette hypothèse.

En Biélorussie, la russification de l'enseignement est beaucoup plus nette à tous les niveaux. Si aucune information précise ne permet de dire comment se répartissent les écoles en russe et en biélorusse, en revanche deux points sont connus. En milieu urbain, les écoles en russe prédominent. Par ailleurs, le russe est enseigné dans tous les établissements scolaires en Biélorussie, de même que le biélorusse est enseigné dans tous les établissements russes [20]. Le parallélisme n'est cependant pas total. Dans les écoles biélorusses, le russe est enseigné obligatoirement de la seconde classe à la huitième, à un rythme moyen de cinq heures hebdomadaires jusqu'à la sixième, puis à un rythme qui descend jusqu'à deux heures par semaine en huitième. Ainsi, durant sept années, sur les dix ans de scolarité [21], les élèves des écoles biélorusses sont soumis à un entraînement en russe relativement intensif. Dans les écoles russes, en revanche, le biélorusse n'est étudié que de la troisième à la huitième année et, sauf pour les deux premières années où les charges horaires sont respectivement de trois et quatre heures, dès la cinquième, l'enseignement du biélorusse est limité à deux heures. Ceci explique aisément pourquoi, dans les universités, les enseignements, à l'exception de quelques cours, se font en russe. Les étudiants y sont bien préparés. Les Moldaves devraient être à l'abri d'une intense russification à la fois parce qu'ils sont en majorité ruraux et parce que leur niveau d'éducation reste très en arrière du niveau moyen de l'U.R.S.S. En dépit de cela, le poids du russe dans les écoles, du moins en milieu urbain [22], est dominant, d'autant qu'en Moldavie il s'agit, en affaiblissant le moldave, de détruire les solidarités linguistiques qui lient les Moldaves à la Roumanie. Quant à l'université, elle impose la connaissance de la langue russe.

A la faiblesse de l'éducation dans les langues nationales des Slaves et des Moldaves, s'oppose le statut très fort des langues nationales dans des républiques où le niveau culturel est très élevé et l'urbanisation souvent très développée — Baltes et peuples chrétiens du Caucase. En Estonie et Lituanie, les écoles en langue nationale sont très solidement implantées : 73 % des écoles estoniennes dispensent un enseignement en estonien; 84 % des enfants lituaniens sont instruits dans leur langue maternelle [23]. En Lettonie, l'enseignement en russe semble bénéficier d'une situation légèrement plus favorable. Pour compenser le faible attrait des écoles russes en pays baltes, l'enseignement du russe y est rendu obligatoire très tôt, dès la première année d'école en Lituanie, dès la seconde en Lettonie et en Estonie. Enfin, l'enseignement supérieur est donné principalement dans les langues nationales, et les universités comme celle de Tartu en Estonie ont une réputation considérable à l'échelle de l'U.R.S.S. entière. La Géorgie se trouve dans une situation très comparable à celle des pays baltes. Trois quarts des écoles dispensent un enseignement en géorgien et le nombre d'écoles russes excède à peine celui des écoles arméniennes de Géorgie (pour chacune moins du dixième des écoles géorgiennes). L'enseignement supérieur dispensé pour l'essentiel en géorgien est de grande qualité et fournit des élites très nombreuses puisque les Géorgiens se situent au second rang derrière les Juifs en ce qui concerne la part des diplômés de l'enseignement supérieur par rapport à l'ensemble de la population. De là, d'ailleurs, un problème de sous-emploi des élites géorgiennes. Formées en Géorgie, même lorsqu'elles pratiquent le russe, peu enclines à émigrer, ces élites ne trouvent pas toujours un débouché dans le cadre de leur république. Le mécontentement de ces « chômeurs intellectuels » est une des composantes du nationalisme géorgien. Il en va tout différemment des Arméniens. Ils sont très attachés à conserver leurs propres écoles, que ce soit en Arménie ou dans la diaspora. En Russie même, ils disposent d'écoles arméniennes au cursus complet et, dans les écoles russes, les cours d'arménien sont dispensés durant les dix années d'études [24]. Sans doute ce privilège est-il compensé par l'étude obligatoire du russe dès la première année d'école et dans l'enseignement supérieur. Ces dispositions ne nuisent pas, au demeurant, au développement d'une élite totalement formée dans sa langue. 62 % des Arméniens qui reçoivent une éducation supérieure étudient en arménien à Erivan [25]. Rien d'étonnant dès lors si les Arméniens se situent au troisième rang (après les Juifs et les Géorgiens) pour la part occupée par les élites dans la totalité de leur groupe. Mais à la différence des Géorgiens, ces élites n'hésitent pas à quitter leur territoire et à utiliser leur compétence partout où cela est possible.

Dans les républiques musulmanes, une fois encore, prévaut une situation homogène à laquelle ne font exception que les Kazakhs. Pour ce groupe, un clivage net existe entre la population rurale qui étudie dans les écoles kazakhs et la population urbaine qui tend à fréquenter les écoles russes. Minoritaires dans leur république, n'ayant pas encore des élites suffisantes pour couvrir leurs besoins, les Kazakhs recourent d'eux-mêmes à la langue russe parce qu'elle est pour eux le plus sûr moyen de promotion sociale et d'accès aux postes responsables. Dans les autres républiques d'Asie centrale et en Azerbaïdjan, en revanche, une situation scolaire relativement homogène existe. La population titulaire des républiques, que ce soit en milieu rural ou urbain, préfère ses écoles. Le pouvoir soviétique essaie de compenser ce repli sur les enseignements nationaux par l'introduction forcée du russe dès les premières classes [26], par le développement d'un enseignement *long* (dix ans) en russe, contrastant avec la situation des écoles nationales où l'enseignement de huit ans prévaut [27], et surtout par des pressions pour l'admission dans les universités, soit que la connaissance du russe soit imposée comme préalable à l'admission dans l'enseignement supérieur, soit encore que la politique de sélection des cadres favorise ceux qui ont suivi un enseignement supérieur en russe [28]. En dépit des incitations à étudier le russe, voire des pressions au stade de l'enseignement supérieur, les peuples musulmans manifestent une grande réticence à abandonner leurs écoles pour les écoles russes. Une fraction limitée de leur élite peut suivre par la suite un enseignement supérieur russe (en Kirghizie, l'absence quasi totale d'un cursus universitaire proprement kirghiz les y contraint), mais de manière générale leur évolution est caractérisée par deux données. Le niveau de connaissance du russe est très insuffisant, et ces peuples insistent pour le développement d'un enseignement supérieur national, accepté comme voie d'accès indiscutée à tous les postes. Ils militent clairement pour la formation d'élites nationales, non pour des promotions sociales grâce à la connaissance de la langue russe. Si l'on ajoute à cela que les femmes abandonnent tôt leurs études, on comprend pourquoi les langues nationales se maintiennent aussi solidement. Entre les exigences des peuples musulmans et des Géorgiens, et la politique du bilinguisme prônée par le pouvoir soviétique, un dialogue de sourds se développe qui semble s'être amplifié et non avoir diminué dans la période qui sépare les deux derniers recensements.

Ainsi, avec plus ou moins de bonheur, les nations reconnues comme telles sont, en règle générale, capables de préserver leurs langues à travers un système éducatif qui assure la formation d'une société nationale « dans la forme ». Mais cette règle qui découle du statut des nations est loin de s'appliquer totalement aux formations nationales moins complètes, organisées en républiques autonomes, voire en régions ou districts nationaux. Dès lors qu'un groupe national est enclavé géographiquement et rattaché politiquement à un autre Etat de la fédération, ses droits culturels s'amenuisent en fait, sinon en théorie. L'organisation politique de l'U.R.S.S. fait que la majeure partie des nations non souveraines sont enclavées dans la république fédérative de Russie. Or ici, le statut culturel des peuples révèle un processus de russification rapide au moyen précisément de l'école. Une étude américaine [29] s'est attachée à décrire ce processus. La situation pour les non-Russes de la R.S.F.S.R. est caractérisée par plusieurs données. Tout d'abord par le fait que, même dans les cas où les formations nationales disposent d'un réseau complet d'enseignement secondaire (deux nations seulement se trouvent dans ce cas, les Tatars et les Bachkirs [30]), dans toutes les écoles, le russe, langue de la R.S.S. où elles sont incorporées, est *obligatoire* dès la première année. En toute circonstance donc, l'étude du russe est imposée dès le début de la vie scolaire et jusqu'à son point terminal. Une deuxième donnée est que dans tous les cas, sauf, on l'a dit, pour les Tatars et les Bachkirs, l'enseignement national incomplet contraint les enfants, pour recevoir une éducation secondaire poussée, à passer obligatoirement à un moment donné de l'enseignement dans leur langue à l'enseignement en langue russe. Troisièmement, au cours des vingt dernières années, la tendance générale a été à la réduction des enseignements nationaux au bénéfice d'un passage toujours plus rapide dans les écoles russes. Enfin, l'existence d'écoles nationales n'implique pas que la totalité du groupe en bénéficie. On peut, au contraire, supposer que les parents, conscients que leurs enfants auront ensuite à affronter l'école russe, puis l'université russe, préfèrent dès le départ les préparer à une formation qui en définitive sera russe, et conservent leur langue propre comme moyen de communication à l'intérieur de la famille et du groupe environnant. L'évolution dans le sens d'une lente suppression de l'enseignement indigène ressort nettement du tableau suivant qui résume la situation des républiques autonomes.

DURÉE DU CURSUS SCOLAIRE DANS LA LANGUE NATIONALE [31]

Nationalités titulaires dans les R.S.S.A.	*1958*	*1972*
Bachkirs	*1-10*	*1-10*
Bouriates	1-7	1-6.
Tchétchènes	1-4	éduc. préscolaire seulement
Tchouvaches	1-7	1-4
Ingouches	1-4	éduc préscolaire seulement
Kabardes	1-4	rien
Balkars	1-4	—
Kalmyks	1-4	—
Caréliens	inconnu	inconnu
Komis	1-7	1-3
Maris	1-7	0-3
Mordves	1-7	0-3
Nord-Ossètes	1-4	rien
Peuples du Daghestan (Avars, Dargins, Kumyks, Lezg, Laks, Nogais, Tabasarans)	1-4	0-2 (à l'exception des Avars 0-1)
Tatars	*1-10*	*0-10*
Touviniens	1-7	0-7
Oudmourtes	1-7	0-3
Iakoutes	1-7	1-8

Ce tableau est éloquent; il montre qu'outre les Tatars et Bachkirs, seuls les Iakoutes semblent sur la voie d'acquérir un enseignement complet qui leur soit propre. Pour tous les autres peuples, la langue nationale tend à être reléguée dans la petite enfance et les années d'apprentissage de la lecture et de l'écriture. Au-delà, même la population rurale qui n'a souvent à sa disposition que des écoles élémentaires de quatre ans, doit user des écoles russes. Ainsi, la coupure existant dans les républiques fédérées entre une population rurale étudiant massivement dans sa langue et une population urbaine plus soumise à une possible russification s'efface-t-elle dans ce type de formation territoriale. L'école russe a pénétré partout. La situation est encore plus défavorable dans les régions autonomes et les districts nationaux. Souvent, l'enseignement élémentaire national y existait encore en 1958; onze ans plus tard, exception faite des peuples altaïques, Khakasses et Komis-Permiaks, qui n'ont d'ailleurs qu'un enseignement élémentaire de trois ans en langue propre, l'enseignement national a disparu. Plus grave encore est le fait que, tandis que dans les républiques et régions autonomes, la langue nationale est enseignée dans les écoles russes tout au long des études, dans les districts nationaux (exception faite une fois encore des Komis-Permiaks), la langue nationale n'est enseignée au mieux que jusqu'à la troisième [32].

Il ressort clairement de ces données qu'un mouvement probablement irréversible s'opère à l'intérieur de la R.S.F.S.R. pour réduire le nombre des langues utilisées dans l'éducation parmi la population non russe. Pour les nations enclavées, il faut admettre que Khrouchtchev avait justement entrevu qu'un rapprochement puis une fusion linguistique pouvaient s'opérer en l'espace d'une génération. Cependant, on peut se demander si cette évolution qui assimile par la voie de l'éducation les petites nations à celles qui les encadrent, a toujours eu pour effet de les russifier. Dans la R.S.F.S.R., la réponse ne peut être qu'affirmative. Dans d'autres républiques (Géorgie, Uzbekistan), qui enferment dans leurs frontières d'autres formations nationales, il est encore difficile de dire vers quelle langue bascule le groupe en voie d'assimilation : vers le russe? ou vers la langue de la république?

On ne peut y répondre à l'aide du recensement qui a cherché à fixer le degré de connaissance du russe des peuples rattachés à une autre langue, et s'est montré peu soucieux de définir quelles autres langues avaient été choisies. L'exemple des Tatars vivant hors de leur république prouve cependant que s'ils s'assimilent en premier lieu aux Russes, surtout en milieu urbain, ils sont aussi attirés par la langue dans laquelle ils baignent lorsque celle-ci appartient à un groupe linguistique proche d'eux (kazakh, kirghiz, uzbek, turkmène). L'influence du milieu politico-linguistique environnant est éclairée par le cas des Ossètes. Ceux qui vivent dans la R.S.F.S.R. choisissaient, lorsqu'ils s'assimilaient, le russe. En Géorgie, par contre, ils optent massivement pour le géorgien [33]. Un cas intéressant mérite d'être relevé, celui des Tziganes. Peuple sans territoire et sans droits, les Tziganes, à l'inverse des Allemands ou des Juifs, ont montré au cours des dernières années un degré de conscience nationale linguistique accru, puisque le pourcentage de ceux qui reconnaissent désormais le tzigane pour langue maternelle est passé de 59,3 à 70,8 %.

En définitive, peut-on conclure, comme le suggérerait l'Américain Brian Silver [34] que l'affaiblissement des langues nationales dans le cadre de la R.S.F.S.R. pourrait bien servir de modèle à une évolution semblable dans les républiques nationales? Dans l'état actuel des choses, la réponse est sans aucun doute non. L'opposition entre le statut des langues nationales dans les républiques et dans les territoires enclavés est frappante. La consolidation des langues dans les républiques souveraines (à l'exception des Slaves) est aussi une donnée incontestable du problème. Enfin, à l'attachement profond des peuples à leur langue, il faut ajouter un autre élément de réflexion, la *dérussification* des langues nationales. On a déjà noté que les langues nationales sont passées par une phase de transformation, d'affadissement où la pénétration massive de termes russes modernes semblait conduire à une russification des langues elles-mêmes [35]. Les dernières années ont été marquées par une évolution en sens inverse. Toutes les grandes langues de l'U.R.S.S. se sont épurées du vocabulaire qui les avait pénétrées et ont forgé leurs propres mots pour rendre compte de l'évolution technologique du XXe siècle [36]. Et cette dérussification des langues contribue aussi à leur force. Ainsi, on peut opposer l'assimilation progressive des petites et moyennes nations et la vitalité des nations plus importantes. Pourtant, l'effacement des barrières linguistiques n'est pas seulement prédit et prôné par les dirigeants soviétiques. Des républiques en apparence les mieux protégées contre l'assimilation, des voix montent à présent qui dénoncent une russification insidieuse. Que signifient ces cris d'alarme qui semblent jusqu'à présent contredits par les faits?

La russification acceptée comme moindre mal

Si la presse soviétique rapporte rarement des protestations sur le thème de la russification linguistique, elle a néanmoins donné un large écho au cri d'alarme lancé en avril 1976 par l'écrivain Revaz Djaparidzé au 8e Congrès des écrivains de Géorgie. Sans doute le discours de Djaparidzé n'a-t-il jamais été reproduit de source officielle; mais à travers les attaques portées contre lui, on peut à la fois déduire ses deux arguments principaux [37] et aussi que, dans l'assemblée à laquelle il s'adressait, il y a eu « une attitude sympathique de la part d'une partie du public qui se trouvait là par quelque hasard. Son humeur (celle du public), immature, peu saine, est apparue aussi quand ce public, émotif dès lors qu'il s'agit de la défense de la langue, a empêché un des meilleurs pédagogues enseignant sa langue de s'exprimer... » [38]. Que disait Djaparidzé? Que la langue géorgienne est menacée par l'introduction massive de la langue russe dans la république; et que le véhicule du russe, c'est la pédagogie et les projets de réforme qui s'y associent [39]. D'une part, selon Djaparidzé, un projet vise à modifier l'enseignement à l'université de Tbilissi, de telle sorte que diverses matières soient désormais enseignées en russe, ce qui altérerait le caractère national de l'université et justifierait l'envoi dans cette université d'enseignants russes. L'autre innovation concerne l'enseignement secondaire. Elle porte sur la généralisation d'une expérience isolée dans une école-internat, où à partir de la cinquième un certain nombre de matières sont enseignées directement *en russe* [40]. Ce qui a pour effet de transformer une école géorgienne en école *mixte*, voire en réduisant le géorgien à la portion congrue, d'en faire carrément une école russe, faisant place à des enseignements obligatoires de la langue et de la littérature géorgienne. L'utilisation des écoles-internats pour promouvoir le russe dans les républiques non russes est certainement une idée qui fait son chemin. Au même moment, en Uzbekistan, le ministre de l'Education annonçait que le nombre d'heures d'enseignement de la langue et de la littérature russe avait été augmenté dans toutes les écoles uzbekes; que 20 000 enseignants spécialisés dans le russe (des Russes sans aucun doute) avaient été chargés de cette tâche. De son côté, le C.C. du P.C. uzbek intervenant dans le débat insistait sur la nécessité de développer au maximum la connaissance du russe dans la république, et recommandait la généralisation des écoles-internats orientées vers la formation de sujets russophones. En 1976, 150 écoles de ce type fonctionnaient en Uzbekistan [41].

Améliorer, développer l'enseignement du russe dans les républiques fédérées, cela semble être un véritable mot d'ordre lancé récemment par le Parti. A travers la presse des républiques, on trouve maintes incitations de ce type, maintes dénonciations des insuffisances, dès lors qu'il s'agit du russe [42]. C'est ainsi que, du 21 au 23 octobre 1975, une conférence rassemblant des enseignants de toute l'U.R.S.S. a eu lieu à Tachkent pour discuter des moyens d'améliorer l'enseignement du russe dans les écoles nationales [43]. Cette conférence témoigne bien qu'il y a une véritable mobilisation des efforts pour briser l'écorce d'indifférence des grandes nations à l'égard de la langue russe.

L'exemple tatar montre que, s'agissant de nations enclavées, il est plus simple d'accélérer la progression de la langue russe. Au début de cette décennie, en dépit ou à cause de la russification accrue en pays tatar, une réaction très forte s'est manifestée dans la population contre le passage assez massif des enfants tatars dans les écoles russes. Ce sont les autorités de la république autonome elles-mêmes qui ont réagi, puisqu'en 1970 le ministre de l'Education a insisté sur le fait que les parents *pouvaient* choisir l'école [44], russe ou tatare, qu'ils préféreraient; et il a convié les parents à ne pas transférer leurs enfants à l'école russe aussi longtemps qu'ils n'auraient pas acquis la maîtrise absolue de leur langue maternelle [45]. En 1973, l'Institut pédagogique de Kazan a organisé une conférence — suivie par des cadres venus des diverses républiques autonomes — pour étudier les moyens d'améliorer l'enseignement du tatar et probablement des autres langues de la région. Un an plus tard, une conférence plus officielle était organisée sous l'autorité du ministre de l'Education de la république [46] qui insistait sur la nécessité de former beaucoup d'enseignants tatars et de les former mieux [47]. On assiste donc ici à une réaction du groupe national, cherchant à sauvegarder sa langue. Mais la portée de cette réaction est affaiblie par deux données, liées toutes deux à la situation géopolitique du groupe, son incapacité à peser sur le processus de décision qui affecte la politique d'éducation, et les migrations qu'il subit. Le premier point s'éclaire à travers le problème des manuels scolaires. Les Tatars étudiant dans leurs écoles propres sont considérablement gênés par le manque de manuels en tatar, pénurie que l'organe républicain du ministère de l'Education dénonce avec une constance aussi remarquable que peu suivie d'effets [48].

Cependant, la R.S.S.A. tatare est dotée de moyens d'édition considérables puisque, pour l'année 1975, il en est sorti, pour les seules écoles, 350 ouvrages avec un tirage total de 11 616 000 exemplaires [49]. Si les Tatars manquent de manuels scolaires, ceci signifie que beaucoup d'ouvrages publiés par eux sont destinés à d'autres groupes nationaux. On voit aisément où gît le problème. Dans le plan général des publications, des arbitrages sont faits en faveur de groupes ou de dépenses déterminées; or, ni le plan, ni les arbitrages ne relèvent de la compétence des autorités tatares; ils s'effectuent au niveau républicain (R.S.F.S.R.). Un autre aspect des difficultés éducatives rencontrées par les Tatars découle des migrations à l'intérieur de la république. Les ouvriers tatars sont attirés vers les régions industrielles par le développement des usines pétrochimiques; ils se trouvent ainsi déplacés vers des zones où les écoles sont essentiellement russes. Ces migrants font pression pour que des établissements scolaires tatars soient mis en place.

Qu'il y ait pression du pouvoir central en faveur d'une plus grande utilisation et connaissance du russe, cela est certain. On peut s'en convaincre à la lumière des communications présentées du 30 novembre au 2 décembre 1976 à la conférence qui s'est tenue à Talin sur les problèmes de nationalité en U.R.S.S. [50]. Dans son rapport introductif, le vice-président de l'Académie des sciences de l'U.R.S.S., P. Fedoseev, soulignait que le rapprochement des nations en U.R.S.S. avait donné naissance à une culture pan-soviétique où le russe était le moyen de communication de tous, la *lingua franca*.

On constate donc, d'un côté une insistance du pouvoir en faveur du russe, mais de l'autre une résistance qui se manifeste aussi bien chez les Géorgiens enfermés dans leur particularisme et leur république si homogène, que chez les Tatars pourtant plus dispersés. Dès lors, on peut s'interroger sur la signification, et de la pression centrale, et des protestations locales. Est-ce que le pouvoir par ses pressions cherche véritablement à russifier les écoles? Ou bien, conscient de la difficulté du problème, las de faire comme Sisyphe chaque jour en vain le même chemin, cherche-t-il par des affirmations répétées à se convaincre du succès d'une politique? En sens inverse, comment interpréter les appels alarmistes de l'écrivain Djaparidzé alors que tout témoigne de l'imperméabilité des Géorgiens à la russification? Des deux côtés, en fait, il y a une part de vérité. La russification des écoles n'est certainement pas pour demain. Mais en dénonçant la maîtrise insuffisante du russe chez les non-Russes, le pouvoir soviétique ouvre la voie à un autre type de pression, qui, lui, est loin d'être une hypothèse pour le futur. Ce que le pouvoir soviétique souligne par là, c'est qu'il n'y a pas dans les républiques suffisamment de nationaux maîtrisant le russe pour accéder aux postes responsables.

Dans un Etat où le *peuple soviétique* est devenu une réalité, la connaissance du russe, langue commune, peut être exigée, et est exigée de manière croissante pour l'accès à tous les postes d'encadrement, même à un niveau médiocre. Les Baltes se plaignent déjà de ce qu'une grande part de postes techniques soient aux mains de non-Baltes (essentiellement des Russes), qui non seulement détiennent les meilleurs emplois, mais pèsent sur les orientations futures des républiques [51]. Cette lente invasion des emplois a été réalisée parce que les élites baltes n'étaient pas jugées adaptées par leur formation aux exigences du progrès technique. Les Baltes ajoutent volontiers que, même aux chauffeurs de camion, on demande de maîtriser le russe! En proposant des transformations scolaires en Géorgie, le pouvoir ouvre la voie à l'arrivée d'enseignants, de spécialistes russes. En fait, ce qu'un Djaparidzé dénonce, c'est moins la russification imposée, que le choix insidieux : ou bien accepter volontairement de maîtriser le russe, ou bien continuer à le négliger en payant ce nationalisme linguistique d'une entrée de cadres russes dans la république pour suppléer aux insuffisances linguistiques des nationaux. Le choix serait entre la russification linguistique progressive, car le véritable bilinguisme est rarement réalisé, et la russification des emplois. Mais, ici encore, on peut s'interroger sur le réalisme d'un tel projet. A l'heure où la main-d'œuvre se raréfie en U.R.S.S., comment la disperser aux confins? Et si les Russes sont très enclins à aller dans les républiques baltes, le sont-ils autant à s'installer dans des milieux aussi homogènes que la périphérie caucasienne ou centro-asiatique?

Lorsqu'on parle du problème linguistique en U.R.S.S., on finit généralement là où on a commencé. En constatant que l'épanouissement des langues et la formation d'élites dans toutes les langues de l'U.R.S.S. est une réussite indiscutable du pouvoir. Mais à ce point, des questions surgissent. Existe-t-il une dynamique linguistique générale conduisant de l'épanouissement des langues à une communauté où russification et bilinguisme réduiraient le rôle des langues nationales? Les droits accordés aux langues ont-ils servi à intégrer les nations de l'U.R.S.S.? Enfin, dans quelle mesure la fidélité à la langue maternelle et le sentiment national doivent-ils être systématiquement confondus? A voir l'U.R.S.S. aujourd'hui dans sa complexité linguistique, on doit conclure qu'il n'y a pas de lois d'évolution s'appliquant à toutes les langues. Il est clair que les groupes ethniques placés dans une position périphérique, vivant dans des Etats relativement homogènes, disposant d'un cadre politique qui renforce les droits culturels, ont une plus grande capacité à défendre leurs langues que les groupes enclavés ou dispersés, et moins forts politiquement. En gros, la situation des peuples dotés de républiques fédérées est meilleure que celle des autres, et les peuples nombreux sont aussi plus aptes à se défendre que les groupes peu importants. Pourtant, que d'exemples pour détruire ce schéma général ! Les Biélorusses relativement nombreux, vivant en république fédérée, ayant même des privilèges internationaux, témoignent d'une faiblesse linguistique remarquable. A l'opposé, les Tatars, nombreux mais pour les trois quarts dispersés, résistent, et avec quelle vigueur, à la russification. En descendant plus encore dans l'échelle numérique, comment expliquer le haut degré d'attachement à leur langue des Maris qui, en 1970, étaient 599 000 et qui, à 91,2 %, tenaient à leur langue maternelle tout en dominant le russe pour plus des deux tiers de la population (68,6 %). Ici, ni la faiblesse numérique, ni l'environnement (il y a dans la R.S.S.A. des Maris, 46,9 % de Russes pour 43,7 % de Maris), ni la connaissance du russe, ni le bilinguisme poussé (71 % de Maris le sont), ni même l'affaiblissement de l'enseignement en langue nationale, n'ont pu atteindre la fidélité des Maris à cette langue. Pourquoi, en revanche, un groupe légèrement plus important que les Maris, celui des Mordves (1 263 000) montre-t-il un plus grand degré de vulnérabilité à la langue russe dans la mesure où seulement 77,8 % des Mordves s'expriment dans leur propre langue, et 87,8 % sont totalement bilingues? Est-ce que le fait pour les Mordves de n'être que 35,4 % face à 38,9 % de Russes, suffit à expliquer ce passage progressif au russe? Mais alors, comment pourrait-on justifier que les Tatars dispersés, soumis depuis quatre siècles et non depuis soixante ans à une entreprise de russification linguistique et culturelle continue [52], soient aussi fermement attachés au tatar?

*
* *

La ligne de séparation n'est ni politique ni numérique, ni même sociologique. L'urbanisation n'est pas automatiquement cause d'assimilation linguistique. Sans doute les villes de Biélorussie sont-elles des centres de vie russe et par là de russification. Mais il suffit de se promener à Tachkent, pourtant moins « traditionnelle » que d'autres villes d'Asie centrale, pour constater que même là, dans cette ville où les Russes sont nombreux et où circulent les touristes, la population uzbek s'exprime en uzbek. Il en va de même à Tbilissi. Ces exemples si opposés témoignent que l'assimilation linguistique obéit moins à des facteurs externes — environnement, statut, urbanisation — qu'à une donnée fondamentale, l'existence, l'épaisseur historique et culturelle des groupes ethniques. La nation biélorusse, telle qu'elle existe, a été forgée par le régime soviétique. Sa langue est une création artificielle. Sans doute une culture biélorusse s'est-elle développée en un demi-siècle, mais il lui manque le poids de l'histoire, des traditions propres. Les Tatars, les Géorgiens, ont de vieilles langues qui ont véhiculé de vieilles cultures. Même si ces langues venaient à disparaître, les uns et les autres pourraient retrouver — en traduction russe ou anglaise, peu importe — les monuments de leur culture et, dans les livres d'histoire, les faits saillants d'un passé qui n'appartient qu'à eux. Les Maris ont un autre type de culture, une culture non écrite faite de traditions païennes qui les rattache à leur passé le plus lointain et les isole des autres. Les Mordves, en revanche, qui ont été convertis de longue date à l'orthodoxie ne peuvent se rattacher — à défaut de culture écrite — à une tradition socio-religieuse propre. Leur intégration religieuse a ouvert la voie à l'assimilation linguistique. La différence dans les comportements linguistiques des nations soviétiques témoigne des résultats très contradictoires de la politique adoptée dans ce domaine. Sans aucun doute, elle conduit à l'assimilation *acceptée* d'un certain nombre de groupes qui, n'étant pas « forcés » à se russifier, y viennent d'eux-mêmes par commodité, mais surtout parce qu'ils n'ont pas un patrimoine historico-culturel à défendre et pour *les* défendre. En revanche, pour d'autres peuples, loin d'être un instrument d'intégration, la politique linguistique a été une étonnante boîte de Pandore. Elle a libéré des volontés et des curiosités nationales. Le nationalisme linguistique se renforce désormais aussi bien des frustrations des Baltes menacés de disparition ethnique et des Géorgiens exaspérés par le sous-emploi de leurs élites, que de la satisfaction des peuples musulmans en constatant la force nouvelle qu'ils tirent de leur nombre, de leur cohésion et de leur progrès intellectuel.

A y regarder de près, la politique linguistique agit parfois dans le sens de l'intégration des nations, et beaucoup plus souvent dans le sens de l'affirmation des différences nationales. Peut-on, à partir de là, penser qu'il s'agit de différences momentanées, destinées à s'estomper et non à s'approfondir? Certains auteurs considèrent que l'essentiel est le progrès du bilinguisme. Lorsque des langues sont en compétition, ou en cohabitation, le passage de l'une à l'autre requiert un temps très long et une phase intermédiaire de bilinguisme[53]. Ainsi considérée, l'évolution soviétique serait plutôt positive; il suffirait d'attendre que la maîtrise du russe soit générale et consolidée pour que, progressivement, les nations soviétiques passent au stade suivant, celui du changement de langue. Sans doute est-il impossible de prédire l'avenir. L'U.R.S.S. n'a vécu encore que le temps de deux générations et, pour les processus de changement linguistique, c'est là une période courte. Mais quelle que soit l'évolution linguistique future des peuples de l'U.R.S.S., une question subsiste : la langue est-elle le critère décisif du sentiment d'appartenance nationale? On peut difficilement répondre par l'affirmative quand on pense à l'histoire récente où de nombreux peuples avaient usé de la langue d'autres puissances — l'anglais en Inde — et où cette perte d'identité linguistique ne les a pas empêchés de manifester bruyamment leur existence nationale. Que la langue aide une nation à s'affirmer, cela ne fait pas de doute. Qu'elle soit le signe de son existence, voilà qui n'est nullement certain.

CHAPITRE VI

L'INTÉGRATION EN CRISE [1]

1967 : cinquantenaire de la révolution; 1972 : cinquantenaire de la fédération; 1977 : nouvelle Constitution pour une nouvelle société. Autant d'occasions pour le pouvoir d'affirmer la cohésion nationale de l'U.R.S.S., le succès de l'intégration [2]. Pourtant, c'est justement au cours de ces dix années que vont se multiplier des manifestations de désaccord ouvert dans le domaine national qui suggèrent que l'intégration n'est pas aussi totale qu'il y paraît. Sous Staline aussi, le monde des nations soviétiques a connu des crises. Mais la politique d'intégration en était à ses débuts et divisait profondément le pouvoir central et ses administrés non russes. Staline d'ailleurs veillait au moindre écart, et décimait, par vagues successives, toutes les élites, tous les groupes ou les individus qui pouvaient rassembler autour d'eux des compatriotes meurtris par son inflexible volonté d'uniformiser.

La politique d'apaisement, de concessions de Khrouchtchev, a permis aux nations de reconstituer des élites capables de les représenter, mais aussi des élites qui près d'un demi-siècle après la révolution devaient témoigner du succès de l'intégration. Le *peuple soviétique* dont le pouvoir s'enorgueillit tant, ce sont d'abord les élites qui l'incarnent, et les sociétés les plus développées intellectuellement. Or, ce qui est remarquable dans les crises qui ont éclaté en milieu national au cours des dernières années, c'est le rôle souvent décisif joué par les élites. C'est aussi que ces crises intéressent avant tout les groupes nationaux dont le degré d'éducation, et souvent le niveau de vie sont les plus élevés. Si, en 1967, on pouvait croire à quelques sursauts sporadiques de mécontentement, avec les années, la multiplication et l'extension des manifestations de désaccord dans certains groupes nationaux interdit de considérer qu'il s'agit « d'incidents de parcours » négligeables. Lorsque des républiques ou des régions sont le lieu d'incidents répétés, d'autant plus graves que le pouvoir les sanctionne lourdement, il est clair qu'il y a là une faiblesse de l'intégration. Constater les faits, les difficultés locales, conduit à s'interroger sur leur signification et leur portée. Les crises des groupes nationaux sont-elles dues à des situations ou à des circonstances particulières et par là même aisées à circonscrire? Ou bien, témoignent-elles que l'intégration est loin d'être acquise?

Les « apatrides » de l'U.R.S.S.

Chaque citoyen soviétique porte sur son passeport mention de la nationalité à laquelle il appartient. Et l'égalité de toutes les nations, l'égalité de leurs droits culturels et politiques est une notion fondamentale du système soviétique. Certains groupes nationaux pourtant, même s'ils existent en droit, ne constituent pas des groupes semblables aux autres. Leur première patrie, celle dont ils se réclament si l'on en juge par leur passeport, leur est refusée. Ces « apatrides » longtemps réduits au silence, comptent depuis quelques années au nombre des citoyens les plus remuants d'U.R.S.S., tant le sentiment de l'injustice subie leur est devenu intolérable. Ce sont les Tatars, les Allemands et les Juifs, que tout sépare dans l'histoire et la culture, mais qu'unit une même aspiration à devenir des « nationaux » à part entière, dotés d'une véritable patrie. Leur rancœur se manifeste diversement. Les Tatars veulent rentrer chez eux, en Crimée. Les Allemands et les Juifs ne se sentent plus chez eux en U.R.S.S. et veulent s'en aller. Qu'est-ce qui motive une si grave manifestation de dissentiment que les intéressés n'hésitent pas à formuler au mépris de leur sécurité matérielle et de leur liberté?

Les Tatars d'abord. Le monde occidental les connaît mal. Il les a découvert à travers des photographies floues et des récits peu circonstanciés [2]. Il a su que ces Tatars manifestaient à Tachkent sans trop comprendre pourquoi; que le général Grigorenko, héros respecté de la Deuxième Guerre mondiale, affrontait pour les défendre la justice soviétique et l'asile psychiatrique [3]. Mais ces événements lointains, sporadiques, n'ont guère contribué à faire connaître ce peuple dont les statistiques soviétiques elles-mêmes brouillent les traits. Le terme *Tatar* s'applique indifféremment aux Tatars de Kazan et aux Tatars de Crimée. Les premiers sont dotés d'une république autonome située à l'est de Moscou. Nul n'arrive, hors d'U.R.S.S., à comprendre clairement pourquoi à Tachkent les Tatars se plaignent de n'avoir pas de patrie. Les recensements soviétiques ajoutent à la confusion puisqu'ils possèdent une unique rubrique *Tatar* [4], où sont mêlés les deux groupes. De fait, ainsi regroupés, ils constituent une masse non négligeable de près de 6 millions de personnes en 1970, ce qui en fait le cinquième groupe ethnique de l'U.R.S.S.

Mais les Tatars de Crimée sont en réalité un groupe distinct des Tatars de Kazan par la langue et la culture. Leur nombre est impossible à évaluer avec précision. Un demi-million, disent-ils; vraisemblablement aux alentours de 300 000 [5]. Le pouvoir soviétique avait en 1921 reconnu la présence séculaire des Tatars en Crimée [6], leur personnalité nationale et la domination passée de la Russie sur eux; il les dota d'une république autonome, la république de Crimée, incorporée à la R.S.F.S.R. où, en dépit de leur position minoritaire [7], les Tatars ont pu jouir quelques années de tous les droits reconnus aux nations, une langue officielle, des écoles, une culture propre [8]. Après ces années où les Tatars ont bénéficié du même statut — privilèges et purges — que les autres groupes nationaux de l'U.R.S.S., la guerre allait d'un coup les arracher au sort commun et en faire une nation au destin exceptionnel et exceptionnellement rigoureux. Vivant dans une région occupée par les Allemands jusqu'en avril 1944, les Tatars sont, dès le départ des troupes d'occupation, incorporés dans la liste des « nations collaboratrices » [9] fort arbitrairement établie par Staline, nations sur qui pèsera une responsabilité collective s'étendant à la totalité de la population. Le 18 mai 1944, six jours à peine après que tout le territoire de la Crimée ait été libéré, toute la population tatare — y compris les enfants et les vieillards — était en quelques heures déportée vers l'Asie centrale, l'Oural et la Sibérie. Plus de 200 000 personnes, dont la majeure partie a été assignée à résidence en Uzbekistan, ont subi ce sort. Si la déportation avait été brutale, elle ne fut rendue officielle et définitive que tardivement. Le 25 juin 1946, un décret annonçait enfin qu'en raison de la collaboration des populations avec les Allemands, la république de Crimée (de même que les R.S.S.A. des Tchétchènes et Ingouches) était supprimée et ses habitants « installés dans d'autres régions de l'U.R.S.S. où ils recevraient des terres et une aide gouvernementale » [10].

Tandis que, dans leurs lieux d'exil, les Tatars vivaient sous une surveillance permanente, le pouvoir soviétique s'est acharné à détruire en Crimée toute trace de ses anciens habitants. L'arrivée massive de colons russes ou ukrainiens, la suppression de tous les noms de lieux tatars, la destruction systématique de leurs habitations, tout a été fait pour qu'un retour éventuel leur devienne impossible. Jusqu'en 1956, ce destin tragique, les Tatars l'ont partagé avec les six autres nations accusées de trahison par Staline. Après 1956, seuls les Tatars ont été exclus des mesures de réparation que Khrouchtchev a prises. Au 20e Congrès, Khrouchtchev inclut dans la longue liste des crimes de Staline les déportations de 1944; mais dans son énumération des peuples déportés, il omet de mentionner les Tatars. Ici leur destin prend un tour tout à fait exceptionnel. Tous les autres peuples déportés sont réhabilités et retrouvent en janvier 1957 leur territoire et leur statut national. Les Tatars au contraire ne bénéficieront que de mesures de clémence restreintes, à la limite de la clandestinité.

Après la mort de Staline, en 1954, les conditions d'exil des anciens combattants et partisans tatars avaient été adoucies. Un décret du 28 avril 1956 étend à tous les Tatars le bénéfice d'un statut normal dans leur lieu de résidence. Mais, d'une part, ce décret n'est pas rendu public; d'autre part, il précise que les Tatars ne peuvent récupérer les biens qui leur ont été confisqués, ni retourner en Crimée. Leur territoire d'origine a d'ailleurs été cédé par la R.S.F.S.R. à l'Ukraine en 1954 [11]. Les Tatars ont été ainsi condamnés à rester là où ils étaient (le droit de s'installer n'importe où en U.R.S.S. sauf en Crimée ne répondait nullement à leurs aspirations), à y vivre en minorité isolée disposant simplement de droits culturels mineurs [12]. Un journal tatar est publié depuis 1957 à Tachkent [13]; les écrivains tatars publient dans leur langue, mais pour un public restreint et dispersé; enfin un groupe artistique est autorisé à se produire.

C'est à ce moment-là, quand dans l'euphorie de la déstalinisation et des réhabilitations le peuple tatar se sent oublié de tous et exclu du changement qui s'amorce, que naît vraiment le problème tatar. Par le caractère restreint et inofficiel des dispositions prises à son égard, le peuple tatar reste un peuple coupable. Le problème n'est pas seulement celui du statut moral d'une nation en ce cas, mais de sa capacité à survivre en tant que groupe national. Privé de son territoire, de ses droits culturels, le peuple tatar est condamné à se fondre progressivement dans le milieu ethnique et culturel environnant. Ceci explique l'acharnement avec lequel ce petit groupe s'est engagé dans un difficile combat contre le pouvoir. Ce qu'il veut, c'est la réhabilitation politique et le droit de retourner en Crimée, mais dans une Crimée rendue aux Tatars, érigée à nouveau en territoire national, où une communauté puisse disposer de tous les droits attachés à son statut.

Le combat des Tatars pour exister a commencé dans la légalité dès 1957 [14], dès qu'il devint clair que rien ne leur serait rendu spontanément de ce qui pour eux était essentiel. Toute l'U.R.S.S. croyait alors à la force des pétitions, des appels à la justice. Le mot d'ordre du Parti après le 20e Congrès n'était-il pas la restauration de la légalité? Ceci explique pourquoi dans un premier temps la revendication des Tatars n'était pas visible. Soucieux de se conformer au principe de légalité énoncé par le pouvoir, c'est à lui qu'ils en ont appelé. Entre juillet 1957 et octobre 1961, six pétitions dont le nombre de signataires variait de 6 000 à 25 000 ont été adressées au Parti et aux diverses instances de l'Etat [15]. Toutes comportaient une seule demande : une égalité de traitement avec les autres peuples déportés, qui eût débouché sur la restauration des droits politiques et nationaux de ce peuple. L'absence de réactions gouvernementales à ces demandes collectives, la répression qui atteint les éléments les plus actifs accusés de développer la « haine raciale », tout a vite incité les Tatars à chercher de nouveaux moyens d'action [16], mais légaux encore.

Convaincus que pour être entendus du pouvoir, il faut en approcher, les Tatars décidèrent en 1964 d'installer dans la capitale une sorte de délégation permanente. Les villes et les villages peuplés de Tatars se mirent à élire des représentants qui, munis d'un mandat en bonne et due forme, étaient expédiés à Moscou aux frais de la collectivité. Là, ils avaient pour mission d'essayer de se faire entendre officiellement des autorités au nom de leurs mandants, de leur remettre les pétitions signées par ceux-ci, enfin d'atteindre les média. Procédure stupéfiante en Union soviétique où les seuls canaux d'expression sont ceux que le pouvoir contrôle. Mais aussi procédure conforme à la situation des Tatars. Privés de droits politiques, ils étaient par là même privés de représentants nationaux. Nul n'était habilité à les représenter en tant que groupe national. Procédure conforme aussi à l'esprit de l'époque. En annonçant en 1961 la création de *l'Etat du peuple tout entier,* Khrouchtchev avait appelé ses concitoyens à l'initiative et à la participation. On débattait alors en U.R.S.S. des moyens d'associer les citoyens à la vie politique. Et l'on multipliait les comités de toute sorte. En prenant l'initiative de ce type d'association, les Tatars pouvaient légitimement croire qu'ils étaient en accord avec l'évolution en cours [17]. Ils y ont été un moment encouragés par un apparent dégel. En 1965 et 1966, le Soviet suprême de l'U.R.S.S., gardien de la légalité socialiste, mais aussi représentant de la population soviétique, semble enfin s'intéresser à eux. Les représentants tatars munis de leurs mandats et de leurs pétitions furent reçus par Mikoian, alors président du Praesidium du Soviet suprême en août 1965, puis par le secrétaire du Praesidium, Georgadzé, en mars 1966. Les représentants d'une nation discriminée entendus par des dirigeants issus eux aussi de nations non russes, n'était-ce pas là le signe, enfin, d'un changement? Ce qui semblait miracle s'avéra vite décevant. Quant au fait que les Tatars avaient été reçus par des Caucasiens, il ne changea rien au cours des choses. Pourtant, à cette époque, l'ampleur du mouvement tatar est impressionnante. Au début de 1966, à Moscou qui s'apprête à recevoir les délégués du 23e Congrès du P.C.U.S., la « délégation » tatare compte 125 personnes. Plus de 15 000 lettres et télégrammes, toujours signés, ont été adressés à tous les responsables susceptibles d'agir. Enfin, une pétition est prête qui sera déposée sur le bureau du Congrès. Elle porte 120 000 signatures. Pratiquement, toute la population adulte l'a signée. Dans l'U.R.S.S. des années 60 où l'on ne signe pas encore beaucoup de documents, que tout un groupe national accepte ainsi de s'engager est un fait exceptionnel. Et pourtant la pétition est là. C'est peut-être pour cela que Georgadzé se fait rassurant et promet un examen immédiat du dossier tatar. Et ne fait rien! Déçus, mais nullement découragés, les Tatars recueillent en trois mois (mars à juin 1966) 115 000 signatures au bas d'une nouvelle pétition, adressent encore près de 20 000 messages et télégrammes et envoient de nouveaux représentants grossir la délégation installée à Moscou. Jusqu'alors, le pouvoir a tenté d'ignorer le mouvement et d'éviter les affrontements. Peut-être est-ce de constater combien rapidement les Tatars sont aptes à se mobiliser, combien d'entre eux le sont, qui pousse le pouvoir à réagir. Les hôtels de Moscou sont invités à refuser de les loger. Le 26 juin, un groupe important de Tatars, venu au Comité central du P.C.U.S. déposer une pétition, est arrêté et expulsé de la ville aussitôt.

En Uzbekistan, les mandants vite informés s'enflamment; les manifestations se succèdent; à tous les coins de rue, dans les édifices publics, les Tatars cherchent à gagner la population à leur cause. Après tout, les uns et les autres sont tous musulmans. Mais le pouvoir a choisi la voie du durcissement. Il y persiste d'autant plus que l'avenir l'inquiète. Le 18 octobre doit marquer le 45e anniversaire de la création de la république de Crimée. Les Tatars ne font pas mystère de leur intention d'utiliser cet anniversaire pour leur cause, et à travers les commémorations du passé de multiplier les manifestations destinées à attirer l'attention sur eux. En 1966, nul ne sait encore nettement en U.R.S.S. que c'est hors des frontières soviétiques qu'il faut se faire entendre pour contraindre le pouvoir à céder. Sans doute, les écrivains commencent-ils à chercher une audience et une protection extérieure; mais pour un groupe national, ce qu'il faut, c'est se faire entendre à Moscou et se faire entendre et comprendre de ses compatriotes. C'est cette campagne intérieure que le pouvoir veut arrêter. Et en hâte, il fait inclure dans le code criminel de la R.S.S. d'Uzbekistan deux articles destinés à empêcher la circulation d'informations et de documents concernant le sort des Tatars, et la participation à des réunions. Grâce à ces articles, les actions les plus conformes à la loi tombent dans l'illégalité et ouvrent la voie à la répression [18].

Malgré ces dispositions répressives, malgré les difficultés rencontrées dans leurs séjours à Moscou, les Tatars étaient trop engagés à cette époque dans la lutte pour y renoncer. Parce que la légalité avait un sens de plus en plus restrictif, ils tendaient à l'abandonner et à opter pour des méthodes plus spectaculaires, même si elles étaient illégales. Bien que privés du droit de séjourner dans les hôtels, les Tatars sont de plus en plus nombreux à Moscou : 400 à l'été 1967, qui annoncent bien haut qu'ils vont tenir une réunion sur la place Rouge pour être enfin entendus. Le moment est choisi. Moscou s'est ouvert au tourisme et la saison bat son plein. Pour la première fois, l'idée d'inclure le monde extérieur dans leur mouvement en tenant une manifestation que des étrangers verraient, est venue aux Tatars. Elle est judicieuse, puisque le pouvoir, anxieux de garder le contrôle de la situation décide de composer; le 21 juillet 1967, une rencontre a lieu au Kremlin. D'un côté, ceux qui sont chargés de l'ordre public : Andropov, le chef du K.G.B; Rudenko, procureur général de l'U.R.S.S., Chtchelokov, ministre du maintien de l'ordre et Georgadzé qui vraisemblablement est devenu le spécialiste du problème. En face d'eux, ces Tatars, représentants de leurs concitoyens, munis de mandats inacceptables à l'Etat soviétique, et en même temps acceptés. Lors de cette réunion, Andropov promet la réhabilitation politique pour la nation tatare, l'amnistie pour ceux que leur action a fait réprimer, mais fait preuve d'une grande réserve s'agissant du retour des Tatars en Crimée. Quant à restaurer la république, le problème est passé sous silence. Andropov s'est engagé à ce que des mesures soient prises sans délai. Mais durant un mois et demi rien n'est fait et les Tatars se demandent si la réunion de 1967 n'a pas eu pour but, comme les deux précédentes, de les calmer un moment et de les livrer désarmés à de nouvelles représailles. C'est pourquoi les derniers jours d'août à Tachkent sont des jours proches de l'émeute. La police n'en finit pas de disperser les manifestants, d'arrêter ceux qui peuvent être accusés de troubler l'ordre public.

Le 5 septembre, les Tatars apprennent qu'ils ont gagné. Un décret est publié qui dit : « Après la libération de la Crimée, toute la population tatare de Crimée a été accusée injustement d'une collaboration qui n'a été le fait que de certains. Ces accusations sans discrimination contre tous les citoyens de nationalité tatare résidant en Crimée doivent être supprimées, d'autant plus qu'une nouvelle génération est désormais engagée dans la vie professionnelle et politique [19]. »

« Les Tatars qui résidaient en Crimée sont installés dans la république uzbek et dans d'autres républiques... » Ce décret rend aux Tatars tous leurs droits de citoyens : liberté de résidence, droits culturels. Sur un point, ils ont sans aucun doute obtenu ce qu'ils voulaient. Ils ont été lavés du crime de trahison et redeviennent un peuple semblable aux autres. Mais très vite, il apparaît que là devait se borner leur satisfaction, et qu'ils n'étaient pas tout à fait égaux aux autres peuples de l'U.R.S.S. Réhabilités, ils l'étaient sans doute, mais avec quelle discrétion! Seuls les journaux des républiques où ils résidaient publièrent le décret. Ailleurs, il resta longtemps inconnu. Plus grave était le fait que le décret de 1967 ne rendait pas à la nation tatare ses droits collectifs. Sans doute, ses membres pouvaient-ils aller où bon leur semblait (« dans la limite des dispositions concernant l'emploi et les passeports », c'est-à-dire sous un certain contrôle) et se voyaient-ils reconnaître quelques droits culturels. Mais la liberté de mouvement, ils l'avaient en réalité depuis 1956, de même que les droits culturels réduits liés au décret de 1967. En revanche, la *nation tatare* était absente du texte, qui n'évoquait pas de surcroît le rétablissement éventuel de leur république. En les désignant comme *Tatars ayant résidé en Crimée,* le décret supprimait les liens permanents entre l'ethnie et le sol qui constituent l'un des quatre critères définissant l'existence de la nation. En mettant sur le même plan leur existence passée en Crimée et leur existence présente en Asie centrale, le décret suggérait qu'ils étaient aussi bien d'Asie centrale que de Crimée. Pour le pouvoir, il était clair que ces réserves, compensées par la réhabilitation, devaient clore le chapitre tatar. Des réunions furent organisées dans divers lieux publics — réunions officielles sous l'autorité gouvernementale et du Parti — pour obtenir des manifestations de satisfaction des intéressés [20]. Procédure intéressante, unique (on n'avait pas songé à y recourir en 1957 avec les autres peuples) qui témoigne de l'embarras des autorités et de leur conscience des problèmes laissés en suspens.

Dix ans ont passé depuis, durant lesquels les Tatars ont essayé sans arrêt d'obtenir gain de cause sur ce qui leur paraît désormais essentiel : le retour en Crimée. Pour y réussir, leur mouvement suit trois voies. L'une, légale, consiste à harceler les autorités soviétiques de pétitions massives, notamment lors de toutes les commémorations où le pouvoir soviétique peut célébrer les succès de sa politique nationale. La seconde voie, à la limite de la légalité, est celle qui lie les revendications tatares aux revendications du mouvement démocratique en U.R.S.S. Les dissidents de Moscou ne se préoccupent guère des mouvements nationaux, mais ils ont depuis 1970 prêté l'oreille aux Tatars et ont incorporé leurs demandes dans le programme général de défense des Droits de l'homme [21]. La dernière voie ignore la légalité; elle est désormais la voie royale du mouvement tatar. Interdits de séjour sur leur sol natal, les Tatars s'y transportent au mépris des interdits. Seules quelques familles ont réussi à déjouer les pièges des règlements multiples sur les permis de séjour. Mais le gros de ces expéditions clandestines a conduit au rapatriement forcé en Asie centrale de Tatars qui ont couru le risque de tout perdre dans leur lieu d'exil, pour une chance bien faible d'être acceptés en Crimée [22]. Après avoir gagné la bataille de la réhabilitation, les Tatars ont clairement perdu celle de la reconstitution d'une vie nationale normale. Ils restent des étrangers en Asie centrale, non parce que le milieu environnant refuse de les accepter — tout les en rapproche au contraire —, mais parce qu'eux-mêmes ne veulent pas renoncer au rêve de la patrie perdue. L'exil a eu lieu il y a près de trente-cinq ans. Une nouvelle génération a grandi qui est aux premiers rangs du combat pour le retour en Crimée. Comme d'autres peuples en d'autres lieux, les Tatars ont choisi de rester apatrides, révoltés tant qu'ils ne pourront s'enraciner à nouveau dans leur sol natal. C'est un défi que le pouvoir soviétique veut ignorer en niant la réalité du lien qui unit les Tatars et la Crimée. La thèse officielle concernant ce peuple est que la Crimée a été peuplée d'habitants d'origines ethniques variées, parmi lesquels on comptait les Tatars. Et ce qui marque bien le caractère multi-ethnique de ce territoire, c'est, dit la *Grande Encyclopédie soviétique*, que, contrairement aux règles générales de dénomination des républiques nationales, la R.S.S.A. de Crimée, lorsqu'elle existait, portait un nom géographique au lieu de porter celui d'une nation. On ne peut nier plus nettement le droit historique des Tatars à résider en Crimée, et partant leur existence nationale. Pourquoi tant de rigueur contre un si petit peuple? En fait, ce ne sont pas les 300 000 Tatars qui inquiètent l'U.R.S.S., mais deux nationalismes. Le nationalisme tatar dont l'apport au monde musulman de Russie a été considérable dans le passé pré et postrévolutionnaire. Les Tatars ont lancé les principales idées qui allaient révolutionner les musulmans russes [23]. Staline a réussi en 1944 à réduire l'espace occupé par les Tatars, à les rejeter de Crimée. Ses successeurs n'entendent pas élargir à nouveau leur univers. En même temps, ils luttent contre le nationalisme musulman qui, par une restauration de la république de Crimée, regagnerait lui aussi un terrain perdu. Rendre justice à 300 000 Tatars privés de leur patrie c'est, dans les conditions actuelles de l'U.R.S.S., ajouter une pierre à l'édifice de ce nationalisme triomphant et isolationniste qu'est le nationalisme turco-musulman.

Tout autre est le cas des Allemands de l'U.R.S.S. Ils représentent un groupe compact de 1 800 000 en 1970 [24], dont une petite partie est en U.R.S.S. depuis la Seconde Guerre mondiale; mais pour l'essentiel, il s'agit de descendants des colons implantés en Russie depuis le XVIIIe siècle. De 1924 à 1941, les Allemands avaient une république autonome située sur la Volga, d'où ils furent déportés en application d'un décret pris le 28 août 1941. Il ne s'agissait pas alors de déporter des collaborateurs mais de « transférer », par mesure de sécurité, un peuple que la collaboration aurait pu tenter. Moins injurieux que le sort des Tatars, le leur n'en a pas moins été dramatique, car « transfert » et « déportation » se ressemblent singulièrement dans la pratique. Un mois plus tard, leur république était supprimée [25]. Dans les années d'après-guerre, c'est un facteur extérieur qui a déterminé leur sort, plus que les intentions propres des dirigeants soviétiques : les relations avec la R.F.A. En venant à Moscou en septembre 1955, Adenauer s'inquiète du sort de ses compatriotes; le 13 décembre 1955, un décret leur rend leurs droits civiques et dès lors leurs droits politiques et culturels seront vite augmentés [26]. En 1964, quand Khrouchtchev cherche à améliorer les relations de l'U.R.S.S. avec la R.F.A., il prend un décret réhabilitant les Allemands [27]. Comme pour les Tatars, c'est une réhabilitation sans restauration du territoire national. Mais le pouvoir soviétique est attentif à ne pas en faire un sujet de conflit. Il plaide les impératifs économiques et non l'inexistence d'une nation allemande [28], et s'efforce de donner aux Allemands les avantages politiques et culturels d'une nation semblable aux autres, en dépit de l'absence de statut territorial [29]. Les Allemands sont au demeurant moins opiniâtres à défendre la restauration de leur république, car ils ne sont pas unanimes sur ce point [30]. Pourtant la dispersion a un inconvénient grave que les partisans du retour sur la Volga voient nettement : c'est, en dépit des droits culturels, la menace d'une assimilation progressive. Les Allemands sont installés en deux groupes denses au Kazakhstan (858 077 personnes, soit 46 % de l'ensemble) et dans la république de Russie, plus précisément dans les territoires frontaliers (761 888 personnes, soit 41 %); il faut y ajouter deux groupes plus réduits de 89 834 personnes en Kirghizie et 31 712 au Tadjikistan. Seul un tout petit nombre d'Allemands (6 %) est réellement dispersé à travers l'U.R.S.S. Pourtant, malgré leur regroupement et les facilités culturelles dont ils bénéficient, le recensement est révélateur des progrès rapides de l'assimilation. En 1926, moins de 5 % d'Allemands ont déclaré que le russe était leur langue maternelle. En 1959, 24 % se prononcent pour le russe et, en 1970, leur proportion atteint 32,7 % [31]. Peu de groupes nationaux ont, dans les onze ans qui séparent les deux derniers recensements enregistrés un tel pourcentage (8,7 %) de progrès de la langue russe [32]. Au contraire, on l'a vu, la tendance est dans l'ensemble à une certaine consolidation des langues nationales dans leur statut de langue maternelle [33]. Plusieurs raisons peuvent expliquer cette évolution particulière : le fait que les Allemands soient en grand nombre installés au Kazakhstan, en milieu rural, où leurs enfants n'ont souvent pas la possibilité d'étudier dans des écoles à dominante allemande; l'émigration aussi qui a vu partir les éléments les moins assimilés de la communauté. Là est en effet la caractéristique principale de la communauté allemande et le problème qu'elle pose au pouvoir. Dans le cours des relations soviéto-allemandes, les dirigeants de la R.F.A. ont constamment cherché à obtenir — pour les seuls Allemands restés en U.R.S.S. depuis 1940 (guerre et déplacements de frontières) — le droit de retour dans leur patrie [34]. Dès 1958, l'U.R.S.S. et la R.F.A. prévoient en signant un accord consulaire que le principe de la « réunion des familles » peut s'appliquer aux Allemands qui n'étaient pas citoyens soviétiques avant 1940, et à leurs descendants [35]; les aléas des relations entre les deux pays en ont retardé l'application, mais l'*Ostpolitik* du chancelier Brandt puis l'Acte final d'Helsinki donnent une force nouvelle à ce principe. A partir de 1970, l'émigration allemande, dans les limites de la réunion des familles, commence, et, jusqu'en 1977, l'attitude soviétique semble sur ce point s'orienter dans le sens d'une tolérance accrue, comme en témoigne le tableau ci-dessous.

EMIGRATION DES ALLEMANDS D'U.R.S.S.
1970-1976

Année	*Nombre*
1970	340
1971	1 100
1972	3 100
1973	4 400
1974	6 300
1975	5 800
1976	9 600

En six ans, plus de 30 000 Allemands ont donc quitté l'U.R.S.S. [35]. La Croix-Rouge allemande avait estimé, au début des années 70, à 40 000 le nombre des Allemands désireux d'émigrer et qui pouvaient se prévaloir de liens familiaux en Allemagne. Compte tenu des départs qui ont lieu, on peut considérer de prime abord que rapidement tous les volontaires pourront rentrer dans leur pays et qu'il n'y aurait plus sous peu de problème allemand en U.R.S.S., mais seulement une communauté installée depuis des siècles et dont l'assimilation culturelle paraît en bonne voie. C'est probablement ce que pensaient les autorités soviétiques lorsqu'elles ont accepté d'ouvrir les frontières aux Allemands qui n'étaient pas, historiquement, enracinés en U.R.S.S. Mais l'ouverture des frontières a provoqué soudain un réflexe d'identification nationale dans une partie de la communauté allemande qui pourtant vivait sur le sol russe depuis deux siècles. Des demandes d'émigration ont été faites par des groupes d'Allemands, non plus au nom de la réunion des familles, mais de la *solidarité ethnique* avec le peuple allemand. Des sujets soviétiques descendants de colons qui depuis deux siècles tenaient la Russie pour leur patrie et n'avaient plus de liens avec l'Allemagne, ont découvert que l'histoire lointaine, la culture et la langue les enracinaient dans ce pays inconnu. Cette revendication exprimée publiquement sous forme de manifestations [36] touche un nombre d'Allemands que l'on ne peut définir avec certitude, mais que certains journaux allemands estiment à 300 000 [37]. Le pouvoir soviétique se trouve désormais confronté à une situation exceptionnellement difficile. Admettre que des groupes ethniques se sentent étrangers à l'U.R.S.S. — alors qu'ils étaient intégrés dans l'Empire [38] —, c'est reconnaître l'échec total de la politique nationale soviétique, reconnaître la permanence des liens ethniques au détriment des liens créés par la vie commune, reconnaître enfin, implicitement, que tout groupe ethnique qui ne s'identifie pas à l'U.R.S.S. a le droit de la quitter. On voit ainsi ce que signifient pour le pouvoir soviétique les exigences des Allemands. Déjà des Arméniens se tournent vers les diasporas américaines ou moyen-orientales et demandent à les rejoindre au nom de liens de famille ou de solidarité ethniques. Le droit à l'émigration que le pouvoir pensait être en mesure de circonscrire au cas très particulier des Allemands et des Juifs, pourrait ainsi être généralement revendiqué. Pour parer à ce glissement, les dirigeants de l'U.R.S.S. s'efforcent désormais de freiner les demandes d'émigration allemande. Les candidats sont découragés par les brimades administratives [39] et une propagande intensive destinée à convaincre les candidats au départ qu'ils ne pourront pas s'adapter à la vie qui les attend en République fédérale [40]. Mais en même temps, le pouvoir soviétique ne peut trop nettement heurter les aspirations allemandes. L'importance numérique du groupe, sa concentration aussi, plaident pour la prudence. Cette prudence est rendue plus nécessaire encore par des considérations internationales. La République fédérale est pour l'Union soviétique un partenaire économique précieux [41]. Politiquement aussi, l'Allemagne occidentale pèse d'un poids considérable dans la stratégie de l'U.R.S.S. [42]. D'autant qu'à ménager la R.F.A., l'U.R.S.S. parfois trouve un avantage clair. C'est ainsi que, soucieux de préserver les chances d'émigration des Allemands, d'autant d'Allemands que possible, le chancelier Schmidt a pris conscience que la négociation discrète portait plus de fruits que des exigences bruyamment formulées [43]. C'est pourquoi il a opposé aux déclarations véhémentes du président Carter en faveur des Droits de l'homme et du droit à l'émigration, un silence prudent, et a maintenu cette attitude à la conférence de Belgrade. On voit ainsi le dilemme où les exigences allemandes enferment le gouvernement soviétique. Céder, même de manière très limitée, contribue à résoudre des problèmes combien brûlants de politique extérieure. Mais en cédant, le pouvoir reconnaît sa faiblesse dans le domaine national et ouvre la voie à des exigences plus grandes, voire à une contagion de l'idée redoutable de l'identité nationale à base purement ethno-culturelle, dont les progrès affaibliraient les solidarités à l'intérieur de l'U.R.S.S. Restaurer une république allemande ne paraît pas davantage pouvoir résoudre le problème. La restaurer, c'est risquer, au point où en sont les choses, d'accroître le nationalisme de ceux des Allemands qui ne veulent pas s'assimiler; c'est aussi aller à l'encontre de l'assimilation qui progresse dans une autre partie de la population allemande. Enfin, restaurer des Etats nationaux, alors que l'U.R.S.S. en est, dit-on, au stade d'une nouvelle formation historique, le peuple soviétique, c'est affaiblir cette formation, nier que l'intégration soit en bonne voie.

Contrairement aux Tatars et aux Allemands, les Juifs disposent en principe en U.R.S.S. d'un territoire national. Pourtant, eux aussi, et plus encore que tous les autres, en dépit de leur nombre et de l'histoire, sont en U.R.S.S. des citoyens d'une espèce particulière. L'Etat soviétique les a dotés dans les années 20 d'une terre : la région autonome juive du Birobidjan située en Extrême-Orient, non loin de la Chine. Il les a dotés aussi — et cela est logique — d'une nationalité propre qui figure sur leur passeport. Mais, tout en leur accordant un statut national, le pouvoir soviétique a toujours nié que la communauté juive soit une nation [44]. Cette approche négative est encore compliquée par la création de l'Etat d'Israël qui a marqué le triomphe de l'idée sioniste. Dans un ouvrage relativement récent, un spécialiste de la propagande antisioniste insiste constamment sur la différence à établir entre : 1) *Juif* au sens d'hébreu (*evrei*, en russe), catégorie ethnique; 2) *juif (judei)*, catégorie religieuse; et 3) *sioniste*, catégorie politique [45]. Pour l'auteur, le judaïsme nourrit l'idée d'une communauté juive mondiale, d'une nation juive globale. Pourtant, la communauté juive soviétique à laquelle un statut national a été reconnu, ne reproduit-elle pas en petit le modèle et la confusion condamnés par notre expert? Cette communauté est formée de nombreux groupes totalement différents les uns des autres et que leur passé et leur culture interdisaient de rassembler dans une même nation, sauf si l'on se fondait précisément sur le critère, rejeté, de l'appartenance au judaïsme. Tout devient difficile dès lors qu'on évoque le sort de la communauté juive en U.R.S.S. Le nombre de ses membres sur lequel il est impossible de porter un jugement précis se situe de 2 à 3,5 millions selon que l'on se réfère au recensement ou à d'autres sources [46]. L'important est que d'un recensement à l'autre le nombre de Soviétiques se proclamant Juifs ait enregistré une baisse de 5 %, alors que toute la population soviétique enregistrait une hausse de 16 %. On ne peut déduire de là que le nombre de Juifs (compte tenu des départs) soit resté totalement stable, mais tout simplement que le nombre de Juifs se proclamant tels au recensement est en baisse. Faut-il en conclure que la conscience nationale des Juifs ait reculé? Le critère linguistique pousserait à répondre positivement. Au recensement de 1897, 96,9 % des Juifs de Russie considéraient le yiddish comme langue maternelle. En 1926, leur nombre était encore de 70,4 %. En 1959, la situation se modifie brutalement : 17,9 % de Juifs parlent le yiddish en première langue, et, si l'on y ajoute ceux qui parlent une autre langue propre à certaines communautés juives [47], 21,5 % seulement de Juifs parlent leur propre langue [48]. En 1970, ce chiffre tombe à 17,7 %, ce qui représente une régression de 3,8 %. Il faut cependant ajouter à ces 17 %, près de 9 % de Juifs russophones qui ont déclaré avoir une bonne connaissance du yiddish ou d'une autre langue juive, ce qui signifie que 26,4 % de Juifs d'U.R.S.S. gardent des liens linguistiques avec leur culture d'origine. Mais la portée de ces chiffres doit être appréciée en fonction de la progression de la langue russe. Le nombre de ceux qui considèrent le russe comme langue maternelle passe à 78,2 % et 16,3 % de ceux qui ne tiennent pas le russe pour leur première langue, connaissent bien le russe. En d'autres termes, 94,5 % des Juifs connaissent bien le russe et 28,8 % ont la maîtrise d'une ou de plusieurs autres langues de l'U.R.S.S. [49]. En U.R.S.S., la connaissance de la langue nationale est un critère indiscutable du degré de conscience nationale. La distribution géographique des Juifs parlant russe et de ceux qui restent fidèles à leur langue est éclairante quant aux causes de cette évolution. Le plus haut degré de russification linguistique se trouve chez les Juifs de la R.S.F.S.R. et de l'Ukraine. En revanche, l'usage du yiddish ou d'une autre langue parlée par les Juifs reste largement répandu dans les communautés baltes (et particulièrement en Lituanie où 62 % de Juifs parlent le yiddish) et dans les communautés du Caucase (au Daghestan, 87 % d'entre eux utilisent le tati). En R.S.F.S.R., ceux qui sont capables de s'exprimer dans leur langue (en première ou seconde position) ne sont plus que 21,3 % et en Ukraine 20,3 %.

La pratique de leur religion par les Juifs d'U.R.S.S., autre indice d'identification nationale, même si ce dernier n'est évidemment pas admis comme tel par le pouvoir soviétique, confirme-t-elle les tendances linguistiques ou bien au contraire les compense-t-elle? Dans un article écrit à la fin des années 60 [50], Zvi Gitelman dont les travaux sur la situation des Juifs soviétiques font autorité notait avec pessimisme : « La religion juive décline en U.R.S.S., peut-être plus rapidement que les autres religions. » Ce jugement s'appuyait d'abord sur les données concrètes d'existence d'une communauté religieuse juive : soixante synagogues ouvertes seulement; pas d'organisation religieuse centrale pouvant publier un organe de liaison et surtout des livres de prières ou la Bible; aucune facilité pour former des rabbins; enfin aucune facilité pour les Juifs d'obtenir la nourriture que leur religion impose. Sans doute des informations plus récentes [51] corrigent-elles légèrement ce sombre tableau. Les informations apportées en Occident par les émigrés suggèrent que le nombre de synagogues ouvertes serait de quatre-vingt-dix environ [52], dont soixante-deux seraient véritablement identifiées. De toute manière, il ne s'agit là que de chiffres dérisoires pour une communauté de près de 3 millions de personnes. C'est de là que les experts tirent des estimations très pessimistes quant au nombre de Juifs pratiquant réellement leur religion [53]. Si l'on s'en tient à ces critères : une communauté juive qui linguistiquement se russifie vite et perd sa foi, ou du moins cesse de la pratiquer, on pourrait en conclure que l'assimilation de la communauté juive va bon train. Et l'on en voit au demeurant les raisons. Les Juifs constituent en premier lieu une population essentiellement urbaine [54], donc vivant dans un environnement qui en toute circonstance a facilité l'assimilation. La politique soviétique des années 30, en déplaçant les Juifs des zones de résidence traditionnelle vers les grandes villes qui jadis leur étaient fermées, en les urbanisant, en leur ouvrant tout un milieu professionnel qui leur avait été interdit jusqu'alors — appareil de l'Etat et du Parti, appareil administratif, armée, etc. —, en les appelant, pour répondre à ce déplacement professionnel, à s'imprégner de culture russe, les avait engagés dans ce qu'Annie Kriegel appelle fort subtilement un processus de *russianisation,* qui signifiait accès à la modernité [55]. En dépit des limites de cette russianisation, l'un des résultats aura été l'installation des Juifs dans un milieu géographique et social qui ne favorisait pas la renaissance des communautés fermées. Il est significatif que les Juifs se russifient linguistiquement le plus dans leurs nouvelles zones de résidence et restent plus attachés à leur langue dans leurs anciennes zones. Enfin, il est clair que la politique culturelle adoptée à l'égard des Juifs ne peut les aider à préserver leur identité linguistique. En dépit de leur statut national, les Juifs n'ont plus d'écoles qui leur soient propres comme en ont les autres groupes nationaux et il n'y a pas de cours de yiddish dans les écoles soviétiques fréquentées par les enfants juifs. Au Birobidjan, le pouvoir prend prétexte du très faible nombre de Juifs résidant dans la région [56] pour ne pas créer un enseignement national; ailleurs, il affirme qu'il n'y a pas de demandes suffisantes. Comme les Juifs sont le groupe national le plus éduqué d'Union soviétique [57], il va de soi que ce degré exceptionnel d'éducation implique aussi un grand degré de russification linguistique.

Ce sont ces éléments évidents, affaiblissement de la langue, faible degré de pratique religieuse, qui amenaient un journaliste occidental à conclure en 1962 [58] : « Tout espoir de voir renaître une communauté juive viable doit être fondé davantage sur la conviction que sur la réalité présente. » Pourtant, aujourd'hui en U.R.S.S., il est impossible, quand on observe la scène nationale, d'ignorer le problème juif, de ne pas voir qu'il s'agit, ici aussi, d'un problème qui se développe et non qui s'éteint. La russification linguistique et l'affaiblissement religieux vont de pair avec la montée d'un mouvement juif qui pourrait se caractériser avant tout par la quête anxieuse de l'identité nationale et sa redécouverte. Cette renaissance juive se manifeste dans le domaine de la culture autorisée, dans le domaine de l'hébreu qui ne l'est pas, dans celui de la religion, dans la volonté d'émigration.

Dans le champ officiel de la culture, les initiatives se multiplient pour rendre aux Juifs leur patrimoine linguistique et culturel longtemps oublié. Pour y parvenir, la communauté juive joue des textes. Rien n'interdit aux Juifs d'étudier le yiddish, dit le pouvoir, s'ils le veulent. Les Juifs d'U.R.S.S. sont en train de montrer qu'ils le veulent. Las d'attendre une concession dans ce domaine, ils ont fait appel aux rares organes culturels propres dont ils disposent [59]. La revue *Sovetish Heimland* s'est transformée partiellement en organe d'enseignement du yiddish publiant un alphabet et les éléments d'un manuel de lecture [60]. Cette revue agit aussi comme un véritable coordinateur de la vie culturelle juive, publiant ce qui rend le mieux compte de la culture soviétique juive d'aujourd'hui, s'efforçant de promouvoir, d'encourager les lettres juives et donnant un large écho, voire coordonnant les activités artistiques juives (théâtre yiddish de Moscou, compagnies diverses, même d'amateurs, ensembles musicaux, expositions). Souvent les limites de la légalité sont dépassées, notamment s'agissant d'enseigner l'hébreu qui se trouve dans une situation ambiguë parce que non reconnu comme langue de la communauté juive en U.R.S.S. Sans doute enseigne-t-on l'hébreu en U.R.S.S., mais il s'agit là d'un enseignement spécialisé d'un haut niveau — langues orientales — et non d'un enseignement à caractère national. Parce que l'hébreu est lié à la religion, on assiste, semble-t-il, à une tentative de créer un réseau — illégal [61] — d'enseignement de l'hébreu. Des matériaux du symposium sur la culture juive que les Juifs ont tenté, sans succès, de tenir à Moscou en décembre 1976, on peut conclure qu'il existe actuellement en U.R.S.S. divers centres d'enseignement de l'hébreu. La culture juive est aussi portée par deux organes non officiels, *Evrei v S.S.S.R.* (les Juifs en U.R.S.S.) et *Tarbut* (culture) qui s'efforcent de familiariser les Juifs avec leur histoire, leur culture, la culture juive hors d'U.R.S.S. et les problèmes de l'émigration. La tentative de tenir en 1976 une conférence à Moscou témoigne du développement des activités culturelles juives et de la volonté de les insérer dans la mesure du possible dans l'environnement soviétique. Cette conférence interdite, mais qui a attiré l'attention mondiale, a bien montré où était le problème : dans la volonté des Juifs de se retrouver, de définir leur identité, mais sans rupture avec le monde non juif. Parce qu'ils sont très éduqués, parce qu'ils se situent dans la société professionnelle à un haut niveau, les Juifs ne sont pas prêts à s'enfermer dans un judaïsme passéiste. C'est leur identité qu'ils cherchent dans la langue de leurs ancêtres, et non une langue de substitution au russe. De même, les jeunes Juifs qui se rassemblent toujours plus nombreux dans les lieux de prière lors des fêtes juives (notamment pour *Simchat-Torah*) ne sont pas obligatoirement en train d'en revenir à la foi de leurs pères. Pour beaucoup, c'est leur identité profonde et leur appartenance à une histoire et à une culture qu'ils sont en train ainsi de reconquérir.

L'émigration est la manifestation la plus spectaculaire du fait juif. On en connaît les données chiffrées. Depuis 1971, année où l'émigration passe de l'exception au phénomène de masse, plus de 100 000 Juifs ont quitté l'U.R.S.S. pour Israël, du moins dans un premier stade [62].

A voir l'âge et l'origine géographique des émigrants, on est frappé par deux constatations qui pourraient sembler de prime abord contradictoires. Les émigrants sont en moyenne plus jeunes que la communauté juive d'U.R.S.S. (du moins telle que l'a décrit le recensement), et plus proches par leur structure d'âge de la population russe que juive [63]. Par ailleurs, l'émigration vient surtout des pays baltes et de Géorgie où les Juifs sont moins assimilés qu'au cœur de la Russie qui ne fournit que très peu d'émigrants. Constatation contradictoire dans la mesure où l'on peut penser que les éléments jeunes sont les mieux assimilés. Or, les émigrants sont jeunes et ils viennent des régions les moins assimilées. Mais on ne peut conclure de là que les Juifs des régions centrales expriment moins le désir d'émigrer, ou que ce désir ne se manifeste que là où l'assimilation est la plus mal réalisée. Le pouvoir soviétique pratique une politique très sélective en matière d'autorisation d'émigration, essayant systématiquement de limiter le départ des éléments les plus éduqués et les plus russifiés. L'émigration juive — par les difficultés et les tragédies qui l'accompagnent en général [64] — est une manifestation qui ne peut être prise à la légère. Elle pose deux problèmes : qu'est-ce qui sépare le candidat à l'émigration de celui qui ne l'est pas? La volonté d'émigrer est-elle un critère rigoureux de la conscience nationale juive? A la première question, Zvi Gitelman a tenté d'apporter une réponse dans son enquête sur les Juifs soviétiques installés en Israël. Les ayant soumis à de très nombreuses et subtiles questions, il en est venu à conclure qu'il n'y a pas de ligne claire qui sépare les émigrés de leurs frères restés en U.R.S.S., qu'il s'agisse de la langue ou de la religion. Pour Gitelman, les émigrés auraient, dans ces deux domaines, pu s'intégrer à la vie soviétique, n'eût été un profond sentiment d'inconfort dû à l'antisémitisme latent en U.R.S.S. [65] et surtout au fait qu'ils se sentaient en majorité plus ou moins étrangers à ce pays. En définitive, conclut Gitelman, si les motifs d'émigrer sont divers — refus du système politique tout entier ou de certains de ses aspects, considérations nationales juives, considérations matérielles —, les Juifs qui émigrent témoignent d'un grand degré de socialisation. La place des volontés nationales ou de la volonté de vivre en milieu culturel juif joue donc un rôle très important dans l'aspiration à émigrer, mais pas un rôle exclusif. Il suffit pour le comprendre de constater qu'en 1975, près de 50 % des candidats à l'émigration ont choisi de ne pas aller en Israël [66]. L'accroissement récent de ceux que l'on nomme en Israël des *Noshrims* témoigne parfois plus d'une volonté systématique d'émigrer que d'un sentiment national exacerbé. Ces tendances complexes au sein de la communauté juive traduisent en fait une situation et une évolution très exceptionnelles en U.R.S.S. Les Juifs, parce qu'ils sont très éduqués et urbanisés, ont été placés dans des conditions qui favorisent leur assimilation. En dépit de certaines discriminations professionnelles, ils sont encore bien représentés dans les milieux intellectuels et même politiques. Il est à cet égard intéressant de noter que dans le P.C.U.S. il y avait, en 1976, 294 774 Juifs, soit 1,9 % de la totalité des effectifs du Parti. Ceci signifie que plus de 13,7 % de la communauté juive est membre du Parti, c'est-à-dire que de tous les groupes nationaux de l'U.R.S.S. les Juifs y sont les plus représentés [67]. Les mariages mixtes constituent aussi un puissant moyen d'assimilation. On estime généralement, en l'absence de données précises, que près de 30 % des Juifs se marient hors de leur communauté et que les enfants adoptent fréquemment lors du choix d'une nationalité, celle du parent russe [68]. Cependant, cette intégration culturelle et sociale acceptée de tous les Juifs semble conduire en définitive dans deux directions. Certains s'assimilent totalement; d'autres, en revanche, se tournent vers ce qui leur est propre, leur groupe d'origine, son système de valeurs, ses solidarités. Ceci explique pourquoi les synagogues s'emplissent de jeunes. Elles sont le lieu privilégié de l'identification au judaïsme.

La montée de la conscience nationale juive en U.R.S.S. qui est une donnée incontestable des dernières années est un problème pour le pouvoir soviétique. Ce retour aux sources est particulièrement dramatique dès lors qu'il concerne une communauté qui semblait suivre une voie unique il y a encore deux décennies, celle de l'acculturation. Particulièrement dramatique aussi, parce qu'il s'agit de la partie la plus éduquée et urbanisée de la population soviétique, et que son évolution présente va à l'encontre de toutes les certitudes sur le lien entre modernisation et affaiblissement de la conscience nationale.

Cette évolution dont on a délibérément supprimé ici les aspects les plus spectaculaires (dissidences ouvertes telle celle de Chtcharanski, détournements d'avions, etc.) au bénéfice des tendances profondes de la société, pose en définitive deux problèmes. La renaissance d'une communauté juive cohérente semble prendre appui sur la religion. S'agit-il en l'occurrence d'un phénomène proprement religieux s'inscrivant dans le cadre général de l'émergence du religieux dans l'idéologie implicite de la société soviétique contemporaine? Ou bien de l'utilisation du religieux comme critère d'identification nationale? Il est malaisé d'apporter ici une réponse qui tranche nettement entre les deux hypothèses qui ont sans aucun doute, toutes les deux, une part de vérité. En revanche, il est clair que dans le climat de quête religieuse qui caractérise l'U.R.S.S. aujourd'hui, le judaïsme ne peut que s'amplifier en lui-même et comme support national; que par ailleurs les progrès du judaïsme contribuent en retour à accroître l'attraction du religieux en U.R.S.S. La seconde question concerne la nature profonde de ce sentiment national juif dont on constate la montée. Annie Kriegel a fort justement noté que la politique stalinienne avait, à un moment donné, engagé l'évolution de la communauté juive dans une impasse. Peut-on déduire de là que c'est la discrimination pratiquée à l'égard des Juifs, les ambiguïtés fondamentales de la politique soviétique créant un statut « *légal* » juif mais niant les droits nationaux juifs, qui est à l'origine d'un nationalisme de défense ou *négatif*? Ou bien que de toute manière, au cours de sa modernisation, un groupe revient en général à ce qui lui est propre, tout en le combinant de manière positive avec les acquis de la modernité? Ici encore, la réponse embrasse les éléments essentiels des deux hypothèses. Il est clair que la discrimination culturelle dont elle a été l'objet a poussé la communauté juive à y répondre par la recherche de son identité. Traités différemment des autres, les Juifs ont affirmé dignement leur différence et ont voulu en connaître les vrais motifs. Mais aussi, grâce à une éducation poussée qui les intégrait à la culture globale, les Juifs ont été naturellement conduits à adjoindre à cette culture leurs propres valeurs, les créations de leur génie propre. Même si l'on veut réduire le sentiment national juif à un réflexe négatif — et rien ne justifie cela — la réalité de ce sentiment national, son affirmation toujours plus forte et publique, sont des composantes de la réalité soviétique contemporaine. Ils témoignent qu'une communauté privée de territoire, de culture, ayant intérêt à une assimilation totale, peut rester ou redevenir une nation; que la conscience nationale, le sentiment d'appartenance à un groupe particulier sont des critères nationaux, subjectifs sans doute, mais aussi puissants que les facteurs objectifs (territoire, langue) que l'idéologie soviétique s'obstine à tenir pour seuls décisifs. Les apatrides de l'U.R.S.S., Juifs, Tatars ou Allemands illustrent tous, par des voies différentes, que l'intégration nationale en U.R.S.S. n'est pas favorisée par le mépris des droits nationaux; que ce mépris, dans les situations les plus diverses, ne conduit pas à la résignation mais à l'auto-affirmation et à des affrontements.

Les rebelles

De toutes les nations de l'U.R.S.S., celle qui a probablement le mieux préservé ses traits nationaux est la nation géorgienne. C'est aussi celle qui se révolte le plus ouvertement et violemment dès lors qu'elle entrevoit une velléité d'attenter à ce qu'elle a su préserver La force de la nation géorgienne est faite d'éléments divers. Tout d'abord sa cohésion sur un même sol : les 3 130 741 Géorgiens dénombrés en Géorgie en 1970 représentent 66,8 % de la population totale de la république, et l'essentiel de toute la nation géorgienne dont la diaspora est limitée à 3,5 %. Une longue histoire, une christianisation commencée au IVe siècle et une indépendance toujours menacée ont forgé une nation très attachée à ses traditions et à sa culture. Ce sentiment national transparaît dans la situation linguistique de la Géorgie. Tous les Géorgiens vivant dans leur république et 62 % de ceux qui sont à l'extérieur restent fidèles à leur langue maternelle. En définitive, 99,4 % s'en tiennent au géorgien et 20,1 % ont de surcroît une bonne connaissance du russe. Leur vie nationale est renforcée par le caractère largement national de l'éducation donnée aux élites géorgiennes. Les Géorgiens se situent au sommet de l'échelle par le nombre d'étudiants recevant une éducation supérieure [69] et, fait remarquable, l'enseignement supérieur, même technique, est très souvent dispensé en géorgien. Si l'on ajoute à cela qu'ils sont les seuls avec les Arméniens à avoir préservé leur alphabet, on comprend que les élites nationales soient fermées à toute influence d'une culture extérieure. Depuis 1972, tous les indices d'une crise grave, opposant la Géorgie au pouvoir central s'accumulent : crise latente, purges, flambée de colère populaire, terrorisme. C'est là une situation relativement peu commune en U.R.S.S.

Tout a commencé en 1972 avec une purge politique dont le prétexte était la corruption des dirigeants. La corruption, les pratiques économiques illégales, nul ne songeait à s'en cacher en Géorgie, nul ne les ignorait en U.R.S.S. Elles tenaient aux pratiques illégales assez répandues en U.R.S.S. en général [70], à l'esprit frondeur des Géorgiens, à une certaine fantaisie méridionale. Au printemps 1972, le Comité central du P.C.U.S. s'avise soudain que tout va mal en Géorgie et publie un décret critiquant les dirigeants de la république [71]. De là, la chute du Premier secrétaire en place, Mjavanadzé, homme effectivement très corrompu et réputé tel, et son remplacement par un homme ayant une forte expérience policière, Chevarnadzé, qui s'attaque aussitôt à la suppression des pratiques illégales. En dépit d'une purge massive des cadres politiques et économiques, le nouveau Premier secrétaire ne semble guère avoir réussi à satisfaire les exigences du C.C. En juin 1976, celui-ci, tout en le félicitant de ses efforts, constatait dans un nouveau décret que beaucoup « restait à faire pour relever politiquement et idéologiquement les communistes et les autres travailleurs » [72]. D'ailleurs, K. Ketiladzé, ministre de l'Intérieur de la république, avouait au même moment que la corruption sous toutes ses formes (des petites exactions aux « pots de vins » les plus importants) continuait à sévir [73]. Quatre ans d'enquêtes, de critiques, de purges semblent avoir si peu modifié la scène géorgienne, qu'en novembre 1976 le Comité central du P.C. de Géorgie a tenu une conférence durant deux jours pour examiner comment les organes de l'administration ont participé à ce nettoyage des écuries d'Augias. Les conclusions tirées de ces travaux rendaient un son étrangement pessimiste. Les organes de l'administration étaient loin d'avoir accompli un effort décisif dans « la lutte contre le crime et pour le rétablissement de l'ordre public » [74]. D'année en année, l'ampleur des préoccupations du Parti croît. En 1972, il s'agissait de corruption; en 1976, d'ordre public. En février 1977, cet ordre paraît si menacé que le C.C. géorgien tient une nouvelle réunion de deux jours pour faire le bilan de l'action de l'administration et y associe tous ceux qui en sont chargés : le procureur de la république, L. Talakvadzé; le ministre de l'Intérieur, Ketiladzé; le ministre de la Justice, Chuchanachvili. Comme le précédent séminaire de ce type, celui-ci conclut qu'il y avait peu d'entrain à remettre de l'ordre en Géorgie; que les individus et les administrations étaient très coupables [75]. Il est intéressant de noter que même les organes de sécurité et la justice n'échappent pas à la critique et sont accusés de mollesse envers ceux qui menacent l'ordre public [76].

Cet acharnement à dénoncer les illégalités en Géorgie, qu'est-ce qui le justifie? Des incidents graves sans aucun doute. Le premier d'entre eux, du moins de ceux qui sont connus, remonte à 1973. Un incendie ravageait, le 9 mai, l'Opéra de Tbilissi. Si un incendie n'a rien en soi de sensationnel, celui-là mérite de retenir l'attention par les mystères qui l'accompagnent. Il a d'abord été entouré d'un grand silence, et n'est connu qu'avec le procès des sept incendiaires en 1977 [77]. Si ce procès reçut une large publicité — aussi étendue que tardive — nul n'a jamais expliqué pourquoi des gens avaient allumé un incendie criminel [78]; qui avait organisé cette affaire; surtout quelle explication on pouvait en fournir. Les inconnues de ce procès sont particulièrement intéressantes quand on constate qu'il s'insère dans une série de trois procès dont deux d'une exceptionnelle gravité. Le premier d'entre eux, celui de V. Jvania, a conduit à la mort un homme accusé d'avoir à plusieurs reprises placé des bombes dans des édifices publics. Si la presse n'a pas cru bon de dire pourquoi Jvania se livrait au terrorisme [79], la rumeur s'est aussitôt répandue en Géorgie qu'il avait expliqué ses attentats comme étant des manifestations d'opposition à la russification de son pays. Plus ou moins au même moment, deux peines de mort ont couronné le procès d'un « gang », rassemblant « bandits et drogués » qui avaient assassiné un lieutenant de la milice. Ici encore, les explications sont simples : la drogue, la déviance et au-delà l'absence d'une « bonne influence dans la famille » [80]. Derrière ces trois procès, il y a en Géorgie une réalité inquiétante. On y tue effectivement des policiers, on y place des explosifs dans les édifices publics, on incendie l'Opéra dont la particularité est d'être situé en face du siège du Comité central. Il ne s'agit pas là de faits exceptionnels, mais de manifestations répétées. Et de manifestations qui traduisent l'inquiétude des Géorgiens devant une campagne « anti-corruption » dont ils ont considéré qu'elle était un prétexte destiné à affaiblir moralement la nation géorgienne, à la rendre vulnérable, à permettre par une purge de ses cadres la mise en place systématique de cadres plus souples envers le pouvoir central, voire de cadres russes. On entrevoit comment de tels changements peuvent avoir lieu, quand on considère l'exemple du président du Soviet suprême de Géorgie. En janvier 1976, le président en place depuis 1959, Dzotsenidzé, était relevé de ses fonctions et remplacé par son compatriote, Guilachvili [81]. En apparence, une opération normale, puisque l'ancien président était élu au même moment [82] au Praesidium de l'Académie des sciences; opération normale impliquant néanmoins un recul dans la hiérarchie sociale pour l'un et une promotion pour l'autre. L'anormal réside dans le fait que ce changement s'opère dans un climat général de destitutions et de promotions, et un mois à peine après la session du Soviet suprême de Géorgie, moment en principe le plus approprié à de tels mouvements. A considérer la biographie des deux hommes, on peut se demander si elle n'explique pas leur destin. Dzotsenidzé était le prototype du cadre politique national dont toute la carrière s'est déroulée en Géorgie. Guilachvili est plus lié au centre et a travaillé plusieurs années dans l'appareil du C.C. du Parti communiste de l'U.R.S.S. où il a notamment été chargé du P.C. de Moldavie.

Si les Géorgiens ne peuvent que s'alarmer de telles modifications dans l'appareil dirigeant de la république, il est un domaine qui les mobilise massivement, c'est celui de la défense de leurs droits linguistiques. En 1976, les intellectuels géorgiens ont à plusieurs reprises, on l'a vu ailleurs, vivement protesté contre les progrès de la russification. La Constitution leur a donné l'occasion d'un affrontement dont ils sont sortis vainqueurs. Ici aussi, les faits sont simples. A la mi-avril 1978, une foule de manifestants a envahi les rues de Tbilissi. Manifestation massive, si grave que peu après le directeur adjoint du K.G.B., K. Piliouguine, était relevé de ses fonctions [83]. Plusieurs heures de démonstration bruyante ont eu raison des projets d'affaiblissement du statut de la langue géorgienne. Le projet de constitution républicaine, publié en mars 1978, avait supprimé la clause figurant dans la constitution précédente (art. 137), qui précisait que le géorgien était la langue officielle de la république. Dans le silence du nouveau texte, les Géorgiens ont vu une régression caractérisée de leurs droits. Et ils ont choisi le jour où les autorités de la république en discutaient pour proclamer très fort et massivement leur hostilité à ce projet. Devant la protestation [84] populaire, le pouvoir a reculé et rétabli dans le texte final [85] la disposition suivante (art. 75) : « La langue d'Etat de la R.S.S. de Géorgie est le géorgien. » Vainqueurs dans le conflit constitutionnel, les Géorgiens ont entraîné dans leur révolte leurs voisins du Caucase qui, comme eux, ont obtenu la consolidation officielle de leurs droits linguistiques.

Cet épisode est particulièrement intéressant à relever en Azerbaïdjan, où en dépit d'un effort considérable pour imposer la langue russe à tous les niveaux de l'enseignement [86], l'attachement au monde culturel turc reste très profond. Ainsi, malgré les différences dans les formes et le degré de cohésion nationale, le Caucase tout entier reste un bastion mal intégré. Et tout est bon pour manifester ce refus d'intégration. Le terrorisme, les manifestations de masses, mais aussi les pratiques économiques interdites par le socialisme [87], l'attachement aux traditions locales, religieuses ou purement populaires [88], enfin le sabotage par les cadres des directives officielles [89].

Les « frères ennemis »

Apatrides de l'U.R.S.S. et Géorgiens révoltés, les peuples mal intégrés sont caractérisés par un haut degré d'éducation, et par leur appartenance à un monde culturel totalement étranger au monde slave, Juifs exceptés. Mais la solidarité slave et un niveau socio-culturel plus ou moins comparable à celui des Russes suffisent-ils à assurer une assimilation plus facile? L'évolution du nationalisme ukrainien pousse au doute. Le nationalisme de l'Ukraine, contrairement à celui de la Géorgie, est récent dans ses formes présentes. Sans doute, la révolution de 1917 a-t-elle donné libre cours a un mouvement national que le romantisme du XIXe siècle avait encouragé et façonné. Mais, en 1917, le nationalisme reste confus, mélange d'idées propres à une petite intelligentsia et aux aspirations vagues d'une société majoritairement paysanne. Les villes, en revanche, qui regroupent une population plus modernisée sont gagnées à la culture russe et voient dans les volontés nationales un facteur freinant les progrès de la société. Cette relative absence de cohésion nationale et la politique d'*ukrainisation* pratiquée par le pouvoir soviétique jusqu'au début des années 30 ont contribué à une intégration progressive de l'Ukraine dans la fédération. En dépit des drames de la collectivisation et de la guerre [90], l'Ukraine a pris progressivement la dimension d'un partenaire privilégié de l'U.R.S.S. dans la fédération, surtout lorsque après 1954 Khrouchtchev, puis Brejnev, s'entourant d'hommes qui avaient participé à leur carrière en Ukraine ont peu à peu « ukrainisé » les sommets du pouvoir soviétique. Le « frère aîné » des peuples de l'U.R.S.S. semblait avoir un brillant cadet, plus proche de lui par la dimension, la structure de la société et surtout la culture, que les autres peuples.

Sans doute, dès le milieu des années 60, des voix discordantes se font entendre en Ukraine. Ces voix sont très importantes parce qu'il ne s'agit pas dans ce cas de manifester un désaccord avec le pouvoir sur des problèmes généraux, mais de poser en pratique et en théorie une question fondamentale, celle de la nation ukrainienne, de ses aspirations, de ce qui sépare les volontés nationales ukrainiennes et les volontés des dirigeants soviétiques. En décembre 1965, un jeune écrivain ukrainien, Ivan Dziuba, adressait à deux de ses compatriotes illustres (Pierre Chelest, alors Premier secrétaire du P.C. d'Ukraine et membre du Praesidium du C.C. du P.C.U.S., et Vladimir Chtcherbitski, président du Conseil des ministres d'Ukraine et suppléant au Praesidium du C.C. du P.C.U.S. [91]) un long mémorandum intitulé *Internationalisme ou russification* [92]. Passant en revue l'histoire soviétique et ukrainienne depuis près de quarante ans, Dziuba démontrait que la nation ukrainienne était en voie de suppression au bénéfice d'une Russie habillée aux couleurs de l'internationalisme. Quelques mois plus tard, en 1966, un journaliste ukrainien V. Chornovil [93] s'adressait à son tour au procureur suprême de la république d'Ukraine, non pour discuter des problèmes généraux de la nation, mais du sort fait à ceux qui prétendaient parler en son nom et faire respecter ses droits. A partir de là, l'intelligentsia ukrainienne devait subir un véritable assaut.

A la crise ouverte par les intellectuels, il faut ajouter à partir de 1972 une crise politique. L'aspect le plus connu de la crise est la chute, en 1972, de Pierre Chelest, puissant à Kiev et puissant à Moscou, et qui a sans aucun doute été éliminé pour avoir tenté de *réukrainiser* l'appareil politique de sa patrie. Le cas de Chelest est en effet exemplaire de l'évolution récente de l'Ukraine, et mérite pour cela quelque attention [94]. Jusqu'à son arrivée à la tête du P.C. ukrainien en 1963 où il remplace Podgorny, Chelest se comporte en Ukrainien parfaitement assimilé. Dès qu'il est à la tête du P.C.U., Chelest use de son autorité pour développer son parti et développer l'aspect ukrainien du Parti. Les effectifs du P.C.U. vont croître beaucoup plus rapidement que ceux du P.C.U.S., ce qui va donner à l'organisation ukrainienne un poids considérable dans le P.C.U.S. De plus, Chelest s'oppose à l'envoi en Ukraine de cadres non ukrainiens et à l'envoi de cadres ukrainiens à l'extérieur que le pouvoir central prône au nom de la solidarité des nations et de l'échange des expériences. Sans doute, cette attitude peut-elle relever d'un simple désir de s'assurer un bastion politique et une clientèle. Mais, dans deux autres domaines, Chelest montre clairement une tendance à être plus ukrainien que soviétique. En économie, il laisse se développer dans la république des critiques toujours plus acerbes contre l'exploitation économique de l'Ukraine et la subordination de ses intérêts à ceux du progrès en Sibérie. Dans le domaine de la culture, s'il est incapable de protéger les intellectuels, si l'enseignement se russifie rapidement, il insiste néanmoins pour que les publications en langue ukrainienne se multiplient. Pourtant, jusqu'en 1970, rien ne permet de déceler dans ce bon administrateur de l'Ukraine un nationaliste fervent. On imagine la surprise du pouvoir lorsque cet homme prudent s'avise soudain de publier un livre à la gloire de son pays, qui dans le contexte des tensions nationales de l'Ukraine le jette incontestablement du côté des nationalistes les plus farouches. Dans cet ouvrage intitulé *Notre Ukraine soviétique* [95], Chelest admet d'emblée que l'Ukraine est « partie intégrante de l'U.R.S.S. », mais après ce préalable, il glorifie page après page l'histoire passée, la culture, et le développement de l'Ukraine. Il constate que le cadre de ce passé et de ce présent, c'est un Etat national, modernisé, qu'il semble tenir pour un cadre éternel. Quant à la thèse du développement continu des nations vers une fusion — pourtant sans cesse répétée alors par les dirigeants de l'U.R.S.S. — il n'en souffle mot. Le pouvoir central tire vite les conclusions de cette évolution spectaculaire vers un national-communisme dont il craint toujours la renaissance en Ukraine [96]. Y. Bilinsky a souligné qu'en dernier ressort, les crises de ce type étaient toujours résolues au centre. Chelest, tout en disposant d'un appareil communiste puissant, a été destitué de ses fonctions ukrainiennes à Moscou et non à Kiev, comme si le pouvoir central voulait prouver dans de telles crises que la décision se prend au centre [97]. La chute de Chelest a ouvert la voie à des changements en apparence limités dans la direction ukrainienne, mais qui en définitive font perdre à l'Ukraine une part de son statut politique privilégié. Si le remplaçant de Chelest, V. Chtcherbitski est évidemment un Ukrainien, en revanche, le poste de second secrétaire du P.C.U. a été attribué à un Russe, alors qu'il avait toujours été depuis 1949 détenu par un Ukrainien.

La crise nationale qui s'est développée en Ukraine depuis le milieu des années 60 est-elle le signe des limites de l'intégration? ou bien un sursaut désespéré pour la ralentir? Si la crise est évidente, l'avenir l'est beaucoup moins. Il est significatif que les meilleurs connaisseurs de l'Ukraine portent sur son devenir des jugements très opposés. Pour certains, le fait d'être « un second grand frère », de participer largement au pouvoir en U.R.S.S. et dans les autres républiques doit pousser à une intégration. D'autres, au contraire, tiennent la montée du dissentiment ukrainien pour une donnée nouvelle et irréversible de l'histoire soviétique. Pour tenter un jugement, il faut avant tout voir quels sont les éléments, les revendications autour desquels se compose le nationalisme ukrainien. Les revendications sont claires; elles vont de la protection des droits culturels ukrainiens, du refus d'une politique de brassage ethnique par migration, à la volonté d'indépendance totale. Mais cette dernière exigence, extrême, est difficilement exprimable. En revanche, les Ukrainiens se battent sans hésiter pour pouvoir être ukrainiens culturellement. Sont-ils menacés à cet égard? Probablement oui, car le recensement accuse un recul de la langue ukrainienne. Sans doute l'ukrainien est-il, après le russe, la langue la plus répandue, puisque 37,5 millions de personnes le parlent dont 34 900 000 comme langue maternelle. Mais dans la république d'Ukraine, le nombre de ceux qui parlaient ukrainien est tombé de 73 % en 1959 à 69 % en 1970, tandis que le nombre de russophones augmentait. Les causes de ce recul sont largement liées à la politique scolaire du pouvoir soviétique : en principe, la majorité des écoles — 22 000 sur 27 000 — dispensent un enseignement en ukrainien, et moins de 5 000 en russe. Mais cette situation apparemment favorable à la langue ukrainienne est modifiée par diverses données que l'on ne peut chiffrer avec exactitude mais dont on entrevoit les effets. Tout d'abord, le déséquilibre en faveur des écoles ukrainiennes est moindre au début des années 70 qu'à la fin des années 50. Le temps semble bénéficier à l'enseignement russe. De plus, ces chiffres confondent dans une unique catégorie les écoles urbaines qui souvent ont un enseignement de dix ans et un grand nombre d'élèves, et les écoles rurales au cursus court et avec un nombre d'élèves limité. Or les écoles urbaines sont souvent russes, tandis que les écoles rurales sont en majorité ukrainiennes. Si l'on compte par élèves et non plus par écoles [98], l'évolution de l'enseignement ukrainien a suivi à peu près le cours suivant : 1955-1956 : 72 % des élèves étudient en ukrainien, et 25,9 % en russe; en 1964, l'enseignement en ukrainien tombe à 70 %; en 1974, aux alentours de 60 %. La situation de l'enseignement supérieur est pire encore puisque pratiquement tout l'enseignement y est donné en russe [99]. Les Ukrainiens sont de toute évidence plus que d'autres peuples menacés par la progression du russe. D'abord en raison de la parenté des deux langues. Dans la mesure où la connaissance du russe est une condition impérative de promotion sociale, d'accès aux postes dirigeants, il peut être d'autant plus tentant pour des parents ukrainiens de confier leurs enfants aux écoles russes, qu'ils ont le sentiment de n'être pas pour autant coupés de ces enfants russifiés et qu'ils peuvent espérer qu'ils passeront aisément du russe à l'ukrainien. Le rôle joué par les Ukrainiens hors de leur république, qui est pour eux source de fierté nationale, contribue aussi à les pousser à l'étude du russe. Cette évolution explique pourquoi l'intelligentsia ukrainienne s'inquiète de voir s'établir dans la république un bilinguisme d'un genre particulier, le russe étant la langue des élites et des villes, l'ukrainien celle des campagnes et du folklore. Le problème posé par les élites est celui de la réduction progressive de leur culture au rang de sous-culture qui ne se manifesterait plus que dans les milieux les moins équipés intellectuellement et dans quelques productions artisanales et artistiques.

C'est peut-être parce qu'ils sentent que leur capacité de résister dans le domaine linguistique est limitée que les Ukrainiens s'attachent si puissamment à défendre leur histoire et donnent à leur sentiment national une dimension ethno-territoriale qui tend à dépasser les frontières soviétiques. Cet intérêt pour l'histoire est aussi matière à conflits avec le pouvoir central, pour qui l'histoire de l'Ukraine est dominée par la réunion à la Russie. En agrandissant, au lendemain de la guerre, le territoire ukrainien de territoires enlevés à la Pologne, à la Roumanie et à la Tchécoslovaquie, probablement Staline pensait-il en dernier ressort contribuer à unifier Russes et Ukrainiens. Mais ces acquisitions territoriales ajoutent au contraire au nationalisme; les catholiques rattachés à l'Ukraine en 1945 sont un ferment d'agitation et gardent les yeux fixés sur les pays auxquels ils ont été enlevés. D'une manière générale, l'Ukraine occidentale, oublieuse des vieux conflits ukraino-polonais, manifeste une sensibilité particulière à tous les courants hétérodoxes qui agitent la Pologne et la Tchécoslovaquie. L'agrandissement de l'Ukraine a créé des solidarités nouvelles entre cette partie de l'U.R.S.S. et l'Europe socialiste, qui imposent au pouvoir une grande rigueur envers toutes les volontés est-européennes de s'écarter du modèle soviétique du socialisme. Si l'Ukraine n'était pas aussi attentive aux échos des pays voisins auxquels elle est historiquement si liée, le Printemps de Prague eût-il été totalement condamné à Moscou?

L'Ukraine est en définitive la plus paradoxale des nations de l'U.R.S.S., très proche de la Russie par sa dimension et ses intérêts, engagée dans la voie de la russification, contribuant tant au fonctionnement général du système, elle se renationalise pourtant aussi vite qu'elle semble se dénationaliser. Et l'on peut se demander ici si l'élite ukrainienne ne développera pas un nationalisme ukrainien, même en dehors du support qu'offre en général la langue nationale. L'avenir proche dira s'il s'agit d'une nouvelle définition du sentiment national, fondée sur l'intégration politique et la modernisation de la société, ou bien d'une assimilation qui se heurte aux derniers soubresauts du nationalisme décroissant.

*
* *

Que prouvent ces crises qui sporadiquement éclatent d'un bout à l'autre de l'espace soviétique? Et qu'y a-t-il de commun entre le refus d'une communauté de voir se perpétuer une discrimination à son encontre, entre l'aspiration à retrouver le sol natal de quelques 300 000 personnes, le terrorisme préventif dans une nation qui n'a encore rien cédé ni de ses droits ni de son particularisme, et l'évolution plus ambiguë de la seconde nation de l'U.R.S.S., qui est le bras droit du pouvoir central dans les autres républiques, et qui en même temps proteste contre toute immixtion russe chez elle?

Ce que prouvent ces crises, c'est que l'U.R.S.S. n'est pas une famille totalement unie où toutes les différences se sont effacées, et où les sentiments d'appartenance à un sol et à une culture sont essentiellement des souvenirs. Ces crises prouvent que le *peuple soviétique* est encore un conglomérat de peuples. Et ce qu'il y a de commun entre ces peuples de tailles et de situations diverses, c'est que ces crises les opposent *explicitement* au pouvoir central. Dans leur désir d'imposer leurs aspirations, c'est vers le pouvoir central qu'ils se tournent, c'est lui qu'ils s'efforcent de convaincre ou d'intimider. Ces crises ont en définitive en commun de se situer à l'intérieur du système politique soviétique, de se poser dans les termes et par rapport aux valeurs qui sont ceux de l'U.R.S.S. Ces crises affectent-elles l'ensemble du système? En apparence non. Si l'on se fie aux données visibles — manifestations ouvertes de désaccord —, il est clair qu'une partie importante de la société non russe en est préservée. C'est le cas, semble-t-il, de la société musulmane, nombreuse et dynamique. Est-elle l'élément stabilisant du système qui compenserait les crises constatées ici? Ou bien cette stabilité recouvre-t-elle une crise latente d'une autre dimension, plus redoutable encore à la cohésion de l'ensemble?

CHAPITRE VII

RELIGION ET SENTIMENT NATIONAL

La persistance du sentiment religieux en U.R.S.S., ou son renouveau, est une réalité socioculturelle que reconnaissent aussi bien les autorités soviétiques que les observateurs extérieurs. Pour le pouvoir, cette réalité a deux aspects. Tantôt il s'en glorifie et affirme bien haut que c'est là le signe tangible d'une attitude ouverte et démocratique à l'égard de toutes les convictions particulières [1]. Tantôt au contraire il s'en inquiète. Alors les organes spécialisés dans la propagande antireligieuse sont mobilisés [2]. Les spécialistes de la propagation de l'athéisme sont conviés à intensifier leur action [3], la presse multiplie les appels à la vigilance. Cible principale de ces efforts, les éducateurs à qui l'on rappelle que la tâche première de l'école est d'éduquer des communistes, donc d'écarter les futurs citoyens soviétiques des idées rétrogrades dangereuses et anticommunistes que véhiculent les religions [4]. D'une manière croissante, les publications antireligieuses qui dans un passé récent se contentaient d'attaquer les religions, d'en prédire la disparition inévitable, soulignent désormais la capacité des religions à survivre [5] et leur aptitude à s'adapter à une société transformée par le socialisme [6]. Lentement, le pouvoir soviétique prend conscience de l'attrait que les rituels religieux peuvent exercer dans une société où l'uniformité prévaut. Il reconnaît aussi que dans une société où l'urbanisation entraîne une délinquance accrue, la morale religieuse se fraie un chemin aux côtés de la morale socialiste, voire à sa place [7].

Dans cette découverte du fait religieux, les analyses soviétiques ne sont cependant ni univoques ni sans nuances. Elles tendent à diviser les croyants en deux catégories, les « traditionalistes » dont les sentiments religieux remontent à l'enfance et les « convertis » pour qui la religion est un choix délibéré [8]. Dans la première catégorie, les auteurs placent clairement les fidèles des religions qui comptent de nombreux fidèles, orthodoxes et, semble-t-il, musulmans. Dans la seconde, les fidèles des religions plus marginales dans le contexte historique soviétique, baptistes, catholiques. Cette classification est-elle ou non justifiée? On ne saurait y répondre rapidement sans faire appel à des enquêtes socioreligieuses poussées qui sont d'ailleurs effectuées en U.R.S.S. L'important ici réside dans la conclusion qu'en dégage le pouvoir soviétique. Pour lui, la foi religieuse, vue comme manifestation d'attachement à une tradition plus ou moins bien comprise est une *survivance*. Ainsi, le fait religieux, si largement constaté à travers l'espace soviétique, est-il réduit à la persistance de convictions confuses qu'un progrès insuffisant de l'éducation suffit à expliquer. A cette première conclusion largement explicitée s'en ajoute une autre, implicite, c'est que la religion est un phénomène spécifique dont les incidences politiques nationales ne sont pas clairement perçues. Ces conclusions hâtives, il faut pourtant les transformer en questions. Les religions ne sont-elles que des survivances d'un passé présocialiste, que la marche au communisme et l'éducation achèveront de détruire? Sont-elles, dans leurs manifestations actuelles, étrangères à la culture politique de chaque nation? étrangères par là même au fait national? Deux exemples, très différents dans leur contexte, historique et sociologique, s'imposent à l'esprit dès lors que ces questions sont posées. Aux deux extrêmes du monde des nations soviétiques, les Baltes pétris de tradition européenne, hautement développés dans leur culture et leur économie montrent dans certains cas un attachement particulier à la religion. Loin d'eux, tournés vers le monde historique de l'Islam, moins urbanisés, moins développés économiquement, les peuples musulmans de l'U.R.S.S. participent à un renouveau religieux qui témoigne avant tout de la diversité de la culture politique en U.R.S.S.

Catholicisme et identité nationale

Comme toujours en Union soviétique, c'est le pouvoir lui-même qui se charge de montrer les phénomènes dont par ailleurs il nie l'existence. La religion se meurt. Depuis plus d'un demi-siècle, des générations de jeunes Soviétiques ont appris à l'école à voter la mort de Dieu. Et pourtant, soudain, les autorités s'affolent et cherchent à renforcer les institutions de lutte antireligieuse pour endiguer le flot montant des croyants. C'est ainsi qu'en 1975, en Lituanie, le pouvoir s'est d'un coup préoccupé de donner une vie, une activité nouvelle, au Musée de l'athéisme, d'affirmer la nécessité d'une mobilisation des militants de l'athéisme pour lutter contre cette religion qui n'en finit pas de mourir [9]. L'intéressant ici réside avant tout dans la juxtaposition d'éléments contradictoires. A la contradiction bien connue d'une politique qui affirme dans le même temps que l'*homo sovieticus* est athée, ou au minimum areligieux, et qui mobilise sans cesse des forces considérables pour le combat antireligieux, s'en ajoute sur le terrain une seconde reproduisant la première. Des enquêtes partielles soulignent une incontestable indifférence, sinon une hostilité, au religieux. C'est ainsi qu'une enquête effectuée au début des années 70 dans des écoles de Lettonie [10] a montré que les adolescents étaient en majorité indifférents à la religion (56,2 %), athées inactifs (17,1 %), athées militants (3,5 %). Sans doute, la part de ceux que l'on appelle pudiquement « superstitieux » (21,1 %) est-elle loin d'être négligeable. D'autant que s'y ajoutent vraisemblablement 2,1 % d' « indécis », dont le refus de prendre position sur leurs croyances religieuses, suggère qu'ils peuvent être rangés du côté des croyants, tout en craignant d'affirmer trop nettement leur foi.

Que 21 ou 23 % de jeunes Soviétiques se disent croyants, cela justifie-t-il la mobilisation idéologique à laquelle on assiste en Lituanie principalement? Ici intervient un autre facteur : la différence d'attitude envers la religion d'une république à l'autre, partant d'une religion à l'autre. Les enquêtes effectuées en U.R.S.S. témoignent en effet qu'il n'y a pas uniformité des attitudes devant les religions dans les trois républiques baltes; que le plus haut degré de vie religieuse existe en Lituanie, ce qui conduit à poser le problème des causes de ces différences de comportement dans une région par ailleurs assez homogène.

Toutes les grandes religions chrétiennes sont présentes dans les Etats baltes. Mais une situation tranchée existe en Lituanie où le catholicisme prédomine, tandis que l'Estonie est en majorité luthérienne, et qu'en Lettonie, face à un groupe luthérien compact, le catholicisme est très minoritaire [11]. Des trois pays, c'est la Lituanie qui avait traditionnellement le plus grand degré d'homogénéité religieuse; c'est en Lituanie aussi que la religion a, dans le cours de l'histoire, joué le rôle le plus important pour former la nation. Dans ce pays où la conversion au christianisme au début du XIIIe siècle avait été volontaire, l'Eglise s'était très tôt chargée de former une élite nationale qui s'opposera d'abord à la pénétration allemande. A l'époque de la domination tsariste, la politique de russification va buter sur l'église catholique et sur ses institutions éducatrices. Menacés dans leur intégrité culturelle par les aspirations unitaires de la Russie, les Lituaniens vont développer leur conscience nationale autour de leur Eglise, qui est à l'origine de leur développement culturel. Il n'est pas étonnant dans ces conditions que les années d'indépendance aient été marquées par l'émergence dans la vie politique d'un important parti catholique, le parti démocrate-chrétien qui a joué un rôle dans toutes les combinaisons politiques de ces années.

Par opposition, la religion a joué un rôle historique beaucoup plus diffus dans les deux autres Etats baltes. L'Eglise luthérienne y a été un véhicule de la culture allemande au lieu que d'y forger une conscience nationale claire. La russification ne s'y est pas attaquée à ce qui était propre aux nations concernées, mais à l'influence culturelle et à l'autorité des Baltes d'origine allemande. Et l'élite locale, loin d'y résister, sans hésiter s'est divisée, ne sachant si l'intérêt lui commandait de défendre la culture allemande contre la culture russe ou, au contraire, d'essayer d'utiliser la russification pour affaiblir l'emprise allemande au bénéfice final d'une culture nationale. Perçue en Lituanie catholique comme une menace pour l'intégrité nationale-culturelle lituanienne, la Russie apparaît au contraire en Lettonie et en Estonie comme un allié possible pour un développement national autonome. L'indépendance consacre cette différence du rôle joué par les Eglises. En Estonie, le parti chrétien-démocrate tient une place mineure; en Lettonie, les partis politiques d'inspiration religieuse sont plus nombreux, mais leur influence est quasi nulle tant ils sont divisés et peu importants pris séparément. La soviétisation des Etats baltes s'opère donc dans une situation religieuse très hétérogène, et s'accompagne d'une politique religieuse hétérogène aussi. Partout la propagande et l'éducation antireligieuse ont été d'autant plus constantes que l'entrée tardive de ces républiques dans l'U.R.S.S. semblait remettre en question — au moins dans les régions limitrophes des pays baltes — l'œuvre de destruction des religions, accomplie entre 1917 et 1945. En Estonie, l'Eglise orthodoxe jouit d'une situation légèrement plus favorisée que celle des autres confessions. On y compte davantage de paroisses [12], et même un couvent reste ouvert. De la même manière, en Lituanie, tandis que les églises orthodoxes de Vilnius et Kaunas subsistent, dans la seule ville de Vilnius, vingt-trois églises catholiques ont été fermées depuis 1945, les couvents sont interdits, les religieuses sont persécutées. Cette différence de traitement n'est pas propre à la seule Eglise orthodoxe, l'Eglise luthérienne en bénéficie aussi dans certains cas. Ceci est parfaitement clair, s'agissant du renouvellement du clergé. Partout l'Etat soviétique freine les entrées dans les facultés de théologie. Mais le nombre de candidats autorisés à s'inscrire chaque année dans l'académie religieuse de Riga, qui répond en principe aux besoins des communautés luthériennes de Lettonie et d'Estonie est proportionnellement cinq à six fois plus élevé (compte tenu de la dimension des communautés) que le nombre d'étudiants admis à s'inscrire au séminaire catholique de Kaunas. La conséquence de cela est que l'Eglise catholique lituanienne se trouve désormais dans une situation particulièrement dramatique. En 1974, 628 églises catholiques subsistent en Lituanie, mais 554 seulement ont un prêtre. Le clergé dont l'âge moyen est de soixante ans ne cesse de diminuer. En dix ans, le nombre de clercs encore vivants est tombé de 850 à 759, parmi lesquels la proportion de retraités ne cesse de croître. La rigueur particulière des autorités à l'encontre des catholiques s'explique sans doute par une politique antireligieuse applicable à tous les citoyens soviétiques, mais surtout par l'importance de la religion en Lituanie, et par la signification politique de la pratique religieuse.

Importance de la vie religieuse, d'abord. En Estonie, en dépit d'un déclin religieux, le pouvoir soviétique reconnaît qu'il y a encore près de 450 000 croyants, soit le tiers de toute la population. La participation de ces croyants à la vie religieuse est diverse selon les moments; environ 12 % des enfants sont baptisés, 2,50 % des mariages sont bénis, mais près de la moitié des enterrements s'effectuent à l'église. Le nombre relativement élevé des confirmations (2000 en 1969) montre bien que la pratique religieuse ne touche pas seulement les vieillards, n'est pas seulement commandée par la peur de la mort, mais aussi attire la jeunesse à qui pourtant le pouvoir prodigue conseils et menaces [13]. En 1972, une délégation de la Fédération luthérienne mondiale a rapporté d'un voyage dans les Etats baltes une série d'informations officielles permettant de conclure à un progrès des pratiques religieuses en dépit des réductions de lieux et de serviteurs du culte [14].

En Lettonie, les effets de la politique antireligieuse du pouvoir soviétique sont relativement douteux aussi. La communauté luthérienne des croyants est estimée à 300 000 personnes, ce qui n'est pas considérable (à peine plus du dixième de la population totale) mais le développement de la propagande athéiste au cours des dernières années en Lettonie [15] suggère que ces croyants inquiètent aussi le pouvoir. Au demeurant, ici, ce sont les adeptes du baptisme qui, politiquement, sont les plus actifs.

Mais le vrai problème, c'est la Lituanie catholique qui le pose. L'attachement des Lituaniens à leur religion est un fait admis par les autorités soviétiques et confirmé par toutes les sources religieuses lituaniennes. Récemment, le président du Conseil aux affaires religieuses de la république a affirmé qu'au minimum la moitié des Lituaniens étaient des catholiques pratiquants. Tous les sacrements sont administrés dans des proportions inconnues dans les autres pays baltes (50 % des enfants sont baptisés, 25 % des mariages sont religieux, plus de la moitié des enterrements le sont; en 1974 on dénombre près de 18 000 confirmés). Ces chiffres sont d'autant plus remarquables qu'ils s'inscrivent dans le cadre d'une législation particulièrement répressive en Lituanie. Depuis le début des années 60, le Soviet suprême de la république a multiplié les décrets destinés à empêcher la pratique religieuse de la jeunesse, et à couper complètement celle-ci des autorités religieuses [16].

En dépit des restrictions, le pouvoir doit reconnaître que la foi catholique des Lituaniens semble indéracinée, même lorsque ceux-ci sont arrachés à leur environnement, et isolés en milieu étranger. Ainsi en va-t-il des Lituaniens installés — de gré ou de force — au Kazakhstan, et dont le comportement religieux reste identique à celui de leurs coreligionnaires demeurés en Lituanie [17].

L'attachement des Lituaniens à leur religion se traduit par des comportements particuliers, et en premier lieu dans le domaine de la démographie. De tous les peuples occidentaux de l'U.R.S.S., les Lituaniens sont ceux qui conservent la démographie la moins défavorable. En dépit des pertes de guerre, du vieillissement de la population et donc d'une mortalité qui remonte, le rapport enfant/femme en 1970 est en léger accroissement par rapport à 1959 et se trouve nettement supérieur à celui des autres Baltes, des Russes, des Ukrainiens et des Biélorusses. Si les autres peuples européens, exception faite des Russes, déclinent, la démographie lituanienne est caractérisée par une relative stabilité. L'attitude ferme de la hiérarchie catholique face au problème de la limitation des naissances, comparée au laissez-faire des autres religions chrétiennes, n'est certainement pas étrangère à la démographie particulière des Lituaniens. Elle y est d'autant moins étrangère que l'Eglise catholique apparaît dans la vie politique comme le lieu de rassemblement des aspirations nationales face au pouvoir central. L'identification *catholicisme-nation lituanienne* ressort clairement de toutes les manifestations culturelles ou politiques dont la Lituanie est le théâtre. Cette identification due largement au rôle politique joué par les clercs, le pouvoir soviétique la souligne lorsqu'il les accuse d'avoir participé massivement à la résistance armée contre l'U.R.S.S. dans les années 40 [18].

L'activité politique antigouvernementale en Lituanie est très largement inspirée des difficultés que rencontre le catholicisme. Dès 1968, les pétitions se multiplient dans le cadre des diocèses, pour protester contre des mesures de restriction de la vie religieuse que les Lituaniens considèrent comme autant de violations de la Constitution. Deux traits caractérisent ces campagnes de pétitions. Leur ampleur d'abord. De 1968 à 1974, on dénombre près de trente appels de ce type portant jusqu'à 17 000 signatures par pétition [19]. Le rôle joué par le clergé dans ces campagnes : en 1974, on estimait qu'au minimum la moitié des prêtres lituaniens avaient apposé leur signature sur une ou plusieurs protestations. En 1970-1971, le conflit entre le pouvoir et les croyants prend un tour plus brutal avec l'arrestation de deux prêtres accusés d'avoir préparé des enfants à la communion. Au cours du procès de l'un d'eux en 1971, une manifestation violente a mobilisé devant le tribunal une foule de croyants estimée à près de mille personnes. L'année suivante à Kaunas, l'immolation par le feu d'un jeune étudiant, membre du Komsomol, mais attiré par le séminaire, et protestant de cette manière contre le sort fait à son Eglise et à sa patrie va entraîner à la fois des manifestations estudiantines d'une ampleur rarement égalée en U.R.S.S., et un approfondissement du mouvement religieux qui mêlera de plus en plus étroitement les thèmes de la foi et de la nation. Ceci apparaît dans les regroupements qui s'opèrent, telle l'*Association catholique lituanienne* créée malgré tous les interdits. Mais surtout cela ressort des pages d'un organe clandestin [20] né en 1972 et qui, ayant réussi à atteindre l'Occident, permet de suivre l'évolution politique des Lituaniens. Parti de positions proprement religieuses — protestation contre les restrictions apportées à la liberté de conscience —, ce journal accorde dès 1973 une place croissante aux restrictions des droits nationaux [21]. A travers les pages de ce journal, on voit défiler toutes les inquiétudes d'une société devant ce qui lui semble un projet continu de dépossession nationale (discrimination scolaire des croyants ou enfants de croyants, progression imposée de la langue russe, politique économique); on y voit aussi un compte détaillé des arrestations, des procès faits aux opposants, toutes tendances confondues (religieux, défenseurs des droits de l'homme); on y trouve la liste des manifestations nationales quel qu'en soit le prétexte (compétitions sportives ou procès). Ce journal catholique va même jusqu'à applaudir un film profondément anticlérical — Herkus Matas —, parce que son thème : la défaite des chevaliers teutoniques au XIIIe siècle rappelle un des moments privilégiés de l'histoire nationale. Ainsi voit-on, dans les pays baltes, combien peut être puissant le lien entre sentiment religieux et sentiment national. Que la religion soit la plus vivante en Lituanie illustre ce lien. Le catholicisme, religion d'affirmation nationale des peuples vivant aux marches de l'Allemagne protestante et de la Russie orthodoxe, a tout naturellement assumé, une fois encore, cette fonction unificatrice des communautés humaines qui s'y rattachent. Il n'est pas indifférent de constater que les deux pays communistes, où le sentiment national s'exprime le plus fortement au moyen de la religion, sont deux pays liés par l'histoire, par une histoire où lutte religieuse et lutte pour l'existence nationale se sont toujours confondues : Pologne et Lituanie.

Que le catholicisme soit, plus que le protestantisme luthérien, le baptisme ou l'orthodoxie, le centre des protestations nationales dans les pays baltes, s'explique aussi par l'histoire et par le statut des groupes religieux à l'intérieur de chaque pays. La religion orthodoxe peut devenir, pour les Estoniens qui s'en réclament, un élément de rapprochement avec le peuple russe qui, lui aussi, revient lentement à une foi longtemps oubliée. En tout cas, elle contribue à l'hétérogénéité du peuple estonien, non à son unité. Le baptisme, dont les fidèles font preuve dans toute l'U.R.S.S. d'une incroyable et fantastiquement courageuse volonté d'émancipation spirituelle à l'égard du régime, loin de cristalliser les sentiments nationaux, contribue à les affaiblir ou à les dépasser, car il agit, et c'est là sa force, comme religion transnationale. Seule la religion luthérienne, parce que totalement étrangère à la Russie, pourrait peut-être assumer aussi un rôle national. Mais ici l'histoire passée suggère que la division, le caractère local des Eglises luthériennes, facteurs favorables dans le passé à leur survie (le pouvoir russe n'ayant pas eu à combattre à travers elles une institution extérieure et des fidélités extérieures comme dans le catholicisme) les desservent peut-être aujourd'hui. Moins combattues par la Russie, elles ont aussi moins symbolisé la lutte contre l'oppression nationale [22].

Pourtant, ces dernières années ont vu s'amorcer une évolution en Estonie et en Lettonie. Nul ne songe à y nier les progrès de toutes les religions. Nul ne peut encore dire s'il s'agit d'un phénomène proprement religieux; d'une manière de s'enraciner davantage dans une spécificité nationale qui est une réponse à la volonté intégratrice du pouvoir; enfin, si ce progrès n'est pas la conséquence d'un climat de revendication nationale où les citoyens trouvent le courage de reconnaître des convictions peu conformes à l'idéologie officielle. Ici se pose en effet la question de la nouveauté du phénomène religieux en U.R.S.S. Survivance, affirme le pouvoir. Et il ajoute : survivance qui impressionne, parce que la tolérance du Parti lui permet de s'étaler au grand jour. Si ces arguments sont contredits à la fois par les enquêtes officielles parmi la jeunesse des pays baltes, et par les brimades et persécutions que doivent affronter les croyants, une question demeure. S'agit-il d'un phénomène proprement religieux, d'un nouveau départ du christianisme? Ou bien d'un phénomène politique aussi?

L'islam, ciment d'organisation politique et sociale

La persistance des religions est pour le pouvoir soviétique l'indice d'une simple faiblesse, d'un retard de la « modernisation politique ». Cet argument, la négation de toute signification politique des « survivances » religieuses, le pouvoir s'en sert particulièrement à l'autre extrémité de l'U.R.S.S., dans sa périphérie musulmane. Dénonçant la persistance de pratiques religieuses, il affirme qu'elles ont lieu généralement dans des régions isolées (districts ruraux éloignés, ou villages du Caucase) donc qu'elles traduisent une certaine lenteur de la pénétration du modèle idéologique et social soviétique [23]. Mais, tout en minimisant la portée du phénomène musulman, le pouvoir soviétique admet qu'il survit dans certains secteurs de la population, et il divise pour l'expliquer les croyants en trois catégories : les *fanatiques*, peu nombreux mais qui perpétuent dans la société une idéologie proprement islamique; les *croyants ordinaires*; enfin, les *hésitants* [24]. La juxtaposition de ces trois groupes ne manque pas d'être significative. Classer les hésitants parmi les croyants, c'est suggérer qu'en dernier ressort tout le monde se réclame à quelque degré que ce soit de la religion musulmane. Et l'on comprend d'autant mieux cette définition extensive que l'Islam, à la différence des autres religions, est à la fois un univers spirituel et un univers social qui peut recouvrir tous les aspects de l'existence des musulmans. C'est l'univers proprement religieux que l'on examinera ici, avant d'en venir, par la suite, à la réalité sociale liée au religieux.

On ne peut évaluer la force de l'Islam dans une société, comme on évalue celle d'une religion chrétienne. Les critères traditionnels : nombre de lieux de culte, leur fréquentation, et même la réponse claire à la question de la foi personnelle, sont des indicateurs insuffisants, auxquels il en faut ajouter ou substituer d'autres. Si l'on utilise ces critères, on obtient une image déconcertante de l'Islam en U.R.S.S. Peu de lieux de culte sont ouverts, comparés à la masse de plus de 50 millions de personnes d'origine musulmane. S'il est impossible d'avoir une information officielle, complète, quant au nombre de mosquées ouvertes au culte, les informations partielles sont toutes dérisoires. L'U.R.S.S. compte environ 200 mosquées officiellement ouvertes, dont 146 pour l'Asie centrale et le Kazakhstan, 27 pour le Daghestan et le pays tchétchène, 13 pour le pays tatar [25]. La répartition en est au demeurant souvent peu en rapport avec l'importance de la communauté islamique locale. En Azerbaïdjan, 16 mosquées seulement doivent desservir une population azérie proche de 4 millions de personnes. En Kirghizie, en revanche, on dénombre, à la fin des années 60, 33 mosquées officielles pour à peine plus d'un million d'habitants [26]. Ces deux chiffres qui représentent les densités extrêmes des lieux de culte dans toutes les républiques musulmanes de l'U.R.S.S. n'ont guère de signification en eux-mêmes. De toute manière, ils rendent compte du très faible nombre de lieux de culte officiellement ouverts. Ils ne tiennent pas compte des lieux de culte non officiels, desservis par des servants non déclarés, et qui, partout en Asie centrale, comme au Caucase, sont fort nombreux. Enfin, le très faible taux de fréquentation des mosquées, la présence presque exclusive en ces lieux de croyants âgés, telles sont les données de la vie religieuse en terre d'Islam soviétique. Toutes ces informations concourent en définitive à suggérer que l'islam en U.R.S.S. se meurt lentement, en même temps que la génération qui n'a pas été formée à l'idéologie soviétique. Mais aussitôt, cette image est contredite par des indications opposées. Les enquêtes sociologiques, qui se multiplient en U.R.S.S. sur ce thème, montrent que la société musulmane reste attachée à ses croyances [27]. D'une manière générale en milieu rural, près de la moitié des personnes interrogées répondent qu'elles sont croyantes [28].

Un exemple précis illustre cette situation. Dans la république Karakalpak, incorporée à l'Uzbekistan, une enquête a montré qu'il n'y avait en 1972 que 23 % des hommes et 20 % des femmes se proclamant athées. Les autres — c'est-à-dire 77 % de la population masculine et 80 % de la population féminine — se divisaient ainsi :

	Hommes	*Femmes*
— Croyants résolus	11,3 %	11 %
— Croyants par tradition	14 %	15 %
— Hésitants	13,3 %	14,3 %
— Non-croyants mais accomplissant les rites musulmans	17,2 %	19,3 %
— Non-croyants accomplissant les rites musulmans sous l'influence de leurs familles	21,2 %	20,20 %

Dans le nord du Caucase, 20 % seulement de la population se proclamaient athées en 1974.

Mais ici encore, les chiffres traduisent une réalité et des positions plus complexes. Les enquêteurs travaillant en milieu musulman, même lorsqu'ils sont de même origine que ceux à qui ils posent des questions, ont souvent noté l'extraordinaire réticence de ceux-ci à parler de leur foi. Quand ils en parlent, et quand on complique la question, très souvent la réponse semble se réduire à un paradoxe ou à une plaisanterie. Le plus fréquemment, à la question : « Etes-vous musulman? », la réponse est un oui décidé; à la question complémentaire : « Etes-vous croyant? », la réponse se nuance. Positive souvent en milieu rural, elle l'est plus rarement en milieu urbain et très peu parmi les élites nationales. Alors, qu'est-ce que l'islam qui compte près de 50 millions d'adeptes dont une part importante ne croit pas? dont une majorité ne pratique pas? Et pourtant, l'islam est partout présent dans les républiques musulmanes. Pour répondre à cette contradiction qui fait que celui qui s'affirme musulman n'a clairement rien en commun avec celui qui affirme sa foi chrétienne, il faut se tourner d'abord vers l'islam, religion organisée. Et tenter, à partir de là, de comprendre ce que signifie pour un Soviétique : *être musulman.*

L'islam, comme le christianisme, compte plusieurs « Eglises » et plusieurs sont présentes en U.R.S.S. Si la majorité des musulmans de l'U.R.S.S. relève de l'islam orthodoxe — *sunnite* —, on trouve aussi un important groupe de *chiites,* lui-même subdivisé, et des adeptes de sectes hétérodoxes plus mineures [29]. Pourtant, contrairement aux chrétiens qui se définissent comme catholiques, orthodoxes, etc. (pourrait-on imaginer un Lituanien qui ne se dise pas aussitôt catholique?), les musulmans de l'U.R.S.S. n'indiquent jamais s'ils sont sunnites ou chiites, ils sont, ils s'affirment, *musulmans.* Le sens de la réponse saute aux yeux. L'islam en U.R.S.S. n'est pas un agrégat de religions différentes, c'est avant tout une communauté, l'*Umma.* Orthodoxes ou hétérodoxes, tous les musulmans qui se disent tels sont membres de la communauté des croyants. Ce sens du commun, cette intégration dans l'*Umma* s'opposent fondamentalement à la dispersion des Eglises chrétiennes et aux rapports plus personnels du chrétien avec son Eglise, tout au moins en U.R.S.S. L'organisation même de l'islam en U.R.S.S. rend compte de l'existence de la communauté. Quatre *directions spirituelles* (Muphtiats) dominent l'ensemble. Celle d'*Ufa* dont l'autorité s'étend aux musulmans sunnites de la Russie d'Europe et de Sibérie. Celle de *Tachkent* dont relèvent les sunnites encore, d'Asie centrale et du

Kazakhstan. Celle de *Buynaksk* au Caucase pour les sunnites du Caucase du Nord et du Daghestan. Celle enfin de *Bakou* qui exerce sa tutelle sur sunnites et chiites confondus. L'existence d'une direction spirituelle mixte témoigne des liens et non des divisions (qui existent cependant) entre les deux grandes familles musulmanes. Ces directions spirituelles, comme les autorités responsables des autres religions, tel le Patriarcat de Moscou, sont en même temps les interlocuteurs du pouvoir soviétique en matière religieuse, et chargées d'ordonner la vie religieuse des croyants. De toutes, la plus puissante est la direction spirituelle de Tachkent, car elle a sous son autorité les deux seules universités musulmanes existant en U.R.S.S., les *Medresseh Mir Arab,* de Bukhara et *Baraq Khan,* de Tachkent où sont formés les dignitaires de l'islam (cinquante par an environ). Elle utilise — et cela est cocasse — l'imprimerie du journal du Parti *Qzyl Uzbekistan (l'Uzbekistan rouge)* pour imprimer le Coran, le calendrier musulman et une publication qui sert de lien aux musulmans de l'U.R.S.S. et en quelque sorte de journal officiel de la communauté, les *Musulmans de l'Orient soviétique* publiée en uzbek, arabe, français, anglais et russe. Enfin, c'est le Muphti de Tachkent qui est le principal artisan des communications avec le monde musulman extérieur à l'U.R.S.S. C'est lui qui reçoit les délégations musulmanes étrangères, qui s'exprime face au monde extérieur au nom de la communauté musulmane soviétique, qui en est l'incarnation.

Dès l'abord, on constate ici une ambiguïté flagrante dans le statut de l'islam en U.R.S.S. L'Etat soviétique, de par son idéologie, ne reconnaît que l'existence de croyants individuels. A ces croyants il tolère une vie religieuse et pour cette raison des institutions, les Muphtiats. Mais ces institutions doivent être, aux yeux du pouvoir, des administrations à base territoriale. En réalité, il n'en est rien. La direction de Tachkent couvre l'aire de l'ancien Turkestan. Et comme le Patriarcat orthodoxe, les directions spirituelles musulmanes échappent de fait à la rigueur des découpages territoriaux soviétiques.

Une seconde particularité de l'islam complique encore la situation. Contrairement au christianisme dont la doctrine n'impose pas la confusion du spirituel et du temporel, l'islam par définition confond les deux domaines. La doctrine musulmane, produit conjugué du Coran et de la tradition, impose aux fidèles des institutions particulières, qui, en dépit de variations d'une civilisation à l'autre, caractérisent l'espace musulman. Ces institutions dominent la vie sociale. Ici encore, l'Etat soviétique dans son dessein uniformisateur ne pouvait accepter le statut particulier de la communauté musulmane, et en a aboli dans ses premières années de pouvoir les éléments fondamentaux, le système juridique [30], les institutions légales et les bases financières.

Réduite à être la religion d'individus particuliers et non d'une communauté, privée de ses institutions, exclue du domaine temporel, la religion musulmane dans sa forme organisée existe-t-elle réellement ou bien n'est-elle plus qu'une apparence, un squelette prêt à s'effondrer avec la disparition des derniers croyants?

Les faits, nombreux, aveuglants, témoignent qu'une hypothèse si négative quant à l'avenir de l'Islam, a probablement été plausible dans un passé récent, mais qu'elle n'a plus désormais de fondement. Tout au contraire, ils suggèrent que l'islam en U.R.S.S. renaît [31] dans des conditions nouvelles. Que cette renaissance à une existence *consciente* et *voulue* et non plus à une existence qui n'était que survie, est assistée, orientée par la hiérarchie musulmane. L'œuvre de celle-ci s'accomplit dans deux directions privilégiées : faciliter la pratique de l'islam en l'adaptant aux besoins de la vie moderne; rendre à l'islam une force temporelle en le conjuguant avec l'idéologie soviétique qui est le fondement de l'organisation sociale et politique de l'U.R.S.S.

Etre un bon musulman n'est-il pas plus difficile dans la société soviétique qu'être un bon fidèle d'une religion chrétienne? Par les obligations qu'il impose à ses fidèles, l'Islam paraît fort contraignant et difficile à insérer dans un système social qui lui est hostile. Des cinq obligations du musulman, deux, la récitation de la *profession de foi* et l'*aumône,* relèvent totalement de la vie privée. Les trois autres, les cinq prières quotidiennes, le jeûne et le pèlerinage, interfèrent obligatoirement avec le monde extérieur. On peut prier cinq fois par jour dans le secret de son cœur. Mais l'islam impose à ses fidèles un rituel de purification et d'attitudes qui conduit les musulmans à interrompre à chaque prière le cours de leurs occupations. De surcroît, la prière de midi le vendredi doit en principe se dérouler à la mosquée. L'Etat soviétique n'admet pas que les obligations sociales : écoles, travail, etc. soient perturbées par des pratiques religieuses. La liberté de conscience n'implique nullement le droit de faire intervenir les croyances dans les devoirs du citoyen. Pour la même raison, et à cause du « déséquilibre économique » qu'il engendre, le jeûne du Ramadan a toujours été vivement combattu par le pouvoir soviétique. Quant au pèlerinage à La Mecque, il est clair que les musulmans de l'U.R.S.S. ne peuvent le pratiquer. On comprend dans ces conditions que peu de musulmans se déclarent pratiquants, que peu d'entre eux fréquentent les mosquées. Mais les difficultés d'observer rigoureusement l'islam, ne sont pas seulement un problème pour les musulmans de l'U.R.S.S. Dans tous les pays musulmans en voie de modernisation, l'observance stricte des règles de l'islam se heurte aux exigences de la vie quotidienne et souvent du développement. Souvent, l'islam cède le pas à la modernité, même sans pression extérieure.

En U.R.S.S., après une longue phase de passivité devant ce problème, les autorités musulmanes s'en sont soudain emparées. Et ont tenté, en la réformant, en l'adaptant au cadre soviétique, de rendre la pratique de l'islam possible à tout croyant. Mieux encore, elles cherchent à donner un contenu moderne à la communauté musulmane et à ses devoirs.

Comment peut-on être musulman dans l'U.R.S.S. d'aujourd'hui?

On peut l'être en pratiquant, répondent les autorités musulmanes. En pratiquant dans la mesure de ses moyens. C'est-à-dire en accomplissant cinq fois la prière et en allant à la mosquée le vendredi, si l'on est libre de le faire. Mais si les devoirs sociaux s'y opposent, le croyant peut réduire sa prière à une seule et au moment qui lui convient [32]. Cette attitude compréhensive des autorités musulmanes, on la retrouve dans leur nouvelle approche du jeûne. Parce que celui-ci se heurte à une opposition violente, ouverte, du pouvoir, les croyants ont longtemps eu à choisir entre une attitude de résistance au pouvoir ou une attitude de soumission qui semblait impliquer l'abandon de leur foi. La solution à ce dilemme réside désormais dans une interprétation du jeûne qui favorise l'esprit et non la lettre de la prescription. L'Imam de la mosquée Mirza Yussuf de Tachkent, P. Abdurrahimov, a indiqué récemment ce que *devait* être le jeûne.

Le jeûne, a-t-il dit, a une double finalité. Permettre à chaque musulman de se dépasser en se privant. Mais aussi permettre à tous les musulmans en même temps, quelle que soit leur condition, d'avoir en commun conscience de la privation, de la faim. En insistant sur la portée spirituelle des prescriptions musulmanes, plus que sur leur aspect formel, l'Imam de Tachkent n'innove pas totalement. Il se situe dans le droit fil de la pensée des réformateurs de l'Asie centrale qui, au début de ce siècle, essayaient de rénover l'islam, pour former une communauté musulmane forte, capable de résister à la domination russe. La contrainte soviétique a conduit pendant des décennies les dignitaires de l'islam à abandonner ces idées novatrices et à se réfugier dans un islam formaliste, figé, qui survécut, certes, aux persécutions, mais devint réellement alors une religion de vieillards.

A l'heure présente, l'islam organisé renoue avec cette pensée novatrice et s'efforce de démontrer que le musulman doit comprendre le rituel comme un effort à accomplir, mais que la nature de l'effort peut varier selon les circonstances. Notamment, en raison des obligations que la société politique impose à ses membres. Les dérogations au jeûne qui, traditionnellement, étaient accordées à des catégories particulières d'individus — enfants, vieillards, malades — sont désormais courantes pour les travailleurs [33]. Les autorités spirituelles leur demandent, soit de choisir un seul jour de la période du Ramadan pour jeûner et s'associer, par là, à la commune observance, soit de remplacer carrément le jeûne par un effort particulier dans leur vie spirituelle ou leur vie de travail [34]. L'essentiel est que celui qui se *sent* musulman participe d'*intention* aux obligations de la communauté.

On voit mieux encore, à travers les directives des autorités spirituelles consacrées au Ramadan le sens de la politique qu'elles poursuivent. Elles s'adressent à la fois au pouvoir et aux croyants. Au pouvoir, elles veulent démontrer que la pratique de l'islam n'est pas en opposition avec les intérêts économiques de l'Etat soviétique. Parfois, elles utilisent à cette fin des arguments plus spécieux, cherchant à démontrer les bénéfices physiques du jeûne : « Il améliore la santé; peut-être même diminue-t-il les risques de certaines maladies, tel le cancer [35]. »

Mais l'effort est surtout dirigé vers les croyants que les chefs religieux tentent ainsi d'*unifier* en une communauté homogène. En effet, le régime soviétique a divisé le monde de l'Islam — comme celui des autres religions — en un groupe de non-pratiquants et un groupe de pratiquants. L'importance, le caractère obligatoire du rituel musulman devaient — et c'était le grand espoir des autorités soviétiques — approfondir cette division jusqu'au point où les pratiquants seraient apparus comme survivants d'un monde englouti, totalement étranger à l'U.R.S.S. Conscientes de ce risque, les autorités musulmanes s'attachent désormais à supprimer ce fossé, à recréer une communauté de l'islam où pratiquants et non-pratiquants trouvent leur place, participent à un même esprit par des voies différentes. Pour y parvenir, elles disent clairement que les uns et les autres sont musulmans, mais que les uns observent l'islam en priant régulièrement et en jeûnant selon les règles, tandis que les autres complètent leur ascèse par leur travail. Les *temps forts* de l'islam, prières quotidiennes, jeûnes, loin d'être effacés dans cette conception, sont appelés au secours de cette restructuration de la communauté musulmane. Ce que les autorités spirituelles souhaitent faire sentir à leurs coreligionnaires, c'est qu'à chaque temps fort ils doivent prendre conscience de leur appartenance à la communauté et donner à chacun de leurs actes, à chacun de leurs efforts, la signification d'une participation à l'effort de la communauté. Pour renforcer encore ce sens du commun, les chefs de l'islam font appel aux fêtes qui jalonnent la vie spirituelle du musulman. C'est ainsi que la rupture du jeûne à la fin du Ramadan est pour eux l'occasion de rassembler dans une même joie ceux qui ont jeûné et ceux qui ont poursuivi une vie régulière; cette cérémonie — l'*Iftar* — tendant ainsi à devenir le symbole des différentes attitudes devant le rituel. Le pouvoir soviétique n'a d'ailleurs pas été aveugle aux effets de la modernisation de l'islam. On trouve dans la presse des républiques musulmanes maints indices quant à cette évolution. Il semble, à travers ces notations, que non seulement le sens de la solidarité musulmane se soit renforcé, mais surtout que « les croyants influencent de manière croissante la partie de la population qui ne pratique pas » [36].

L'importance accordée à la *fête* pour souder la communauté explique que pour la plupart des fêtes un effort d'adaptation aux conditions soviétiques soit accompli. Ainsi en est-il de la fête du sacrifice — *Kurban Bairam* — où chaque musulman doit sacrifier un animal et le distribuer aux pauvres. Ici encore ce rituel se heurte aux intérêts économiques de l'Etat soviétique qui ne peut admettre l'abattage massif des animaux — même s'ils appartiennent au secteur privé — pour raison religieuse. En même temps, les autorités spirituelles sont particulièrement attachées à ce rite qui manifeste le sens de la solidarité au sein de la communauté et celui du sacrifice. Dès 1945, consciente des objections politiques à cette pratique, la direction spirituelle des musulmans d'Asie centrale avait promulgué une *Fetwa* soulignant que ce sacrifice était *souhaitable* mais non *obligatoire*. En 1969, pour répondre aux inquiétudes du pouvoir soviétique qui constatait que, même non obligatoire, le sacrifice des animaux restait très largement pratiqué, mais aussi pour maintenir le rituel en dépit des assauts qu'il subit, toutes les directions spirituelles se sont prononcées en faveur d'un aménagement de cette pratique. Le sacrifice animal peut être remplacé par une offrande égale à la valeur de l'animal, offrande que les mosquées reçoivent et se chargent d'utiliser ou de répartir. Ainsi les lois soviétiques sont-elles respectées, mais les mosquées tirent de là des revenus non négligeables. Autre adaptation non moins bénéfique à la vie de la communauté, celle de la fête de *Mavlud* (commémorant la naissance du Prophète). Parce qu'il est difficile aux croyants de se rendre à la mosquée, la tradition se développe d'en organiser la célébration dans diverses maisons particulières. Cette pratique fait qu'il y a un écart considérable entre le nombre officiel de ceux qui célèbrent cette fête dans une mosquée à peine remplie, et le nombre réel de ceux qui participent à l'une des nombreuses cérémonies privées. Ainsi, en 1968, la cérémonie officielle à la mosquée-cathédrale Mardjani de Kazan a été « complétée » par plus de quatre-vingt cérémonies privées, où l'on combinait le rituel proprement dit (prière, sermon, récits de la vie du Prophète) et la fête. Un expert soviétique a calculé que dans ce seul cas les serviteurs du culte ont prononcé infiniment plus de sermons qu'ils ne l'avaient fait au cours de toute l'année dans la mosquée [37].

En s'adaptant ainsi à l'emploi du temps des citoyens soviétiques actifs, en combinant cérémonie religieuse et fête, les dignitaires de l'islam attirent aux cérémonies qu'ils organisent des foules qui sont sans rapport par le nombre, l'âge et le niveau social, avec le groupe restreint des pratiquants officiels. Il faut souligner aussi que la combinaison cérémonie religieuse-fête a l'avantage de diminuer le caractère parfaitement illégal de ces célébrations religieuses en milieu privé. Il est significatif qu'elles aient lieu, qu'elles attirent un nombre important de participants, que le pouvoir se sente désarmé devant ces formes nouvelles, peu saisissables de la pratique religieuse. Plus encore que le Ramadan, le *pèlerinage* posait un inextricable problème aux autorités musulmanes dès lors qu'elles cherchaient à combiner une attitude que l'Etat ne pouvait critiquer et un développement de la pratique de l'islam. Très rares sont les musulmans soviétiques qui ont été autorisés à se rendre aux Lieux saints, et encore s'agissait-il plus d'opérations liées aux intérêts de politique extérieure de l'U.R.S.S. qu'au respect de la liberté de conscience. Le problème n'est d'ailleurs pas propre à l'U.R.S.S., même s'il s'y pose de façon particulièrement aiguë. De longue date, on a pratiqué en U.R.S.S., comme ailleurs, le pèlerinage par procuration [38]. Mais ici encore, l'islam soviétique cherche dans des voies multiples à associer toute la communauté à une obligation particulièrement difficile à remplir. Le pèlerinage à La Mecque est l'occasion pour la communauté musulmane de l'U.R.S.S. d'un contact exceptionnel avec le monde musulman tout entier. Pour cette raison, les directions spirituelles sont attachées à utiliser les rares occasions qui leur sont données au bénéfice de ceux qui sont le plus aptes à représenter leur communauté, par leurs connaissances canoniques et linguistiques. Seuls les dignitaires de l'islam remplissent parfaitement ces conditions; seuls ils sont, exceptionnellement, autorisés par le pouvoir soviétique à se rendre dans d'autres pays d'islam. Ainsi, les intérêts de l'Etat soviétique (démontrer au Tiers monde que l'U.R.S.S. est *aussi* un pays d'islam; que, contrairement à ce qui se passe en Chine, *tous* les droits des musulmans sont préservés) rencontrent parfois les intérêts de la communauté musulmane soviétique et les favorisent [39]. Mais aussi les croyants ordinaires ne sont pas totalement écartés des pèlerinages. Au voyage impossible à La Mecque, on a substitué en U.R.S.S. — et une vieille tradition y encourageait — le pèlerinage aux Lieux saints locaux qui sont nombreux. Les plus célèbres sont la tombe de Iassawi ou Chah i Zende. Sur ce point d'ailleurs, les autorités musulmanes soviétiques se divisent. En Asie centrale où, en fait, les pèlerinages aux tombeaux des saints sont nombreux et prennent la forme de grande kermesse populaire [40], le Muphtiat de Tachkent cherche à limiter cette pratique au profit d'une interprétation spirituelle du pèlerinage. On insiste ici sur l'effort, le sens de la communauté, plus que sur des pratiques formelles qui sont souvent détournées de leur finalité spirituelle pour devenir de simples festivités. Au Caucase, au contraire, l'islam se coule dans des formes différentes où le culte des Cheikhs, morts ou vivants, est très généralement répandu et tend à isoler la communauté religieuse de toute influence extérieure [41]. A la limite de la religion proprement dite et de croyances populaires, un autre phénomène vient enrichir l'image du monde musulman soviétique, le chamanisme [42].

Le pouvoir soviétique d'ailleurs tend à appeler chamanisme tous les courants mystiques, organisés ou non, qui relèvent en fait du *sufisme* et qui l'effraient. Devant l'incapacité des églises à assumer pleinement leurs fonctions, les musulmans se tournent vers les ordres sufis, comme les chrétiens se tournent vers des sectes radicales. Phénomène religieux, c'est aussi un phénomène sociopolitique, l'équivalent du parti politique. On y reviendra plus loin.

Quelles que soient les critiques ou les réserves émises dans la communauté musulmane elle-même à l'égard des pèlerinages aux Lieux saints, l'important est qu'il s'agit ici de manifestations qui, régulièrement, rassemblent de véritables foules au mépris de tous les avertissements du pouvoir. Ces manifestations témoignent que la religion sort constamment du domaine de la vie individuelle pour être avant tout manifestation de conscience collective. Et par là les musulmans, croyants ou non, témoignent de leur sentiment d'appartenance à un groupe qui dépasse leur destin individuel. Même lorsque, comme c'est le cas pour le Pèlerinage aux Lieux Saints, les autorités spirituelles ne vont pas toujours dans le sens de la réaction populaire, cette réaction d'intégration dans le groupe est tout de même au cœur de l'attitude et de l'interprétation de l'islam, offerte par ces mêmes autorités. En toutes circonstances, elles soulignent que l'islam est synonyme de *communauté,* d'effort d'éducation collective. Mais aussi, elles s'efforcent d'insérer cette religion dans le cadre soviétique, et dans ce but tentent de réformer les pratiques inacceptables au pouvoir soviétique, ou de démontrer que certaines d'entre elles jugées inacceptables, sont au contraire en accord total avec les intérêts de l'Etat. Il en va ainsi de la *Guerre sainte,* dont il était dit dans un sermon à la grande mosquée de Moscou : « L'islam nous oblige à la Guerre sainte, c'est-à-dire à construire une vie sociale fondée sur l'amour, la fraternité et le souci de tous; une vie internationale fondée sur la paix. »

Définie comme combat personnel pour le bonheur de tous, la Guerre sainte peut-elle être condamnée par l'idéologie soviétique? En soulignant ainsi l'apport de l'éducation, de la pratique de l'islam à l'édification d'une société que le communisme ne peut renier, les dirigeants musulmans légitiment l'islam.

Nul ne peut dire encore si cette approche plus moderne de la vie du musulman a augmenté la pratique religieuse. En revanche, ses effets sur les mentalités sont d'ores et déjà clairs. En agissant ainsi, les autorités musulmanes ont restauré le sens de l'*Umma,* l'ont porté à un niveau conscient chez tous. En affirmant sans relâche la solidarité des musulmans par-delà l'observance des rituels et par-delà les croyances affichées ou profondes, on a affirmé l'existence d'une *aire de l'islam,* et réintroduit tous les citoyens soviétiques liés à cette aire dans la communauté islamique. Le changement est qualitatif. Il réside dans la création continue, au sein d'une société moderne, éduquée, qui, par secteurs, s'urbanise, d'une conscience collective fondée sur le sentiment d'appartenance à un univers commun. Dans la société soviétique, la conscience collective est supposée être unique, c'est la conscience communiste pour la formation de laquelle tous les moyens de mobilisation sociale sont utilisés. A un niveau inférieur — et en guise de transition — l'Etat soviétique et le Parti acceptent que des sentiments d'appartenance nationale subsistent, que la fragmentation des nations rend, pensent-ils, peu dangereux. L'émergence, au-dessus des sentiments nationaux, d'une conscience collective musulmane, ayant souvent un contenu panculturel plus que religieux, est un phénomène nouveau en U.R.S.S., et probablement irréversible. Irréversible parce qu'il ne s'agit pas d'un produit du *retard* intellectuel, né d'une conscience implicite d'un univers commun, mais qu'au contraire, cette évolution s'opère parallèlement au progrès intellectuel et de manière explicitée.

Mais cette action de la partie la plus consciente du monde musulman soviétique va au-delà de la mobilisation d'une conscience collective proprement islamique. Elle débouche, peu à peu, sur un effort d'intégration dans la sphère du politique, qui est l'aspect le plus original de cette tentative de modernisation musulmane.

L'islam, un autre système de valeurs dans la société soviétique

Le premier aspect de cette intégration politique est la réconciliation de l'islam et du communisme. Le pouvoir soviétique a constamment affirmé que seule l'idéologie dont il était porteur — et qui s'oppose à tous les autres systèmes de valeurs — était légitime, parce que coïncidant avec l'intérêt historique de l'humanité. L'idéologie communiste ne hiérarchise pas, elle exclut tout le reste. C'est ce *totalisme* que la pensée musulmane contemporaine tente d'affaiblir, en niant l'originalité du communisme, en démontrant que les principes de l'islam et ceux du communisme sont jusqu'à un certain point totalement compatibles.

L'islam ne peut s'opposer aux principes de l'idéologie communiste parce que, comme elle, il est pétri d'esprit de justice, disent les responsables musulmans en U.R.S.S. Et M. Hazaev, dignitaire religieux azéri déclarait lors du congrès des musulmans soviétiques réuni à Tachkent en 1970 : « Nous pouvons dire sans nous tromper, tout à fait catégoriquement, que l'ordre capitaliste construit sur l'injustice et l'exploitation doit disparaître et doit être remplacé par un ordre socialiste, construit sur des lois justes. Les lois divines sont sans ambiguïté à cet égard, la justice triomphe dans ce monde [43]. »

Ainsi dans l'ordre intérieur, comme dans la vie internationale, l'U.R.S.S. « qui lutte pour la paix, car la guerre est enracinée dans l'injustice » (« l'islam lutte aussi pour la paix et la justice [44] ») accomplit une tâche que les idéaux de l'islam proclament comme décisive. Alors qu'est-ce qui sépare l'islam et le communisme? On serait tenté de conclure simplement à une utilisation de l'islam et de sa hiérarchie par le pouvoir soviétique. De penser qu'il est habile, dans une société encore différenciée, de placer l'islam dans l'orbite de l'idéologie officielle. Mais c'est ignorer la réalité soviétique et l'argumentation des musulmans. La réalité soviétique, c'est un système *mono-idéologique et mono-organisationnel,* où l'islam doit se défendre, non le communisme. Utiliser l'islam, c'est reconnaître son existence et son impact sur les foules. Tout dialogue de l'idéologie officielle avec les autres idéologies est déjà un recul de la première. L'initiative n'est donc pas dans l'intérêt du communisme, mais dans celui de l'islam qui peut, grâce à elle, trouver sa place dans un contexte mono-idéologique qu'il tend à transformer en *compétition des idéologies.* Cet aspect compétitif est particulièrement évident à la lumière des arguments utilisés par les musulmans. Ce sont eux qui reconnaissent qu'islam et communisme peuvent cohabiter mais dans une cohabitation hiérarchisée, où l'islam occupe une place privilégiée. Les dignitaires musulmans ne se sont pas privés de le dire à la conférence musulmane rassemblée à Tachkent en 1970 : « Les dirigeants soviétiques qui ne croient ni en Dieu ni en son Prophète... appliquent pourtant les lois que Dieu a dictées et que son Prophète a expliquées » [45], et encore : « J'admire le génie du Prophète qui a annoncé les principes sociaux du socialisme. Je suis heureux qu'un grand nombre de principes socialistes soient la mise en œuvre des ordres de Muhamad [46]. »

Le sens du discours est clair; le socialisme est *acceptable* aux musulmans, parce qu'il poursuit *leurs* propres buts. On ne peut manquer d'évoquer ici l'interprétation du communisme de Khadafi qui considère que Marx, par sa connaissance de l'histoire, s'est inspiré des préceptes de l'islam et dans la mesure où il s'en est inspiré, est acceptable à un musulman [47]. Dira-t-on que Khadafi glorifie Marx, alors qu'il l'annexe froidement à l'héritage de l'islam? Cette parenté entre l'islam intransigeant et militant du leader libyen et le modernisme des dignitaires musulmans soviétiques doit faire réfléchir au sens de leur action. Les autorités soviétiques, elles, ne s'y trompent pas, qui soulignent les dangers de ce modernisme contre lequel la propagande antireligieuse devient inopérante [48].

Ayant affirmé la compatibilité de l'islam et du communisme, donc du droit de l'islam à exister et à agir dans une société communiste, les dirigeants musulmans vont plus loin, ils s'efforcent de faire de l'islam un élément actif de la société nouvelle. Ce qu'ils demandent aux musulmans, croyants ou non, c'est de participer à la vie sociale, non en simples citoyens, mais précisément comme musulmans. L'organe du Muphtiat de Tachkent ne laisse pas planer de doute sur ce point : « Les croyants qui sont de bons musulmans... doivent prendre part à la construction d'une nouvelle vie, d'une nouvelle société, dans leur propre pays. »

Ce que les responsables musulmans prêchent, ce n'est pas seulement la participation des adultes aux organisations sociales mais, et c'est là un aspect crucial de leurs positions, la participation d'enfants et d'adolescents, éduqués dans une perspective musulmane, aux organisations qui ont la charge de les socialiser. Leur position est intéressante à plusieurs égards. Tout d'abord, parce qu'elle est en opposition avec celle d'autres groupes de croyants, celle des baptistes notamment qui s'efforcent de tenir la jeunesse à l'écart des organisations communistes et d'affirmer l'incompatibilité d'une formation chrétienne et du processus de socialisation tel qu'il est conçu en U.R.S.S. Les musulmans proclament de manière tout à fait explicite leur hostilité à cette position et disent : « Nos enfants doivent être pionniers, komsomols, membres du Parti. Partout ils doivent prendre des positions dirigeantes. »

Le second aspect intéressant dans leur position est la lucidité concernant le processus de socialisation. Les leaders musulmans ont compris l'importance attachée par le système soviétique à la socialisation de l'enfance et, au-delà, son attachement à une socialisation permanente des individus. Conscients de cette tendance, loin de vouloir rester à l'écart, ils s'affirment partie prenante et veulent pratiquer l' « entrisme » à l'égard de toutes les organisations chargées de la socialisation. Mais cet « entrisme » est destiné à intégrer dans les organisations sociales non pas des citoyens *semblables* aux autres, mais des *musulmans* qui entreront partout en tant que musulmans et y témoigneront pour leur communauté.

Avant de rechercher la signification et la portée d'une telle attitude, il n'est pas sans intérêt de voir comment elle est perçue par le pouvoir soviétique. A lire la presse quotidienne des républiques musulmanes, ou les organes spécialisés dans les problèmes religieux, à voir la masse de conférences réunies sur ce thème, on en vient aussitôt à une constatation aveuglante. Le temps n'est plus où les responsables de l'U.R.S.S. considéraient avec sérénité ou agacement des manifestations religieuses dont ils espéraient qu'elles s'achèveraient bientôt. Les faits constatés, les analyses approfondies, conduisent les responsables communistes à admettre que l'islam est un problème non du passé, mais du présent et de l'avenir; que la façon dont il évolue représente une menace réelle pour l'avenir de la société soviétique comme société en voie d'intégration.

Outre ce fait essentiel qu'est la vitalité de l'islam et non son déclin, deux données factuelles annexes s'imposent aux autorités soviétiques s'agissant de la situation qui prévaut dans les pays musulmans. La jeunesse n'est pas à l'écart de ce renouveau religieux. Les élites modernes en sont, sinon des éléments actifs, au mieux les complices passifs.

La « perversion » de la jeunesse est un thème qui revient constamment dans la presse soviétique. Et l'on peut comprendre l'émotion des dirigeants si l'on songe aux réseaux d'influence et de contrôle dont elle est entourée. Faut-il rappeler qu'aucun moment de la vie de l'enfant et de l'adolescent n'est « neutre », en ce qui concerne son éducation. La famille est chargée dès la prime enfance de le préparer à une éducation communiste. Avec l'école, les organisations de socialisation, Octobristes pour les tout-petits, Pionniers, Komsomols, s'en emparent et doivent former l'homme nouveau de la société communiste. A ce réseau dense de formation des mentalités s'ajoute une législation destinée à préserver l'enfance de toute influence qui ne concourt pas à la propagation du système de valeurs officiel. Les enfants ne doivent pas être mêlés aux cérémonies religieuses. L'éducation religieuse collective est impossible. Et l'on compte que la surveillance qui pèse sur les parents à travers leurs enfants [49] les empêchera de se charger eux-mêmes de cette éducation religieuse. A quoi servent ces interdits? On peut se le demander quand la presse explique que les citoyens soviétiques interprètent à contresens la notion de liberté de conscience et en profitent non seulement pour amener les enfants et les adolescents à la religion, mais encore pour associer ceux-ci à la propagation des idées et des textes religieux [50]. Au mieux, la jeunesse fait preuve d'indifférence, non à l'égard de la religion, mais des positions antireligieuses que son éducation lui a inculquées. Elle ne voit pas les aspects « négatifs, dangereux », de la religion, et par là même est prête à subir les influences qui s'exerceront sur elle [51]. Cette emprise continue, croissante probablement, du milieu familial sur la jeunesse est telle qu'on en vient dans certains cas à saluer l'exploit remarquable que constitue l'abandon par un membre du Komsomol de ses pratiques religieuses [52]. Il semble bien, en définitive, que l'interdiction d'associer la jeunesse aux cérémonies religieuses soit délibérément ignorée dans la société musulmane. Ce mépris des règles soviétiques va parfois très loin. Notamment dans les communautés chiites lors de la célébration de l'*Achura* [53] (le combat de Hussain et Yazid et le martyre de Hussain sont reconstitués spectaculairement, en dépit de tous les interdits, et des enfants participent à la représentation) [54]. Tout ici inquiète les observateurs officiels : l'emprise de l'islam sur l'enfance, l'emprise de ses traditions qui contribue à façonner les modèles intellectuels et même les jeux des enfants. Aux batailles classiques, les écoliers du milieu musulman substituent souvent la reproduction, une fois encore, de l'histoire musulmane, par exemple de l'Achura qui les imprègne d'une tradition, de valeurs, totalement étrangères à celles de la société globale [55]. Gagner la jeunesse est désormais le but privilégié des autorités musulmanes, et ceci n'a plus rien de commun, pensent les dirigeants soviétiques, avec les aspirations d'une religion à bout de souffle [56]. Si l'islam devient aussi la religion de la jeunesse, toute l'action éducatrice du pouvoir, toute son œuvre de transformation sociale seront remises en question. Qui est responsable de cette situation? Les dignitaires musulmans sans doute mais, au premier chef, les élites locales, celles que le régime soviétique a éduquées, façonnées idéologiquement pour qu'elles contribuent à la transformation, à la modernisation de toute la société dont elles sont issues. Partout, on décèle la « faiblesse idéologique » de ces élites, leur approbation tacite d'un univers qu'elles avaient la charge de faire évoluer. Face à l'activisme des clercs officiels ou des clandestins, Parti, Komsomols, cadres de l'Etat, s'inclinent quand ils ne participent pas à leur activité [57].

Le constat de vitalité de l'islam est la première réaction du pouvoir soviétique à la situation présente. Mais s'il voit clairement les faits, sa réaction est à la fois lente et embarrassée. Multiplier les appels au développement d'une propagande athéiste plus efficace relève plus du remède incantatoire que d'une vision réaliste des faits. On ne peut constater que les élites sont indifférentes au progrès de l'islam, voire qu'elles y contribuent par leur silence, et leur demander de lutter contre ces progrès. Envoyer des propagandistes de profession, extérieurs au milieu musulman dans ce milieu, c'est prendre le risque de mobiliser la société contre ce qui apparaît immanquablement comme immixtion intolérable du centre. C'est surtout courir au-devant de l'échec. L'incapacité du pouvoir à trouver une riposte appropriée apparaît nettement dans la faiblesse des thèmes de propagande qu'il cherche à définir. Ainsi en va-t-il du Ramadan qu'il est difficile désormais d'interdire au nom de l'efficacité économique, puisque les autorités musulmanes en dispensent les travailleurs. Alors pourquoi le Ramadan est-il néfaste? A travers les articles qui chaque année à l'époque du Ramadan se multiplient pour en dénoncer le caractère « réactionnaire » [58] on voit s'esquisser depuis peu une nouvelle approche. Le Ramadan serait à prohiber parce qu'il n'est pas proprement musulman, mais résulterait d'une coutume arabe préislamique, adoptée ensuite par l'Islam. La prière peut aussi à l'occasion être présentée comme pratique magique et non religieuse, héritée d'un passé très antérieur à l'islam [59]. De la même manière, la propagande soviétique s'attaque au culte des saints, dénoncé comme survivance de cultes primitifs et en opposition totale avec le monothéisme [60]. Que certaines pratiques en honneur dans la société musulmane soviétique soient empruntées à des cultes préislamiques est incontestable. En revanche, on peut s'étonner de voir la propagande soviétique se faire le champion d'un islam puriste, et condamner le culte des saints au nom du monothéisme. L'athéisme, la critique rationnelle de toute religion ne suffisent-ils plus en U.R.S.S. à convaincre des générations éduquées de manière socialiste? Un autre argument n'est pas moins comique venant de responsables des services de propagande. C'est celui qui condamne le Ramadan en invoquant les directives du Grand Muphti de Tunisie ou encore d'un muphti égyptien, qui, dans les années 60, ont admis que les nécessités de la vie économique pouvaient conduire à restreindre le jeûne.

Argument étonnant, mais aussi combien dangereux. Et ce, pour deux raisons. Tout d'abord, en appelant à l'aide les docteurs de l'islam, le pouvoir soviétique ne reconnaît-il pas une fois encore que son idéologie propre n'est pas suffisante pour traiter les problèmes de l'évolution de l'islam dans le monde en développement? De plus, invoquer les orientations de l'islam extérieur, c'est souligner qu'il existe un monde propre de l'islam, qui dépasse les frontières soviétiques. C'est contribuer à sa solidarité, alors que le pouvoir note avec inquiétude par ailleurs que l'un des facteurs importants de la vitalité de l'islam en U.R.S.S. est précisément la proximité d'autres Etats musulmans [61]. Cette maladresse, ces hésitations dans la riposte, s'expliquent pourtant. Les responsables soviétiques ont nettement pris la dimension du problème musulman et découvert que sa force, c'est d'abord que le religieux ici aussi est inextricablement mêlé au national, que par là il ne s'agit pas seulement de croyances mais de volontés, de sensibilités qui posent les problèmes en termes politiques.

Quand le communisme devient un « sous-produit » de l'islam

Après avoir, durant des décennies, affirmé que la religion n'avait de racines que sociales — moyen d'oppression utilisé par les puissants contre les déshérités, consolation des déshérités encore peu conscients de leurs solidarités de classe —, le pouvoir soviétique admet désormais que les fondements nationaux de l'islam expliquent probablement son maintien. Sans doute n'est-ce pas une reconnaissance absolue du caractère religieux de certaines cultures. L'islam est toujours présenté comme la partie négative de l'histoire des peuples qui, conjointement avec le tsarisme, les a opprimés. Son caractère fondamentalement « réactionnaire », fermé aux autres civilisations porteuses de progrès, comme la civilisation de l'Europe [62], telles sont les données permanentes de la position soviétique à l'égard de l'islam, du moins dans les frontières de l'U.R.S.S. Mais en même temps qu'elle attaque l'islam, qu'elle affirme son inadéquation aux problèmes du monde contemporain, l'approche soviétique découvre que la force de l'islam, de ses dignitaires, est de pouvoir en appeler à la tradition historique et au sentiment national : « Le clergé musulman idéalise le passé historique des peuples d'Orient... Il tient compte de l'attrait qu'exerce leur histoire sur ces peuples. Il tente de magnifier le rôle des organisations religieuses et de l'islam dans la vie de ces peuples. Plus encore, il présente les faits comme si l'islam avait incarné et incarne encore la spécificité nationale des peuples de l'Orient soviétique et leur vie commune [63]. »

Tout le problème est là, en effet, parfaitement perçu. Les clercs de l'islam ont deux cordes à leur arc, l'appel au sentiment national, l'appel à une conscience commune proprement islamique. L'auteur des lignes citées ci-dessus souligne un point éclairant de l'attitude des chefs musulmans. Dans l'organe du Muphtiat de Tachkent, *Les Musulmans de l'Orient soviétique*, il y a une rubrique intitulée : « Traditions et rites nationaux et religieux ». Dans cette rubrique figure tout ce qui dans les domaines nationaux et religieux s'interpénètre et, en définitive, on y reviendra, tous les aspects de la vie sociale sont ainsi plus ou moins recouverts. C'est ce lien du religieux et du national qui attire vers l'islam tous ceux qui sont liés à leur communauté ethnique; qui considèrent la célébration des fêtes religieuses comme un moyen d'exprimer leur attachement à leurs compatriotes. Ayant constaté à la fois que les consciences nationales se définissaient d'abord en termes religieux, ou encore que l'attachement à l'islam était une manière de s'enraciner dans son groupe d'origine, ayant constaté aussi que les responsables de l'islam fondaient toute leur action sur cela, les dirigeants soviétiques ont aussi à admettre que la confusion du national et du religieux conduit à uniformiser les comportements des croyants, des musulmans dispersés parmi d'autres groupes et de ceux qui vivent en communautés compactes. Ainsi, des enquêtes effectuées en pays tatar ont montré que pour les Tatars leur conversion collective à l'islam a le sens d'un événement national, et est commémoré chaque année par les croyants et les non-croyants réunis autour de ce qui leur apparaît comme une véritable fête nationale des Tatars [64].

Les conséquences de la « nationalisation » de l'islam sont dénoncées même si les analystes essaient d'en limiter la portée. Tout ici encourage, disent-ils, un sentiment de « spécificité » nationale, mais aussi islamique, spécificité qui freine les relations entre nations et le processus d'intégration, en encourageant des comportements nationaux. Au nombre de ces comportements spécifiques, il faut inscrire les comportements démographiques qui, en dépit des conditions de vie transformées, restent traditionnels [65]. L'affaiblissement de la conscience religieuse est compensé par l'intégration des enseignements de la religion musulmane dans la tradition nationale. La lenteur des changements de la conscience sociale chez les musulmans de l'U.R.S.S., dont leur démographie rend compte au premier chef, résulte de là [66].

Autre conséquence, « peu à peu se forme chez certains une attitude négative à l'égard des valeurs de la société soviétique ». Pour y remédier le pouvoir appelle les spécialistes à faire un effort d'analyse, de recherches, afin de comprendre ce qui, dans le mode de vie, dans les convictions, les comportements, peut être accepté parce que véritablement national (c'est-à-dire folklorique) et ce qui est religieux e*t indûment* rattaché aux valeurs nationales. Cette direction suggérée à l'action anti-islamique est révélatrice du désarroi du pouvoir devant un phénomène qui le dépasse et le conduit à adopter non plus des positions offensives mais, se plaçant sur la défensive, à choisir ce qui lui semble désormais un *moindre mal.* A dégager, à valoriser des traditions dites purement nationales dont on affirmerait qu'elles sont indépendantes du religieux, on risque fort d'encourager par là même le nationalisme des musulmans déjà si affirmé. Est-ce là vraiment un remède? Et par rapport à quel danger supérieur? Pour le comprendre, il faut en revenir à la position défendue par les dignitaires de l'islam et voir sur quoi elle débouche et quelle en est la portée.

Sans doute, les dignitaires musulmans font-ils appel aux sentiments nationaux pour maintenir l'islam vivant et lui attirer un nombre plus grand de fidèles. Mais le sens du terme *national* n'est pas le même lorsqu'il est employé par les musulmans et par les non-musulmans. Pour les musulmans, les nations particulières cohabitent dans une communauté plus étendue, celle de l'islam. Toute l'œuvre accomplie par le pouvoir soviétique depuis 1920, qui tendait en consolidant des nations et des cultures différenciées à briser la solidarité panmusulmane, à remplacer l'identification à la communauté globale par l'identification à des communautés restreintes, est remise en question par l'action des autorités musulmanes. La restauration d'une *Umma* où trouvent place côte à côte non pas ceux qui sont musulmans parce qu'ils croient, mais ceux qui sont musulmans parce qu'ils se reconnaissent membres de la communauté, est désormais une réalité du monde soviétique. Les spécialistes soviétiques ont raison lorsqu'ils disent que la hiérarchie musulmane n'est pas préoccupée du sort des nations mais du sort du *groupe* musulman. Mais ils ont tort dans leur interprétation restrictive de la nation, car ils oublient que la nation se définit aussi par le sentiment propre à chaque individu d'y appartenir. Et les musulmans ont clairement le sentiment d'appartenir d'abord à la *nation musulmane*, même si c'est une catégorie peu conforme aux idées marxistes, et ensuite seulement, au sein de cette nation, à la nation uzbeke ou tatare. Les spécialistes soviétiques ont raison lorsqu'ils relèvent que l'islam confère à ses fidèles un sens profond de leur« spécificité » [67] , et le sentiment d'être membres d'une communauté différente, *séparée* de la communauté des non-musulmans. Ils ont tort, lorsqu'ils pensent ou affirment qu'il s'agit là d'un sentiment de nature religieuse, alors qu'il s'agit d'une sensibilité sociopolitique et d'un fait *national*.

Mais l'action de la hiérarchie musulmane ne peut être ramenée au seul encouragement donné à des tendances panmusulmanes et à la consolidation d'une conscience nationale musulmane. Elle a aussi un sens politique immédiat. Elle est une variante du *national-communisme* détruit par Staline, et qui renaît de ses cendres en tirant profit des leçons du passé. Le national-communisme des années 20 avait été forgé par des communistes issus du milieu musulman au premier rang desquels se situe Sultan Galiev. Celui-ci avait cherché à résoudre le problème des nations musulmanes de la Russie bolchevique en prônant la création d'organisations révolutionnaires parallèles adaptées à leur culture et à leur cause. Le monolithisme des bolcheviks, leur prétention au monopole du pouvoir et des idées condamnaient son entreprise. Son échec a appris à tous les nationaux-communistes (ou nationalistes utilisant l'alibi communiste) potentiels que le communisme au pouvoir ne tolérera jamais d'organisations parallèles et d'idéologies concurrentes, fussent-elles simplement des variantes nationales de l'idéologie communiste. En revanche, que faire contre l' « entrisme » prôné par la hiérarchie musulmane? Si toutes les organisations politiques et sociales sont envahies par des citoyens qui se définissent comme musulmans, ne seront-elles pas transformées en organisations musulmanes? Et peut-on interdire aux Uzbeks ou aux Azéris de faire du militantisme? Peut-on instaurer un contrôle visant à écarter ou à purger tous ceux qui, dans les organisations sociales, se disent musulmans mais non-croyants? L'équilibre soviétique est fondé sur l'égale participation de tous dans des organisations sociales. Comment en écarter alors ceux qui ne contreviennent apparemment en rien aux lois soviétiques? Car un sentiment d'appartenance à sa communauté nationale est parfaitement légal; le sentiment d'appartenance à la communauté globale d'origine musulmane est aussi parfaitement légal, dès lors qu'il ne s'exprime pas sous forme de propagande ou de propos panislamiques. Sans doute ne s'agit-il pas de transformer des organisations sociales en institutions différentes de ce qu'elles sont. Mais le contenu peut en changer radicalement. Là réside en effet le problème fondamental auquel se heurte le pouvoir soviétique en milieu islamique, celui du renversement du compromis culturel élaboré par Lénine et Staline pour résoudre la question nationale. Pour ces derniers, le compromis était clair, la culture des peuples soviétiques entendue au sens de *culture politique* était *nationale dans la forme* et *socialiste dans l'essence*. Or, ce à quoi on assiste chez les musulmans, c'est à une transformation profonde des cultures nationales, de la culture politique globale et de l'idéologie. Partout la culture se nationalise de façon croissante, s'imbibe des valeurs nationales profondes et repousse ce qui est socialiste à sa périphérie au point de transformer l'*essence* en *forme*. Dans le cours de ce changement et pour parer à toute critique, ce qui est socialiste est souligné, mais ce n'est plus qu'un habillage décent. Il peut en être ainsi des organisations politiques et sociales des Etats musulmans qui, peuplées de membres musulmans avant tout, seront fidèles au socialisme dans leur forme, mais totalement transformées de l'intérieur. Une telle évolution est déjà en train de s'accomplir pour l'idéologie. En affirmant la compatibilité de l'islam et du communisme, mais en faisant du second un sous-produit historique de l'islam, la hiérarchie musulmane réduit le socialisme à peu de choses. Comme tous les compromis, le compromis culturel n'était pas destiné à durer indéfiniment, mais à déboucher sur la victoire totale du socialisme sur les éléments nationaux maintenus. Dans cette cohabitation inégale des valeurs socialistes et des valeurs nationales, de manière inattendue pour les promoteurs du compromis, ce sont les secondes qui semblent en voie de s'imposer. Et la religion musulmane aura contribué à cette évolution parce que, comme toutes les religions en U.R.S.S., elle constitue la seule organisation existant en dehors du cadre et de l'idéologie officiels, le seul lieu physique et spirituel de rassemblement, la seule structure organisée disposant des moyens de communiquer avec ses membres.

*
* *

Le catholicisme en Lituanie, l'islam à la périphérie méridionale de l'U.R.S.S. se trouvent en fin de compte dans des situations fort voisines. Religions liées à l'histoire des peuples considérés, elles tirent leur force actuelle de leur rôle historique passé, de la capacité qu'il leur confère à incarner des aspirations nationales partout présentes mais souvent inégalement et diversement vécues. Pourtant, dès maintenant, on entrevoit ce qui sépare le destin des Lituaniens catholiques et celui des musulmans. Pour les premiers, la religion les aide à survivre mieux que leurs voisins Estoniens et Lettons, elle unifie leurs aspirations, les rassemble, mais là s'arrête son rôle. L'histoire et la communauté spirituelle tournent la Lituanie vers la Pologne; mais de celle-ci, qui sait combien l'équilibre est dur à sauvegarder avec l'U.R.S.S., elle ne peut guère attendre d'appui dans une lutte qui tendrait à préserver la spécificité de la nation lituanienne. Il en va tout différemment de la communauté musulmane soviétique. Le nombre, le dynamisme démographique, la position géographique de cette communauté aux confins d'un monde où l'U.R.S.S. rivalise avec l'Occident, tout contraint le pouvoir soviétique à s'inquiéter des changements en cours, mais aussi tout lui interdit les solutions radicales et le pousse à agir avec prudence. L'équilibre des relations internationales condamne à terme le nationalisme lituanien tout autant que son poids spécifique dans l'U.R.S.S. Au contraire, sa politique extérieure impose à l'U.R.S.S. de compter avec ses musulmans, de les ménager et éventuellement de les utiliser. Enfin, dernière différence, la puissance de la religion n'a pas, en Lituanie, façonné une société fondamentalement différente du reste de la société soviétique. L'islam au contraire, outre qu'il unit une communauté globale d'autant plus inquiétante qu'elle ressent sa solidarité avec la totalité du monde musulman dont une partie s'étend aux frontières de l'U.R.S.S., a aussi contribué à façonner une société musulmane dont les traits, les comportements, les valeurs, sont distincts de ceux de la société soviétique. A supposer que le pouvoir soviétique puisse contrôler les tentatives d'action politique de la hiérarchie musulmane, et cela est plausible compte tenu du caractère organisé et totalisant du système politique soviétique, il lui restera à faire face à un problème autrement plus étendu, celui d'une société transformée intellectuellement et économiquement où l'éducation et l'urbanisation, loin d'extirper la culture politique propre à cette société, semblent avoir contribué à la renforcer. Derrière l'*Homo sovieticus* se profile désormais l'*Homo islamicus*.

CHAPITRE VIII

L'HOMO ISLAMICUS DANS LA SOCIÉTÉ SOVIÉTIQUE

« En un demi-siècle d'existence de l'U.R.S.S., une culture soviétique socialiste, unique par l'esprit et son contenu, s'y est formée et développée. Cette culture a incorporé les traits et traditions les plus précieux de la culture et des mœurs de chacun des peuples de notre patrie. Chacune des cultures nationales soviétiques se nourrit non seulement de ce qui lui est propre, mais elle emprunte aux richesses spirituelles des autres peuples frères en même temps qu'elle exerce sur eux une influence bienfaisante et les enrichit. »

En définissant ainsi la culture soviétique [1], Leonid Brejnev posait comme acquis que, dans la société soviétique, partant dans sa culture, les contacts développés entre les hommes et les groupes appartiennent à la réalité quotidienne. Sans aucun doute, dans toute société moderne, l'urbanisation, le développement des transports et des media, l'éducation abattent des cloisons, modifient et uniformisent profondément les mentalités. Pourtant, en U.R.S.S., en dépit de ces données de la vie moderne qui existent comme partout ailleurs, en dépit surtout d'un effort permanent du système politique pour multiplier les contacts interethniques et fondre les différences dans la *culture politique* [2] *soviétique,* il semble clair que dans la zone peuplée de musulmans, l'effort de transformation des mentalités s'est heurté à une réalité socioculturelle difficile à pénétrer. La persistance d'une culture particulière, liée à l'islam, se manifeste dans le domaine des relations interethniques, dans celui de la vie privée et aussi des relations de l'individu avec l'environnement politique.

Le refus de sortir du groupe par le mariage

L'endogamie est-elle simplement le produit d'un haut degré de conscience nationale? ou bien résulte-t-elle aussi, voire principalement, de données circonstancielles comme le statut social et la possibilité de rencontrer un conjoint éventuel dans un autre groupe national? Si, d'une manière générale, le lien entre endogamie et conscience nationale n'est pas évident en U.R.S.S., il est impossible de poser les problèmes des mariages mixtes autrement qu'en termes d'attitude nationale. Cela est impossible parce que le pouvoir soviétique a espéré qu'un brassage ethnique s'opérerait par les mariages mixtes. Parce qu'il tire argument des mariages mixtes pour montrer les progrès d'une conscience supranationale [3].

Les travaux récents des sociologues soviétiques montrent que si les Soviétiques se marient parfois en dehors de leur groupe national, toutes les nations sont très loin d'avoir une attitude identique sur ce point. Une enquête sur les mariages célébrés en 1969 dans toutes les républiques de l'U.R.S.S. à l'exception de la R.S.F.S.R. montre que, lorsqu'on mesure leur degré d'endogamie, les nations de l'U.R.S.S se partagent ici en trois groupes : les nations qui sont presque totalement endogames : Kirghizs (95,4 %), Kazakhs (93,6 %), Turkmènes (90,7 %), Azéris (89,8 %), Uzbeks (86,2 %), Géorgiens (80,5 %). Ensuite, des nations qui penchent plutôt pour l'endogamie : Estoniens (78,8 %), Tadjiks (77,3 %), Lituaniens (68,2 %), Moldaves (62 %), Lettons (61,4 %). Enfin, un dernier groupe qui a davantage de mariages mixtes que de mariages uninationaux : Biélorusses (39 %), Ukrainiens (34,3 %), Arméniens (33,4 %) [4].

Ces données sont intéressantes dans la mesure où elles révèlent une division dans les attitudes matrimoniales que l'on a déjà notée s'agissant de l'attachement aux langues. Les peuples d'Asie centrale et du Caucase (exception faite des Tadjiks et des Arméniens) figurent tous dans le groupe le plus endogame. Comment interpréter cette attitude? Les nations de l'Asie centrale pratiquent-elles l'endogamie par habitude? Par manque d'opportunités différentes? Ou bien pour des raisons culturelles? Les Tadjiks légèrement plus portés à l'exogamie sont-ils des précurseurs? Ou bien faut-il regarder de plus près avec qui ils se marient pour préciser le sens de cette exogamie? En 1962, Abramzon, un pionnier de la sociologie des relations interethniques publiait une importante étude [5] sur ce sujet où il soulignait trois caractéristiques des mariages mixtes : les mariages entre musulmans et non-musulmans qui, avant la révolution, étaient l'exception en Asie centrale, continuent à être exceptionnels car ils se heurtent au poids des traditions socioreligieuses; lorsque de tels mariages ont lieu, il s'agit presque toujours du mariage d'*un* musulman (au sens de nationalités d'origine musulmane) avec *une* non-musulmane, tandis que les filles d'origine musulmane ne se marient presque jamais hors de leur groupe; enfin, Abramzon notait que, dans de nombreux cas, ces mariages (qui ont plutôt lieu en milieu urbain) rencontraient une hostilité dans la famille du conjoint musulman [6].

En quinze ans, la société soviétique a changé. Mais tout indique que les propos d'Abramzon traduisent aussi bien la situation présente. Une enquête relativement récente sur les mariages mixtes au Daghestan (dont un auteur soviétique dit que les enseignements peuvent être étendus à l'Asie centrale) [7] montre comment se pose le problème des mariages aujourd'hui. Makhatchkala, capitale du Daghestan, comptait, en 1959, 32 % de Daghestanais, 51 % de Russes et diverses autres nationalités. On a donc là une situation qui favorise les mariages mixtes : vie urbaine et communauté russe nombreuse. Plusieurs points découlent de cette enquête [8] qui porte sur une évolution de dix ans (1958-1968). D'abord, l'extraordinaire stabilité du nombre de mariages mixtes (25,2 % en 1958, 25 % en 1968). Ensuite, le fait que l'on appelle mariage mixte — et l'on comptabilise comme tel — aussi bien l'union entre musulman et non-musulman, qu'entre deux personnes de groupes nationaux culturels proches. Ce qui est pourtant très différent. Or, à Makhatchkala, presque 50 % des mariages mixtes ne concernent pas les Daghestanais, et le quart seulement des mariages unit des Daghestanais à des non-musulmans (Russes ou Ukrainiens). Dans les couples mixtes ainsi formés, la part des femmes daghestanaises reste très faible (quoiqu'en très légère augmentation), et surtout la plupart des femmes mariées à des Russes portent des prénoms russes, ce qui suggère qu'elles étaient elles-mêmes issues de mariages mixtes. Enfin, il est significatif que la plus forte proportion de divorces se trouve dans le groupe des Daghestanais mariés à des femmes russes.

Une autre enquête menée dans la capitale du Tadjikistan, Duchambe, donne des indications qui confirment pleinement les thèses d'Abramzon et la situation au Caucase [9]. Dans la situation favorable aussi aux mariages mixtes de Duchambe (108 236 Russes pour 43 008 Tadjiks et 23 178 Uzbeks), l'auteur a cherché à voir dans quelle mesure, compte tenu de la population des deux sexes de chaque groupe national vivant dans la ville, les probabilités de mariages entre les divers groupes coïncideraient avec la réalité. Les résultats sont éclatants. Dans le cas des mariages entre Tadjiks, la courbe des mariages réels se situe nettement au-dessus de la courbe des mariages probables. Dans le cas des mariages entre Tadjiks et Uzbeks, la courbe des mariages probables et des mariages réels coïncide à peu près exactement. Dans le cas des mariages entre Uzbeks seulement, la courbe des mariages réels est plus élevée que celle des mariages probables, mais elle s'en détache moins nettement que dans le cas des mariages entre Tadjiks. Enfin, dans le cas des mariages entre Russes et Tadjiks ou Uzbeks, la courbe des mariages réels se situe très en dessous de la courbe des mariages probables.

On peut conclure de cela que les Tadjiks ont une propension considérable et *croissante* [10] à se marier entre eux, même dans les conditions les plus favorables aux contacts avec d'autres communautés (vie urbaine, surtout dans une capitale où se concentre la fraction la plus évoluée et la plus bilingue de la population). Cette étude montre aussi qu'il ne faut pas prêter une attention exagérée à la position plus ouverte à l'exogamie des Tadjiks que l'on avait relevé plus haut, car bon nombre de mariages mixtes chez les Tadjiks s'effectuent avec des Uzbeks. Chez les Kirghizs aussi, des enquêtes montrent que la proportion de mariages entre Kirghizs et Européens n'a guère varié entre 1927 et 1968; que pour les deux tiers, les mariages mixtes chez les Kirghizs se font entre Kirghizs et d'autres musulmans [11], enfin que les femmes kirghizes n'épousent pas de non-musulmans [12].

Quel que soit le territoire ou le groupe considéré, on est conduit à constater une homogénéité dans l'espace et une continuité dans le temps de l'attitude de tous les peuples musulmans de l'U.R.S.S. dès lors qu'il s'agit du mariage. Les sociologues, cherchant les facteurs favorables à l'exogamie, en ont recensé certains, tels l'urbanisation, le caractère multinational du territoire, le degré d'éducation et spécialement de l'éducation féminine. A comparer la situation des divers peuples de l'U.R.S.S., on constate que les Kazakhs minoritaires dans leur république sont parmi les plus endogames; que s'agissant de l'urbanisation, les Azéris le sont autant que les Ukrainiens et les Biélorusses; qu'enfin, le progrès intellectuel des républiques musulmanes a été très rapide au cours des dernières années et les différences dans le niveau d'éducation des hommes et des femmes s'y réduit, sinon rapidement, du moins de manière très sensible [13].

Diverses enquêtes menées en U.R.S.S. ont montré en définitive que la plupart des groupes nationaux interrogés sur leur attitude face aux mariages mixtes ne s'y montraient pas défavorables [14] et que leurs réponses ne variaient clairement qu'en fonction de facteurs religieux. D'un côté donc, un apparent assentiment aux mariages mixtes. De l'autre, une réalité contraire à la périphérie musulmane, où les mariages mixtes n'incluent que très rarement, et selon une combinaison rigide, l'union d'un musulman avec une non-musulmane, quelles que soient les conditions sociales environnantes.

Ici se pose un autre problème. Les mariages mixtes, même peu nombreux, ouvrent-ils la voie à un nouveau type de société, marquée par la mixité? On peut y répondre en examinant les choix nationaux faits par les enfants issus de tels mariages. A seize ans, en effet, lors de l'attribution du passeport, chaque citoyen soviétique dont la nationalité fait l'objet d'un choix (ce qui est précisément le cas des enfants dont les parents ont une nationalité différente) est appelé à se prononcer lui-même. Ici, on constate que, selon les cas [15], les choix des adolescents obéissent à des règles précises. Lorsqu'un musulman épouse une non-musulmane, dans la majorité des cas l'enfant prend la nationalité du père. D'une manière générale, chez les musulmans, quel que soit le groupe social et le niveau d'éducation, la nationalité du père est considérée comme dominante [16]. Cependant, dans les rares cas où une femme daghestanaise a épousé un homme issu d'un groupe non-musulman, la nationalité de la mère a été choisie par les enfants dans 87,5 % des cas [17]. Dans les mariages entre Russes et non-musulmans (Ukrainiens, Juifs, etc.), la nationalité russe en revanche prévaut. Un dernier cas concerne les mariages mixtes entre musulmans (Uzbeks, Tadjiks) : ici les enfants ont tendance à choisir la nationalité du parent qui appartient à la république où ils vivent. Ceci montre clairement que les mariages mixtes entre non-musulmans ouvrent la voie à des changements dans la conscience nationale; mais s'agissant de musulmans, les mariages mixtes n'entraînent apparemment aucune ouverture sur le monde extérieur à l'islam. Ceci n'implique pas pour autant que ces mariages soient totalement sans influence sur les enfants qui en sont issus. Cette influence s'exerce en premier lieu par la langue. Dans une famille mixte russe ou ukrainienne et musulmane, la langue familiale est incontestablement le russe. De plus, les enfants portent souvent des prénoms russes (les filles plus souvent que les garçons), et lorsqu'ils sont dotés d'un prénom non russe, on y ajoute souvent un second prénom européen [18]. Les autorités soviétiques n'ont donc pas tort lorsqu'elles estiment que les mariages mixtes peuvent à la longue déstabiliser les nations. Mais elles ont longtemps sous-estimé la résistance des sociétés nationales à de tels mariages, leur volonté de préserver un monde socioculturel très particulier.

La cohésion du groupe par le mode de vie

Si les musulmans sont si hostiles ou fermés aux contacts matrimoniaux avec des non-musulmans, c'est parce qu'ils préservent jalousement leur mode de vie lié à des traditions socioreligieuses. Et que le domaine familial est celui où ce mode de vie traditionnel est le plus puissant. Les trois moments privilégiés de l'existence — la naissance, le mariage et la mort — sont aussi les domaines d'élection de la tradition. C'est à ces moments-là que les hommes évoquent le plus volontiers ce qui les unit au cours des âges au groupe auquel ils appartiennent. Le respect des usages du groupe s'accroît d'autant plus que la vie humaine approche de son terme. Les usages liés à la naissance sont certainement pour une part en voie de disparition, parce que les enfants naissent de plus en plus dans des hôpitaux où il est difficile d'importer des traditions qui défient souvent les règles de l'hygiène. Il est cependant significatif que la moitié des Tatars urbanisés interrogés sur ce point aient répondu qu'ils respectaient le rituel lié à la naissance de l'enfant [19]. Sur un point, la tradition sociale liée à l'islam (mais qui n'est pas obligation musulmane) se maintient dans la quasi-totalité de communautés nationales d'origine musulmane : la circoncision. Toutes les enquêtes témoignent que sur tout l'espace soviétique sans distinction d'attitude face à la religion, sans distinction de milieu (urbain ou rural), et sans distinction de degré d'éducation et de position sociale, pratiquement tous les enfants mâles sont circoncis. Les sociologues soviétiques qui se sont penchés sur ce problème ont conclu que le maintien de cette pratique était une manifestation d'appartenance à une communauté culturelle. La circoncision, même si elle ne fait pas partie des obligations du musulman, revêt en U.R.S.S. une signification claire. Elle implique que le jeune musulman est membre d'une communauté globale, l'*Umma,* où il rejoint tous les siens et qui est le monde de l'Islam *(Dar Ul Islam).* De la même manière, la prime enfance est aussi marquée par le choix du prénom où la tradition religieuse continue à jouer un rôle important. Ainsi arrive-t-il que les chiites continuent à bannir certains prénoms — Omar, Osman, Aicha — et considèrent avec hostilité ceux qui les portent [20]. Une autre coutume, plus générale à la société musulmane, est aussi respectée. C'est celle qui consiste à donner à l'enfant un second prénom, de manière à détourner l'attention du démon et à le tromper par cette double identité.

Le mariage, bien plus que la naissance, parce que se déroulant en milieu privé, est l'occasion pour les musulmans de manifester leur fidélité aux usages de leurs pères. Ici encore, les réponses des

Tatars urbanisés sont révélatrices : 37 % seulement parmi eux ont répondu qu'ils ne conservaient pas les traditions liées aux mariages [21]. Plusieurs points troublent à cet égard le pouvoir soviétique. Le caractère religieux des mariages d'abord. On sait qu'inquiet de voir les jeunes gens de toutes confessions se tourner vers les églises, le régime soviétique a pensé au début des années 60 que la tendance à la multiplication des mariages religieux était due au côté peu attrayant, terne et administratif des mariages civils. Pour combattre l'attrait vers les églises, on a construit en U.R.S.S. des palais de mariage assez somptueux et donné une grande solennité aux mariages civils. Ainsi, l'enregistrement pur et simple des unions qui avait longtemps prévalu, a été progressivement remplacé par une grande fête civile. Rien n'y fait, semble-t-il. Les mariages religieux conservent leur puissance d'attraction. Fréquemment, après la cérémonie civile, on voit une seconde cérémonie où le *mullah* vient célébrer une union religieuse [22]. Sans doute, assure-t-on, est-ce un phénomène qui n'est pas général et se trouve être le résultat de l'influence des gens âgés, plus ou moins seuls intéressés au mariage religieux. Il semble cependant que, dans la société musulmane, on considère parfois les enfants issus de mariages civils, comme n'étant pas des enfants légitimes [23].

Plus encore que le mariage religieux, c'est la persistance de coutumes liées au mariage qui s'impose à l'attention. Il s'agit là d'un fait d'autant plus remarquable que si le mariage religieux relève de la liberté de conscience, certaines des coutumes qui l'accompagnent sont, pour des raisons économiques ou sociales, rigoureusement interdites. Ce qui est interdit, c'est le mariage des filles impubères et des filles non consentantes; par ailleurs, c'est le « rapt » et le « rachat » de la fiancée, le tout étant qualifié de pratiques féodales. Malgré les lois, les mariages de filles impubères et les mariages décidés par les parents au mépris des volontés des filles, se pratiquent encore couramment, et même dans les milieux proches du pouvoir [24]. La pratique du *Kalym* (rachat de la fiancée) semble être non seulement relativement courante [25], mais encore suivre des règles, avoir des tarifs connus de tous. Au milieu des années 60, le Comité central du P.C. uzbek évaluait le *Kalym* à « 500 roubles, 200 kg de farine, 80 kg de riz, 2 moutons et 9 costumes ». En gros, il fallait payer 2 000 à 3 000 roubles pour acquérir une femme [26], et en cas de paiement incomplet, il fallait (il faut toujours) la rendre à sa famille [27]. Le rapt de la fiancée se maintient plutôt sous la forme d'une brève figuration symbolique [28].

A ces traditions généralement répandues dans toute la société musulmane soviétique, il faut ajouter des traditions à caractère plus local issues des *adat* (droit coutumier) et qui prévalent surtout au Caucase. Il s'agit de cérémonies compliquées de la présentation de la fiancée aux parents de son mari. Cérémonies qui soulignent la fidélité à l'islam — la fiancée doit toujours rester le visage orienté vers La Mecque. Enfin, les règles d'exogamie traditionnelles prévalent encore chez de nombreux peuples (on ne se marie pas au sein des mêmes communautés tribales) ainsi que le *lévirat* [29] (obligation faite à la veuve d'épouser le frère de son défunt mari).

Ce qui se maintient ainsi à travers le mariage, c'est à la fois la religion — le mariage requiert l'assistance d'un serviteur du culte — et un ensemble de rites, d'interdits et d'obligations qui se rattachent les uns aux traditions de l'islam orthodoxe, les autres à la coutume (*adat*), certains enfin aux relations tribales du passé. Dans tous les cas, le mariage est l'occasion pour les peuples d'origine musulmane de manifester un attachement profond à leurs traditions et de se comporter avec un souverain mépris à l'égard des lois ou encore des attitudes soviétiques. Comme la circoncision, le mariage donne lieu à de grandes festivités, qui entraînent des pratiques économiques que le pouvoir désapprouve, notamment l'abattage du bétail. Parfois, il s'agit du bétail privé, mais souvent, compte tenu de l'ampleur des réjouissances, le bétail de la collectivité est utilisé sans vergogne pour embellir les cérémonies dites musulmanes. Ce qui aggrave encore ce détournement des biens publics c'est que, circoncisions ou mariages, ces cérémonies se font toujours en présence des autorités locales.

Si tous les événements qui marquent la vie humaine sont largement l'occasion de manifester l'appartenance à un monde culturel particulier, de tous, c'est la mort qui resserre le plus les liens entre l'individu et la tradition. Le nombre de Tatars (une fois encore en milieu urbain) qui ne se comportent pas en musulmans face à la mort tombe à 23 % [30]. Il est clair que si la question était posée en Asie centrale, si on mêlait ruraux et urbains, le pourcentage tomberait encore bien davantage. C'est ici, en ce point terminal de l'existence, que s'achève la cohabitation des musulmans avec ceux qui ne le sont pas. Un auteur soviétique [31] écrit comment « il arrive que des gens de nationalités diverses aient vécu ensemble dans une famille internationale unie... mais après leur mort, il s'avère qu'ils ne peuvent être enterrés dans un même cimetière; et leur dernier voyage est utilisé pour la propagation de la religion et du particularisme national ».

Cette volonté de différence devant la mort, nul n'hésite à l'afficher.

En 1972, à la mort du directeur de l'Institut pédagogique de Tachkent, les autorités décidèrent de l'enterrer dans le cimetière où reposent les personnalités officielles et de lui faire un enterrement officiel. Même là, il y eut conflit. La famille refusa cet apparat et ces honneurs destinés à un homme qui, probablement, compte tenu de ses fonctions, s'était comporté de son vivant en bon communiste; et elle l'enterra dans le cimetière musulman, en lui faisant un enterrement musulman [32].

Ce particularisme se traduit aussi par le maintien de rituels funéraires très coûteux [33], et qui sont autant d'occasions de rassembler la communauté autour de traditions socioreligieuses qui lui sont propres. Il entraîne aussi des cérémonies commémoratives des morts que les clercs de l'islam s'ingénient à multiplier [34]. Le pouvoir soviétique attaque ces rituels en soulignant les dépenses inconsidérées qu'ils impliquent; mais en fait, il est parfaitement conscient de la fonction intégratrice de ces cérémonies, et c'est cela qui l'alarme le plus. Ici encore, le phénomène auquel il se heurte, c'est la cohésion d'une communauté, dont de nombreux membres ne s'affirment pas *croyants,* mais pour qui les rituels de la vie familiale revêtent une signification religieuse [35].

D'une manière générale, le pouvoir soviétique entrevoit que la société musulmane a son propre univers de fêtes et de dates importantes. Un journaliste américain qui demandait au début des années 70, à la veille des cérémonies commémoratives de la révolution, à des Uzbeks, quelle était la fête la plus importante en U.R.S.S., s'entendait immanquablement répondre « la fin du Ramadan » [36].

Ceci explique l'attention particulière portée par le pouvoir aux *fêtes* de la société musulmane, et son changement d'attitude à leur égard.

Un nouveau contenu pour des fêtes traditionnelles

Pendant plusieurs décennies, toutes les fêtes et coutumes à contenu religieux ont été systématiquement condamnées en U.R.S.S. Les événements qui dominaient la vie privée ont été laïcisés, et leur célébration religieuse interdite ou fortement déconseillée. En même temps, les pratiques sociales qui entouraient ces fêtes — *Kalym,* repas en l'honneur des morts, etc. — étaient prohibées comme autant de signes d'attachement aux « traditions féodales ». Quand elles ne pouvaient réellement empêcher ces traditions, les autorités soviétiques espéraient que le progrès les effaceraient et que de toute manière, elles ne représentaient plus qu'un folklore.

Depuis le début des années 60 au contraire, le travail considérable poursuivi sur le terrain par des équipes d'ethnologues et de sociologues a appris au pouvoir que ce qu'il traitait légèrement de « survivances », c'était un ensemble de conduites et de fidélités qui soudaient toute une société. De là, une attention soudaine et plus lucide à ces phénomènes. Dès 1960, une conférence panrusse était organisée pour discuter des fêtes soviétiques et des moyens de surmonter par là les survivances religieuses. En mars 1964, une nouvelle conférence appelait à Moscou des spécialistes de l'U.R.S.S. entière pour discuter de ce qui devenait une préoccupation grandissante [37]. Le bilan fait au cours de ces rencontres a conduit le pouvoir à admettre que les fêtes soviétiques — politiques ou privées — avaient peu de succès. Que pour combattre efficacement les fêtes traditionnelles, il fallait suivre deux voies : donner sans doute plus d'éclat aux célébrations soviétiques; mais, surtout, tenter de les greffer sur les fêtes traditionnelles pour vider celles-ci de leur contenu national-religieux et leur donner enfin un sens soviétique.

Fêtes soviétiques proprement dites, tel l'enregistrement solennel des nouveau-nés. En général, ce sont les organisations sociales qui en sont chargées (Komsomol pour cette cérémonie). Ainsi, à Samarkande, le Palais de la Culture dûment décoré, avec musique, rassemblait sous l'égide combinée des organisations sociales, et des services de l'Etat civil, la famille, les invités, les « mères héroïnes » et quelques autres personnalités communistes. L'idée étant que cette cérémonie soviétique devait réunir tous ceux qui comptaient dans la société soviétique, autour du nouveau-né [38]. Où les familles trouveraient-elles un cérémonial plus riche et une assemblée plus flatteuse? Mais, en dépit de cet effort qui tente de couvrir les diverses époques de la vie — remise du passeport, départ pour l'armée, mariage, vie de travail —, en dépit de l'association systématique des organisations sociales au déroulement des cérémonies de type soviétique, on constate un attachement assez indéfectible aux célébrations traditionnelles. C'est cette constatation qui conduit les autorités à essayer de détourner le rituel implanté dans la société musulmane et à l'incorporer dans un ensemble culturel soviétique.

C'est ainsi qu'incapables de convaincre beaucoup d'habitants de l'Asie centrale de ne pas fêter le nouvel an musulman, le pouvoir a admis que le *Nauruz* soit fêté dignement, mais il s'efforce d'en faire « la fête du printemps et des paysans », afin de lier cet événement aux activités sociales pour le détourner de son contenu propre [39]. Un autre exemple de cette greffe tentée sur les fêtes musulmanes est la cérémonie destinée à célébrer la vieillesse. Selon un vieil usage, les peuples d'Asie centrale accordaient une grande importance au 63e anniversaire. Le musulman — homme ou femme — qui atteignait cet âge (celui du Prophète à sa mort) rassemblait autour de lui une vaste assemblée et la fête religieuse, marquée par la lecture du Coran, s'achevait en festin et en cadeaux. Les organisations sociales ont été invitées à choisir ce moment pour fêter des événements proprement civils, généralement le départ à la retraite ou l'attribution de quelque distinction. Peu importe que l'âge de la retraite ne soit pas si élevé, l'essentiel est de faire de *Païgamber Echi* une cérémonie dénuée de tout contenu religieux et de l'insérer dans une série de fêtes marquant les mêmes événements pour toute l'U.R.S.S. [40].

Là est en effet le sens de l'action poursuivie par le pouvoir soviétique. Il veut, d'une part, arracher à la religion le privilège d'accompagner les grands moments de la vie humaine. Il veut aussi et par-dessus tout, uniformiser les rituels, abattre les différences de coutumes entre tous les peuples de l'U.R.S.S. C'est pourquoi le nouvel an musulman devient fête du printemps qui se célèbre aussi bien dans la campagne ukrainienne, dans la taïga de Sibérie que dans les villes et villages kirghizs. Incapable de supprimer les coutumes nationales, le pouvoir soviétique s'en accommode en essayant de les soviétiser.

Est-il plus heureux dans cette tentative de récupération des traditions nationales? Probablement non. Beaucoup d'indices témoignent que la greffe prend mal [41]. Les fêtes musulmanes existent *à côté* des fêtes soviétiques. Et parfois au sein d'un rituel nouveau, proprement soviétique, on voit ressurgir les traditions que l'on avait cru extirper. C'est ainsi que dans les banquets de mariages civils en Uzbekistan, il arrive que la fiancée cache son visage. A quoi servent, dans ces conditions, les « Maisons du bonheur » édifiées pour abriter les cérémonies familiales [42]? A quoi sert la mobilisation des organisations sociales et de tous les cadres politiques qui est constante depuis dix ans, si tout cela conduit simplement à entériner des traditions séculaires particularistes, sous le fallacieux prétexte que le contenu en est devenu soviétique? Le vieux compromis de la *forme nationale* et du *fonds socialiste* est toujours à l'ordre du jour, en dépit du progrès intellectuel accompli par la société tout entière.

L'un des aspects essentiels du progrès dans la société musulmane est l'éducation donnée aux femmes. Le pouvoir y a veillé, insisté, parce qu'il savait que le changement social est impossible si les femmes n'y participent pas. Particulièrement dans une société qui attache une importance décisive à la socialisation de l'enfance. En apparence, le régime soviétique a réussi à arracher la femme musulmane à son statut traditionnel et à l'intégrer à la vie sociale par les études et la vie professionnelle. Les statistiques sont sur ce point éloquentes. Beaucoup de femmes exercent des activités salariées. Près de la moitié des soviets locaux de l'Asie centrale est, en 1975, composée de femmes [43].

Derrière ces statistiques qui n'en reflètent qu'un aspect limité, la réalité est différente. Les filles en Asie centrale abandonnent souvent leurs études dans le cours de l'enseignement secondaire. Les abandons prématurés caractérisent aussi bien des familles très évoluées, en apparence modernisées, que des familles dénuées d'éducation. La résistance du milieu musulman à laisser les femmes s'intégrer à la vie professionnelle reste considérable, et le haut niveau de natalité que l'on y trouve résulte en partie du fait que la vie de la femme est consacrée à sa famille. Ici encore, le pouvoir, après avoir tenté d'arracher par la force les femmes à leur milieu familial, a commencé à composer avec les préjugés musulmans. Dans les exploitations agricoles, on s'efforce de ne pas séparer les couples et de ne pas faire travailler une femme avec un homme qui lui est étranger. Les organisations qui socialisent les femmes — clubs féminins notamment — sont fermées aux hommes afin de ne pas provoquer de réactions hostiles [44].

La société musulmane reste, en dépit des apparences, dominée par les hommes. Elle est aussi, et c'est là un de ses aspects les plus curieux, dominée par des organisations qui se situent totalement en marge du système politique et lui échappent. On a vu que le pouvoir s'efforce de faire entrer toutes les organisations qui se situent à la périphérie de l'islam orthodoxe dans la catégorie commode des chamanes. Sans aucun doute, des chamanes, mi-sorciers, mi-guérisseurs, sévissent encore dans les campagnes où leurs remèdes leur attirent de très nombreux adeptes, souvent désespérés par la médecine officielle, et surtout des femmes stériles. La stérilité est en effet tenue pour une véritable malédiction chez les peuples musulmans, et le remède est plus pour eux d'essence supranaturelle que médicale.

Mais derrière le terme *chaman*, derrière les accusations de pratiques magiques, se cache une réalité toute différente, que laisse entrevoir un ouvrage consacré aux croyances et rites préislamiques en Asie centrale [45]. Dans plusieurs chapitres de cet ouvrage collectif, il est fait allusion aux *confréries*, et l'un des auteurs suggère que bien des croyances et des pratiques de cet ordre subsistent encore. En fait, ce qui se dissimule derrière les chamanes que l'on essaie de ridiculiser, c'est la survie des confréries sufies, les *Tariqat*, dont l'existence aujourd'hui est attestée par des sources soviétiques. On sait grâce à ces sources que deux Tariqats existent en U.R.S.S., l'ordre des Naqshbandis et des Qadyris. Les enquêtes soviétiques donnent une idée de l'ampleur de ce phénomène au Caucase, où les ordres sufis ont toujours connu un extraordinaire succès. Si l'on en croit les auteurs soviétiques — et on ne voit pas ce qui les pousserait à exagérer l'importance des confréries —, plus de la moitié des croyants du Caucase du Nord sont membres d'une confrérie sufie. Etant donné que plus de la moitié des habitants de la région se disent croyants, et qu'il y a là plus de deux millions de personnes, on peut en déduire qu'au minimum un demi-million de musulmans du Caucase sont membres des Tariquats [47]. On voit alors la gravité de ce fait. Les Tariqats sont des sociétés secrètes initiatiques, extraordinairement disciplinées et hiérarchisées. On ne dispose pas sur ce point de chiffres précis concernant l'Asie centrale, mais les informations suggèrent que le sufisme s'y développe.

Or il ne s'agit pas seulement, et de loin, d'un problème religieux. L'Etat soviétique n'admet que les organisations sociales déclarées, autorisées, qui toutes contribuent à la socialisation des citoyens et sont inspirées de l'idéologie soviétique. Au Caucase, avec un demi-million d'adeptes — où les représentants des classes les plus éduquées, les jeunes, les femmes sont très nombreux — les Tariqats sont actuellement des *organisations de masse* totalement étrangères à l'idéologie du système soviétique. Ces Tariqats sont un instrument de socialisation qui est en compétition avec les organisations sociales officiellement reconnues. Elles portent en elles un système d'autorité qui a autant, et probablement davantage d'audience dans la société environnante. Leurs activités sont spirituelles mais aussi temporelles. Il est clair que là où les Tariqats existent, la véritable autorité dans le groupe social est détenue par elles. Le problème de l'autorité dans la société musulmane est d'ailleurs un problème très général. Le pouvoir soviétique a dû souvent admettre que les structures qu'il avait mises en place — soviets, partis, etc. — étaient en position difficile face aux autorités traditionnelles de la société musulmane, et d'abord des *Anciens*. On a maints témoignages de décisions prises en marge des autorités officielles par des conseils de sages vieillards, *Aksakal* (barbes blanches) qui se prononcent sur le montant du *Kalym* par exemple, et imposent leurs décisions à la communauté. Ici aussi, le pouvoir soviétique, après avoir résisté, est allé dans le sens de la tradition en admettant l'existence de ces conseils d'Anciens qui fonctionnent dans toute l'Asie centrale [48]. Il prétend réduire leur activité à la distribution de conseils modérateurs, mais leur autorité morale dépasse largement ce cadre et nombre de conflits ou de problèmes sont réglés par ces instances, dont le jugement est accepté parce que la société musulmane croit à la sagesse de l'âge et des hommes. L'égalité des sexes, la sagesse suprême du Parti pèsent de peu de poids devant cette autorité traditionnelle.

On comprend, quand on sait combien il y a peu de familles mixtes, quand on voit le poids des traditions dans tous les domaines et l'extension de réseaux d'autorités étrangers au système soviétique, que la société musulmane forme un bloc cohérent, différent du reste de l'U.R.S.S.

Cette homogénéité socioculturelle se maintient en dépit d'un effort éducatif, à tous les niveaux, qui se concentre sur l'affirmation des traits communs de la société soviétique et non des différences existant en sein. A cet égard, l'action des media et ses effets posent un intéressant problème.

Comme le note un auteur soviétique [49], « dans les dix dernières années... la presse, la radio, la télévision ont été de plus en plus largement utilisés pour former la vision idéologico-politique des citoyens soviétiques, et l'attention a été portée sur le développement de l'internationalisme (c'est-à-dire sur l'affaiblissement de la conscience nationale) ». Cet auteur s'est livré à une étude comparative du contenu des journaux, en langue russe, du P.C. des républiques de Moldavie, de Géorgie et d'Uzbekistan [50].

En étudiant le contenu (articles, informations, études...) sur deux thèmes, la coopération économique entre nations de l'U.R.S.S. et la coopération culturelle, l'auteur fait plusieurs constatations. Une remarque de vocabulaire d'abord : le terme *national,* qu'il s'agisse d'économie ou de culture, est peu employé par rapport au terme *républicain.* L'économie est dite *républicaine* quatre fois sur cinq, la culture est qualifiée de nationale deux fois moins que de *républicaine.* Les journaux s'efforcent de lier économie et culture au cadre *administratif* et non à un cadre ethnique. S'agissant d'informer les lecteurs de tout ce qui a trait aux relations économiques de leur groupe national avec les autres nations de l'U.R.S.S., on arrive à la constatation suivante, que si en Moldavie et en Géorgie les informations insistent avant tout sur la place jouée par ces républiques dans l'économie des républiques sœurs et la création d'une économie dépassant les barrières républicaines, en Uzbekistan, la direction des informations va dans le sens de l'aide reçue par l'Uzbekistan et de sa dépendance à l'égard de l'Union soviétique pour son développement. De même, s'agissant des contacts culturels, l'accent dans la presse uzbeke est porté d'abord sur l'aide extérieure reçue et sur la coopération culturelle en U.R.S.S. Le journal de l'Uzbekistan, il faut l'ajouter, a été choisi parce qu'il était tenu pour représentatif de toute la presse d'Asie centrale.

Il est frappant de constater que ce que l'auteur de cette étude, au demeurant excellente, appelle « l'éducation internationaliste du lecteur » [51], c'est l'insistance sur la dépendance des Uzbeks par rapport aux autres nations de l'U.R.S.S., aussi bien dépendance économique que culturelle, et une infériorité marquée dans ce domaine par rapport aux Moldaves et aux Géorgiens. La mobilisation des media pour démontrer aux Uzbeks, et par extension à tous les peuples musulmans, qu'ils ne peuvent vivre sur leurs propres ressources économiques et culturelles, est impressionnante à deux égards. Par son ampleur. Mais aussi par son inefficacité. L'évolution de l'Asie centrale et du Caucase musulman témoigne d'une grande imperméabilité à de telles pressions et d'une étonnante capacité à préserver la personnalité du groupe ethnique.

***

Il existe dans l'U.R.S.S. contemporaine une société musulmane qu'unissent les liens de l'histoire, de la culture, des traditions. Que l'*Homo islamicus* s'affirme au Daghestan ou à Tachkent, à la ville ou à la campagne, pose un sérieux problème au pouvoir soviétique. Cet *Homo islamicus* a en effet derrière lui plus d'un demi-siècle de révolution culturelle, destinée à créer l'*Homo sovieticus*. Il est passé dans le moule uniformisant des écoles, des organisations de jeunesse. Petit enfant, il a été « octobriste », puis il a fièrement porté le foulard rouge des pionniers et appris là les rudiments d'une morale socialiste, de conduites socialistes, que tout le cours de la vie doit encore renforcer. Et voilà que parvenu à l'âge adulte, ce citoyen dans lequel le pouvoir a tant investi, retrouve spontanément l'autorité privilégiée du père et des Anciens, les traditions décriées, les solidarités prééminentes du groupe national-culturel dont il est issu.

La manière dont vit l'*Homo islamicus*, ses traditions, sont souvent, mais pas toujours, d'origine religieuse. L'Asie centrale et le

Caucase ont vu se succéder les civilisations et se superposer les cultes différents, les grandes religions, les traditions empruntées à tous les moments d'une histoire mouvementée. L'islam y a assimilé les courants qui l'ont précédé et ce syncrétisme transparaît dans la variété et la puissance des traditions qui se manifestent aujourd'hui. Mais qu'importe que les usages soient d'origine païenne ou musulmane. Depuis longtemps, ils ont été incorporés dans une culture que tous les peuples de la périphérie ressentent comme leur étant *commune* et les séparant de ceux qui n'appartiennent pas à leur univers spirituel.

L'*Homo islamicus* n'est pas un opposant. Il ne s'érige pas en ennemi du système soviétique qu'il ne critique même pas. Simplement, par son existence, par sa présence sur tout l'espace où la civilisation musulmane a existé, il témoigne que le peuple soviétique a au moins deux composantes, les Soviétiques et les musulmans soviétiques. Il témoigne que le prototype humain que la société socialiste se devait d'éduquer n'existe pas ou n'existe pas partout. Il témoigne surtout que s'il est relativement simple — à condition d'y mettre le prix — de changer les structures d'une société, il est par contre infiniment difficile de modifier les esprits. La résistance de la culture spirituelle et matérielle des musulmans introduit dans le système soviétique, fondé sur l'uniformité, un élément de pluralisme incontestable. Mais le système peut-il s'en accommoder, lui qui n'a jamais accepté d'être en concurrence avec d'autres idéologies et d'autres organisations? Or, ici, sans être attaqué aucunement, le système soviétique voit se maintenir, voire se développer auprès de lui, un autre système social, fondé sur une autre idéologie. Et ce système concurrent a pour lui de rassembler plus du cinquième de la population soviétique. On ne peut plus désormais le ranger dans la catégorie des curiosités ethnographiques.

CONCLUSION

La scène politique soviétique est caractérisée avant tout par la diversité nationale et l'intensité des sentiments nationaux. A cet égard, la politique nationale du pouvoir constitue une éclatante réussite, et un échec non moins éclatant. Réussite, parce que le régime s'est donné pour but dans un premier temps de permettre, d'aider l'épanouissement des nations et nationalités et même des groupes ethniques les plus réduits, pour épuiser, dans cette liberté accordée, leurs volontés nationales. Cet épanouissement, tout témoigne qu'il a été atteint. Mais échec aussi, car le second volet, la seconde étape du projet bolchevik, c'est l'effacement des différences nationales, leur fusion dans une communauté historique nouvelle et supérieure : le peuple soviétique. Or, ce *peuple soviétique,* peu importe que les dirigeants soviétiques affirment qu'il existe. Leurs affirmations répétées relèvent de la formule incantatoire. Mais une réalité sociale ne peut être changée avec des mots. La réalité, ce sont ces *nations* qui s'expriment vigoureusement. Aucune magie ne les fera disparaître soudain au bénéfice du *peuple soviétique.* On est confronté ici à l'ambiguïté de l'idée soviétique de la nation. Le régime soviétique a mêlé dans son projet national deux idées de la nation, de sa dynamique, qui sont loin d'être identiques [1]. L'une est celle qu'a depuis longtemps adopté la société d'Europe occidentale et qui se résume dans la formule de Renan : « La nation, c'est la volonté de vivre ensemble. » C'est la conception qui privilégie l'individu et son adhésion volontaire, réfléchie, à la commaunauté nationale. L'autre a prévalu dans l'est de l'Europe où les frontières ethniques étaient si difficiles à établir. C'est une vision plus sociologique qui insiste sur les éléments permanents de la nation et au premier plan de ceux-ci sur les éléments linguistiques et culturels. Dans la vision soviétique, ces deux approches devaient se succéder. La conception que l'on pourrait appeler est-européenne a prévalu dans la première étape, celle où les nations définies par des conditions précises ont été conviées à se développer et s'affirmer. Mais au-delà, l'étape de leur intégration dans le peuple soviétique devait remettre en honneur la conception occidentale. Or, c'est là que les idées du pouvoir et celles de ses administrés se séparent. Pour les dirigeants de l'U.R.S.S., l'adoption d'une conception moderne de la nation fait partie de la modernisation. D'une certaine manière, ils pensent avec Karl Deutsch et d'autres théoriciens de l'intégration que la modernisation modifie la conscience nationale, tandis que les nations de l'U.R.S.S. s'en tiennent fermement à l'approche que l'on pourrait appeler *permanente* de la nation, où l'*intangibilité* et le *caractère* du groupe prévalent sur les consciences individuelles. Pour eux, la nation est une donnée permanente qui transcende les projets politiques et les changements dans l'environnement.

L'intéressant dans ce conflit national qui se développe, c'est précisément qu'il est lié à la modernisation de la société. Tous les éléments favorables à une intégration progressive des nations sont présents à quelque degré que ce soit chez la plupart d'entre elles. L'égalité économique des nations. L'urbanisation. Une égalisation progressive des niveaux culturels. La pénétration lente mais incontestable d'une langue commune, et, dans un certain nombre de cas, une assimilation culturelle. Or, ce qui est remarquable, c'est que, loin d'ouvrir la voie à l'intégration, cette modernisation sert de cadre à un nationalisme qui s'affirme davantage qu'auparavant et surtout plus consciemment.

Sans doute les sentiments nationaux n'ont-ils pas partout en U.R.S.S. la même force ni la même portée. On peut, en simplifiant, les classer dans trois groupes. Un premier groupe rassemble les communautés nationales qui tendent à s'affaiblir et sont clairement en voie d'assimilation ou assimilables. Beaucoup de petits groupes ethniques se trouvent dans ce cas. Ceux, notamment, qui, perdus dans l'espace sibérien, avaient été promus au rang de nationalités viables et dotés des attributs de l'existence nationale, langue et culture avant tout. La diminution rapide du nombre de nationalités déclarées, d'un recensement à l'autre, témoigne des progrès de l'assimilation de ces communautés à des nations plus dynamiques. On peut probablement ranger dans la même catégorie la nation biélorusse, bien qu'elle ait à divers moments de l'histoire soviétique manifesté des tendances particularistes. Mais, forgée artificiellement, dotée d'une langue qui n'a pas de justification historique, trop proche de la Russie dans son effort pour se démarquer de la Pologne et de la Lituanie, la Biélorussie est, par là même, soumise plus que d'autres à l'influence russe.

Un second groupe rassemble des nations qui ont un très haut degré de conscience nationale, mais que les circonstances condamnent à l'affaiblissement, voire à l'extinction. C'est avant tout le cas des nations baltes et en priorité des Estoniens et des Lettons. En dépit de la vigueur de leurs sentiments nationaux, en dépit de tout ce qui les différencie des autres peuples de l'U.R.S.S., historiquement et culturellement, ces nations sont en voie, non d'assimilation, mais d'extinction physique. La disparition possible de nations dotées d'une si forte personnalité est une tragédie historique que chaque Balte ressent consciemment et que pourtant nul ne semble en mesure de prévenir. Devant le sort qui les menace, les nations baltes ne semblent même pas en mesure de réagir par un développement de la solidarité balte. Chacune de ces nations s'affaiblit encore en s'isolant dans son particularisme, et dans ce qui la sépare — historiquement — des autres nations de la région. Cet isolement et ce repli sur soi aggravent l'extrême vulnérabilité de cette partie de l'U.R.S.S., qui en est à tous égards la partie la plus moderne, la plus imprégnée d'influences extérieures, la moins soviétisée. Pourtant, rien de cela ne semble pouvoir freiner la marche des Baltes vers l'anéantissement de leurs nations.

Aussi conscients de leur existence nationale, mais promis à un destin contraire, tels sont les peuples du troisième groupe qui recouvre le Caucase et l'Asie centrale et, à un moindre degré, l'Ukraine. En Asie centrale et au Caucase, la conscience nationale et le dynamisme démographique vont de pair, assurant à ces nations une place importante et croissante dans la famille des peuples soviétiques. Même les Ukrainiens, moins bien placés démographiquement, semblent prendre conscience que la survie d'un groupe dépend de son nombre et de sa capacité à se perpétuer.

Dans cette variété de situations, une autre remarque s'impose, c'est la différence entre *nation* et *espace culturel*. L'U.R.S.S. est le champ de manœuvres de nations qui s'affirment vivantes et avides de perpétuer leurs existences particulières. Mais, à côté des nations, un groupe supranational, celui des musulmans, affirme aussi hautement sa spécificité. On s'écarte ici carrément du modèle d'Etat multinational accepté par les dirigeants bolcheviks en 1917 pour résoudre les problèmes de la cohabitation d'ethnies différentes. L'*espace culturel,* la communauté de culture, le pouvoir soviétique n'en a jamais voulu, et il a systématiquement travaillé à les briser. La réémergence de cette communauté de culture est une donnée fondamentale de l'évolution soviétique à la fin de ce siècle. Elle donne au problème national une gravité et une portée exceptionnelles.

L'affirmation des volontés nationales revêt en U.R.S.S. un caractère particulier qu'il importe de souligner. Il ne s'agit pas d'oppositions ethniques s'exprimant sans frein et destinées à assurer l'indépendance des groupes concernés. Le nationalisme se développe en U.R.S.S. dans un cadre particulier, celui de l'idéologie soviétique et de ses institutions. C'est pourquoi il serait vain de chercher là des mouvements d'indépendance nationale. Pour l'heure, l'appartenance à la société soviétique est une donnée qu'implicitement nul ne remet sérieusement en question. C'est à l'intérieur de cette société, au nom de ses idéaux même, que chaque nation cherche à s'organiser au mieux et à assurer sa pérennité. Ce que les nations réclament, sous des formes diverses, ce n'est pas la destruction du système existant, mais l'élargissement à l'intérieur de ce système de leurs privilèges nationaux et des avantages qu'elles peuvent en tirer. L'application stricte du fédéralisme — autonomie réelle du pouvoir au sein de chaque république et participation sur un pied d'égalité de toutes les républiques à la décision au niveau fédéral —, tel est l'objectif que veut atteindre chaque nation. Le but des nations est de « geler » le cadre politique du système soviétique — le fédéralisme — et, à l'intérieur de ce cadre, d'élargir leurs compétences afin que le niveau *national* devienne le niveau principal du système tout entier. S'il y a conflit entre cette conception statique du fédéralisme et la vision transformiste du pouvoir soviétique, c'est que fédéralisme et survie des nations n'ont été pour ce dernier qu'une concession formelle et transitoire. De ce malentendu, tous sont conscients, mais les nations entendent l'exploiter en se réclamant des conceptions de cohabitation qui leur avaient été proposées à l'aube du régime soviétique. Et leur position semble, en définitive, plus aisée à maintenir que celle du pouvoir. Se réclamant d'une idéologie explicitée — et inscrite dans la Constitution —, les nations arrivent parfois à imposer au pouvoir leur position, à le faire reculer dans ses tentatives de passage au stade second de l'effacement des nations. On en a de bons exemples. Lorsque le principe de nations territoriales est reconduit dans la Constitution soviétique de 1977, c'est un recul caractérisé dans l'entreprise d'édification d'une nation socialiste. Leonid Brejnev, en présentant la Constitution, a clairement admis que le problème de la suppression des Etats nationaux en U.R.S.S. se posait, mais qu'il était prématuré d'en venir à ce stade [2]. Prématuré parce que ce changement allait à l'encontre de la conscience sociale dans les divers territoires nationaux. Pourtant, à maintenir un cadre territorial, on maintient les conditions dans lesquelles le nationalisme peut se développer. Si les Biélorusses maintiennent dans des conditions peu favorables un certain degré de conscience nationale, c'est bien parce qu'ils existent en tant que nation. C'est la quadrature du cercle. Le pouvoir soviétique n'ose supprimer les Etats nationaux parce que les nations ne sont pas prêtes à accepter l'intégration politique et culturelle qu'implique un tel changement. Mais en maintenant le statut national, il permet aux nationalismes de s'affirmer et de croître. De la même manière, le pouvoir, qui répète inlassablement qu'une langue commune est nécessaire au progrès de l'internationalisme en U.R.S.S., a dû reculer devant la volonté des peuples du Caucase de maintenir dans leur constitution la place privilégiée de leurs langues.

Les mentalités et les loyautés nationales dont le pouvoir soviétique reconnaît implicitement l'existence, sont aussi caractérisées par un mode d'expression très contradictoire et qui déroute l'observateur. Parfois elles se manifestent par des positions conservatrices rigides qui suggèrent la nostalgie du passé plus qu'un projet vivant. C'est l'interprétation — superficielle — que l'on peut faire du succès des *tariqats* en Asie centrale et au Caucase; ou encore du maintien quasi fanatique de certains usages sociaux. Une analyse rapide conduit — et c'est ce que font en U.R.S.S. les cadres politiques soviétiques, mais non les savants — à voir dans ces manifestations des « survivances » qui sont tout près de disparaître. Les savants, plus avisés, cherchent à démêler ce qui, ici, est pure nostalgie, et ce qui relève d'une volonté de s'identifier fermement à son groupe et de barrer le chemin à une possible dissolution dans la société globale. Mais il faut constater que ces manifestations nationales, qualifiées rapidement de « survivances », ne constituent qu'une partie du tableau. Par ailleurs, il existe un nationalisme affiché, porté par les élites soviétiques, qui s'exprime surtout dans la société urbaine et qui pose le problème de la vie nationale en termes modernes : priorités économiques et épanouissement culturel. Si le pouvoir soviétique peut récuser les tenants de la tradition et les reléguer dans l'aire du simple folklore, que peut-il opposer aux cadres qu'il a formés et qui, munis de l'idéologie égalitaire soviétique, se contentent de réclamer avec candeur l'application du programme du Parti tel que Lénine l'a défini? C'est cet aspect moderne du nationalisme, sa défense par la partie la plus avancée de la population soviétique qui déroute le plus le pouvoir soviétique et le conduit à examiner avec une attention nouvelle un problème qui aurait dû — pensait-il — être de longue date réglé. Il est significatif qu'au moment même où les dirigeants de l'U.R.S.S. annoncent triomphalement la naissance du peuple soviétique, les conférences et les recherches sur les problèmes nationaux y prennent une ampleur considérable. L'Académie des sciences de l'U.R.S.S. abrite depuis la fin des années 60 un organisme spécialisé dans les problèmes nationaux qui a, durant plusieurs années, végété, mais qui, depuis 1976, tend à devenir un centre de réflexion et de recherches très important. Le 25e Congrès, au demeurant, a appelé la science ethnographique soviétique à se pencher sur les processus ethniques en U.R.S.S. [3]. En décembre 1976, à Tallin, lors de la conférence sur les problèmes nationaux [4], on a pu mesurer l'ampleur des perplexités et des contradictions dans la vision soviétique sur ce point. D'un côté, le vice-président de l'Académie des sciences de l'U.R.S.S., Fedoseev, insistait sur l'intégration des nations, et sur l'émergence d'une culture pansoviétique où la langue russe était présentée comme un moyen de communication décisif. Mais, dans le même temps, J. Bromlei dont les travaux dans ce domaine éclairent considérablement les relations interethniques, ayant précautionneusement payé son tribut à la thèse de l'intégration (« peuple soviétique », « culture soviétique », « conscience soviétique »), a ensuite insisté sur le fait que « les cultures spirituelles des peuples de l'U.R.S.S. préservent — à un degré significatif — une coloration nationale ». Plus encore, il a souligné que les particularités ethniques, si elles sont souvent manifestées par la langue, peuvent en être indépendantes. La notion de *caractère national,* notion que Lénine récusait vigoureusement, a désormais des partisans avoués en U.R.S.S. [5] qui essayent de montrer la complexité des éléments aboutissant à former la conscience nationale, et mettent en avant des éléments spirituels totalement indépendants de l'environnement socio-économique, et même du contexte linguistique. La violence avec laquelle ces thèses sont combattues, témoigne des difficultés qui entourent la discussion de ce problème.

Car il ne s'agit plus de débattre pour savoir si le problème national se pose ou non dans l'U.R.S.S. du *socialisme avancé.* Il est clair qu'il se pose, et avec quelle force. Ce qui est en cause, c'est la nature même du phénomène auquel le pouvoir soviétique est confronté. Il croyait savoir ce qui fait une nation, et comment elle se modifie. Mais le développement des nations et les manifestations de leur existence et de leurs aspirations en U.R.S.S., montrent combien le fait national est insaisissable, difficile à classer dans une catégorie précise. L'anthropologie politique avait longtemps voulu y voir une manifestation sociale liée au contexte social général et évoluant à l'intérieur de ce contexte. Or, ce qui se passe en U.R.S.S. suggère que le fait national et les relations entre nations se situent dans un champ historique particulier, qui doit être considéré dans sa spécificité. Qu'est-ce qui fait donc la conscience nationale? Qu'est-ce qui pousse un individu à s'identifier à un groupe national? La société soviétique témoigne que le nombre de réponses possibles est grand. C'est la langue sans aucun doute. Mais les Juifs qui ne parlent pour la plupart ni yiddish, ni hébreu, mais russe, s'identifient de plus en plus comme Juifs. On répondra à cela qu'ils se sentent discriminés et que c'est le sentiment d'oppression qui les conduit à s'identifier à un groupe juif. Peut-être. Mais alors, comment expliquer qu'au Daghestan où la pénétration du russe, au détriment de certaines langues nationales, est incontestable, il y ait, parallèlement à une certaine russification culturelle, croissance d'un sentiment national qui transparaît dans l'organisation sociale des peuples de la région? Les Daghestanais ne sont l'objet d'aucune discrimination. Mais ils affirment leur différence. C'est au Daghestan que les élites russifiées demandent l'adoption de l'arabe comme langue commune au lieu du russe parce que, disent-ils, l'arabe est « le latin de l'Orient ». Pour certains peuples, c'est la religion et non la langue qui sert de commun dénominateur. Les Kalmyks bouddhistes, en dépit d'une longue période de déportation en Sibérie, et d'une position désormais tout à fait minoritaire dans leur territoire national qui conduit à une propagation accélérée du russe, se disent bouddhistes et, par là, ressentent ce qui les sépare du milieu environnant. Si la religion constitue un des plus puissants éléments d'identification, son contenu n'est pas toujours identique d'une nation à l'autre. Le paganisme des Maris et des Tcheremisses et les cultes qui s'y rattachent, le bouddhisme des Kalmyks, sont, sans aucun doute, centrés sur des croyances. En revanche, la solidarité musulmane est plus nuancée, elle a une double signification. L'une est la solidarité turque génératrice d'un panturquisme qui s'exprime parfois nettement. L'autre est plus large : elle recouvre tous ceux qui appartiennent au monde culturel de l'islam. A l'intérieur de ces deux loyautés, les fidélités au groupe linguistique restreint ont moins d'importance. Il est significatif à cet égard de voir que les revendications nationales des Tatars de Crimée ou des *Turcs Mskhetiens* [6] trouvent un appui dans l'intelligentsia russe plus que chez leurs frères d'Asie centrale. Pour les peuples musulmans, cela n'a pas grand sens de se battre pour une Crimée de toute manière perdue depuis des siècles alors que la nation turque ou musulmane est le cadre réel d'existence des Tatars et des Mskhetiens. Mais quelle que soit la langue parlée par un groupe national, quel que soit l'élément d'identification qui prévaut chez lui, une constatation s'impose : c'est que l'identification au groupe est infiniment plus consciente qu'elle ne l'était jadis, parce qu'elle est portée par le progrès. On tend parfois — et le pouvoir soviétique y encourage — à considérer que la conscience nationale est une survivance parce qu'elle serait le fait des plus âgés et des moins éduqués. C'est fausser totalement le problème. Il est vrai que les gens âgés et ceux qui ont reçu une éducation incomplète, principalement dans les campagnes, cultivent par habitude et inertie des nostalgies nationales. Mais, à côté de ces générations qui s'effacent, montent des générations éduquées qui ont — grâce à la politique soviétique, d'ailleurs — largement accès à leur culture propre, à leur histoire, à tout ce qui leur permet de s'identifier consciemment à leur nation. Cette connaissance de la nation, les vieilles générations ne l'avaient pas. Il suffit pour comprendre la différence de regarder la masse de publications (journaux, périodiques et livres) qui sont éditées dans chaque république, et de voir les titres. Tout ce qui a fait la gloire passée de chaque peuple de l'U.R.S.S. dans le domaine de la culture est désormais imprimé. Jadis, ce n'était qu'une petite élite qui pouvait posséder son patrimoine, maintenant il est accessible à chacun. C'est là un des mérites incontestables du système soviétique, qui a été amplifié par le 20e Congrès et ses tendances libéralisantes en matière nationale. Mérite périlleux, car chaque nation se montre toujours plus avide de connaître son patrimoine avec lequel elle peut ainsi s'identifier. Cette quête du patrimoine propre à chaque groupe porte même un nom chez les peuples turcs, le *mirasisme* (de *miras* : patrimoine). Et c'est précisément parce que le sentiment national se nourrit du passé et de la culture, parce qu'il s'organise autour d'eux que l'on peut saisir ce qui sépare les nations soviétiques en voie d'intégration et celles que le pouvoir doit accepter comme différentes. La ligne de clivage entre elles, c'est l'épaisseur historique. Celles qui ont un passé — histoire et culture, même si la culture est limitée — peuvent s'appuyer sur lui pour affirmer leur existence; elles peuvent à la rigueur, même affaiblies, privées de certains attributs essentiels comme la langue, faire appel à ce passé pour survivre et renaître. Mais, quand l'histoire manque, alors les nations dépendent totalement de l'environnement; elles changent avec lui et n'ont aucune position propre de repli. Marx, qui avait par ailleurs gravement surestimé le rôle des facteurs économiques et sociaux dans le développement des nations, avait vu juste sur un point, c'est qu'il n'y a rien de commun entre ce qu'il appelait les *nations historiques* et les *nations sans histoire*. Clairement, les premières ont leur dynamique propre; les secondes s'insèrent dans la dynamique globale des sociétés humaines qui les entourent.

Il faut enfin ajouter que la nation russe n'échappe pas à cette tendance à s'affirmer et, maintenir son intégrité. Elle n'est pas seulement, par sa langue, le véhicule de l'internationalisme et le creuset d'une nouvelle société. Dès le début du régime soviétique, maints traits de la tradition historique et de la culture russe ont imprégné la variante soviétique du marxisme. A l'heure présente, le nationalisme russe évolue dans deux directions opposées. L'une, caractéristique d'un nationalisme défensif, est marquée par le retour aux idées slavophiles et à l'orthodoxie. Effrayée par la montée des nations orientales, par une idéologie qui la dépouille elle aussi d'une part de son patrimoine historico-culturel, une fraction de la population russe, la plus intellectuelle, se tourne vers ses valeurs propres [7]. D'un autre côté, le pouvoir soviétique, conscient du faible écho d'une idéologie internationaliste, tend à revenir à l'idée, ancrée dans la tradition politique russe prérévolutionnaire, du rôle civilisateur et protecteur du peuple russe, *frère aîné* des autres peuples de l'U.R.S.S. Ce n'est pas un hasard si, en l'espace de quelques mois, deux cadres communistes-nationaux ont réintronisé ce concept qui fait que dans l'égalité générale des nations soviétiques, la nation russe est la plus égale de toutes [8].

Comme le peuple soviétique, le *frère aîné* relève plus de l'intention que du réel. Le peuple russe est, sans aucun doute, le frère aîné des peuples qu'il peut assimiler; pour les autres, il est un partenaire, non un guide. Mais la résurrection de ce frère aîné témoigne de l'impatience et du désarroi du pouvoir. Face au problème national, il fait appel aux idées les plus contradictoires. Comment le peuple soviétique — communauté homogène qui se substitue progressivement à la famille fraternelle des peuples de l'U.R.S.S. — peut-il cohabiter avec l'idée d'un *frère aîné*? Comment concilier le frère aîné et le principe égalitaire?

La réapparition de ce « frère aîné », que la révolution avait condamné à disparaître, conduit à s'interroger en définitive sur le chemin parcouru par l'U.R.S.S. depuis 1917. Le pouvoir des tsars s'était, dès la fin du XIXe siècle, engagé dans la voie d'une modernisation rapide. Le seul domaine où il avait été incapable d'innover, de répondre aux problèmes qui se posaient en nombre, était le domaine des relations avec les diverses nations qui vivaient dans l'espace russe. Sa vulnérabilité dans la guerre avait été décuplée par la vulnérabilité de sa périphérie et la dislocation rapide de l'Empire colonial. En soixante ans, le régime soviétique a accompli des transformations considérables dans la société. Sans doute, se heurte-t-il à de nombreux problèmes. Mais il est clair que, de tous les problèmes auxquels il doit faire face, le plus urgent, le plus irréductible, c'est celui que posent les nations. Et comme l'Empire auquel il a succédé, l'Etat soviétique semble incapable de sortir de l'impasse nationale.

NOTES

INTRODUCTION

1. On en comptait *194* en 1926, *126* en 1959, *91* aujourd'hui.

2. Le passeport d'un citoyen soviétique porte une double mention : la *citoyenneté* (soviétique) et la *nationalité* (russe, uzbek, etc.).

CHAPITRE PREMIER

1. Pour Lénine et les bolcheviks, cf. Davis (H.B.), *Nationalism and Socialism — Marxist and labor theories of nationalism to 1917*, New York, 1967 et Carrère d'Encausse (H.), « Unité prolétarienne et diversité nationale — Lénine et la théorie de l'autodétermination », *Revue française de science politique*, vol. XXI, n° 2, avril 1971, p. 221-256.

2. *Pervyi s'ezd narodov vostoka Baku,* 1-8 sentiabr' 1920, Petrograd, 1920, p. 31-179 et *Jizn' natsional' nostei*, n° 46 (54), 20-12-1919 et 47 (55) 27-12-1919.

3. Conte (F.), *Christian Rakovski — 1873-1941*, Paris, 1975, t. I, p. 212-217.

4. Staline a écrit en 1913 : « Le marxisme et la question nationale et coloniale — Staline in *Sotchineniia*, t. II, p. 290-367, à la demande de Lénine. Au lendemain de la révolution, il est nommé Commissaire aux questions nationales.

5. Pipes (R.), *The formation of the Soviet Union*, Cambridge, Mass, 1954 et Carr (E.H.), *The bolshevik revolution* — Harmondsworth, 1966, vol. I, p. 292 à 368.

6. Tucker (R.), *Stalin as Revolutionnary*, New York, 1973, p. 250-252.

7. Cf. Lewin (M.), *Le Dernier Combat de Lénine*, Paris, 1967, p. 145-146.

8. *Ibid.*, p. 55-74.

9. *Ibid.*, p. 146-150.

10. Le problème pour les Géorgiens réside alors dans le fait qu'ils sont conviés à entrer dans la fédération par le truchement d'une *Fédération cauca-*

sienne (formée de la Géorgie, de l'Arménie et de l'Azerbaidjan) et non directement comme l'Ukraine. Ils se refusent à accepter cette dissolution de leur existence étatique.

11. (*L'autonomisation,* c'est le projet de Staline.) Cf. les textes de Lénine dans *Polnoe Sobranie Sotchinenii,* t. XLX, p. 211 à 213, 356 et 559.

12. Sur l'organisation juridique de l'Etat soviétique, cf. CARRÈRE D'ENCAUSSE (H.), *Bolchevisme et Nation,* à paraître, p. 222 sq.

13. La notion de *Korenizatsiia* et le programme remontent au 10e Congrès en 1921 *K.P.S.S. v rezoliutsiiakh i recheniakh*; t. II, Moscou, 1970, p. 252.

14. Sur le programme de révolution culturelle des années 20 et son application, cf. KUMANEV (V.A.), *Revoliutsia i prosvechtchenie mass,* Moscou, 1973, p. 148-183. Par ailleurs, les ouvrages consacrés à l'histoire de chaque république comportent une partie culturelle qui permet d'établir un bilan : notamment, KALANDADZE (Ts.P.), *Kul'turnaia revoliutsia v Gruzii,* Tbilissi, 1963, p. 15 sq. Sur les institutions culturelles, cf. GROCHEV (I.), *Istoritcheskii opyt KPSS po osuchtchestvleniiu Leninskoi natsional'noi politiki,* Moscou, 1967, p. 99-100.

15. AZIMOV (P.A.) et DECHERIEV (Ju. D.), *Sovetskii opyt razvitiia natsional' nykh kul'tur na base rodnykh iazykov,* Moscou, 1972, p. 9.

16. *Ibid.*, p. 10.

17. GUTHIER (S.L.), « The Bielorussians : national identification and assimilation — 1897-1970 », *Soviet Studies,* 1 janv. 1977, p. 52-53; VAKAR (N.) dans *Bielorussia, the making of a Nation,* Cambridge, Mass. 1956, p. 75-92, a exposé de manière irréfutable les problèmes du passage des langues vernaculaires à une langue littéraire.

18. Sur le rôle des savants, cf. *Mladopismenye iazyki narodov S.S.S.R.*, Moscou-Léningrad, 1959, p. 4. Sur les excès de l'attribution de langues à des groupes très restreints, cf. KUMANEV, *op. cit.*, p. 190.

19. DUNN (E & S), « The transformation of economy and culture in the Soviet North », *Arctic anthropology,* 1963-1, n° 2, p. 2; KUMANEV, *op. cit.*, p. 189.

20. Sur le lien entre langue et espaces culturels, cf. KUMANEV, *op. cit.*, p. 183.

21. BENNIGSEN (A.), in *Soviet nationality problems,* (Ed. Allworth) Columbia University Press, 1971, p. 178-179.

22. *Torjestvo Leninskoi natsional'noi politiki,* Moscou, 1963, p. 291-292 où V. Kostomarov discute la conception générale du compromis linguistique et l'idée stalinienne des langues « *zonales* ».

23. Ceci est notamment très important pour l'espace musulman dont les institutions propres liées à un système de valeur particulier sont supprimées. Cf. SULEIMANOVA in *Sovetskoe Gosudarstvo i Pravo* 3, mars 1949, p. 69, sur la réforme du système judiciaire.

24. GUTHIER, *art. cit.*, p. 27.

25. *Bol'chevik* 4, 1935, p. 24-26, sur la crise nationale en Biélorussie en 1933.

26. Sur les Basmatchis, cf. CASTAGNÉ (J.), *Les Basmatchis — le mouvement national des indigènes d'Asie centrale,* Paris, 1925, 88 p. et OBSERVER (Jeyoun Bey Haji Beyli), *The Asiatic review* (Londres), 27 (92) 1931, p. 682-692, sur F. K. Hodjaev : CARRÈRE D'ENCAUSSE (H.), in *Central Asia, a century of Russian rule,* Columbia University Press, 1967, p. 252 sq.

27. Cette hiérarchie fait l'objet des chap. VIII et IX de la Constitution de 1936; cf. tout particulièrement art. 70, 84-86.

28. KHANSUVAROV, *Latinizatsiia, orudie leninskoi natsional'noi politiki*, Moscou, 1932, 38 p. Il faut noter les contradictions de la latinisation; avant la révolution, les Kalmyks, qui avaient un alphabet mongol très compliqué, étaient en train d'adopter l'alphabet cyrillique qui s'impose jusqu'en 1929 où on le remplace autoritairement par le latin; *ibid.*, p. 26.

29. ZAK (L.) et ISAEV (M.), « Problemy pismennosti narodov v kul'turnoi revoliutsii », *Voprosy Istorii*, 2, 1966, p. 13 sq. sur le tournant vers la cyrillisation.

30. Cf. LOWELL TILLET, *The great friendship*, Chapel hill, 1969, 322 p.

31. Sur cette évolution cf. PACHUKANIS, « Mejdunarodnoe Pravo » in *Entsiklopedia gosudarstva i prava*, Moscou, 1925, t. II, p. 857 sq.; PACHUKANIS, *Otcherki po mejdunarodnomu pravu*, Moscou, 1935, p. 14-15, 20, 78; et KOJEVNIKOV, *Sovetskoe gosudarstvo i mejdunarodnoe pravo*, 1917-1947, Moscou, 1948, p. 32 (continuité de l'Etat), p. 180 (territoire).

32. SHTEPPA (K.F.), *Russian Historians and the Soviet State*, New Brunswick, 1962, p. 133 sq.; POPOV (A.) in *Protiv antimarksistkoi kontseptsii M.N. Pokrovskogo*, Moscou, 1940, t. II, p. 320 sq.

33. Il est curieux de noter que cette théorie est ressuscitée en 1977 par CHEVARNADZÉ (E.) in « Internatsionalistkoe vospitanie mass », *Kommunist* n° 13, sept. 1977, p. 46-47. CHEVARNADZÉ récuse même l'idée d'un « moindre mal » parce que, écrit-il (p. 46), « le mal est le mal, indépendamment de ce qu'il soit moindre ou plus grand, le terme *moindre* ne modifie rien en dernier ressort. C'est pourquoi il serait plus juste pour nous de renoncer à ce terme ».

34. PORTAL (R.), in *Russes et Ukrainiens*, Paris, 1970, p. 118-126, discute de la portée de l'accord et du rôle joué par B. Khmelnitski.

35. Sur cette politique, cf. CARRÈRE D'ENCAUSSE (H.), *L'Union soviétique de Lénine à Staline*, Paris, 1972, p. 309-328.

36. *Ibid.*, p. 329-351.

37. CONQUEST (R.), *The Nation Killers — Soviet deportation of Nationalities*, Londres, 1970, 222 p. et NEKRICH (A.M.), *The Punished Peoples*, New York 1978, 248 p.

38. Discours de Staline in *Pravda* (25 mai 1945) et BARGHOORN (F.), « Stalinism and the Russian cultural heritage », *Review of Politics*, vol. XIV, n° 2, avril 1952, p. 178-203.

39. *Bakinskii Rabotchii* du 8 juillet 1950.

40. BENNIGSEN (A.), « The Crisis of the Turkic National Epics, 1951-1952, Local nationalism or internationalism », *Canadian Slavonic Papers*, vol. XVII, 2 et 3, 1975, p. 463-475.

41. La revue historique *Voprosy Istorii* a organisé dès le 20e Congrès une conférence rassemblant six cents historiens pour réviser les « conceptions chauvines » en honneur jusqu'alors.

42. Cf. dans *Voprosy Istorii*, 12.1956, l'ensemble du débat de novembre 1956.

43. LAVIGNE (M.), *Les Economies socialistes soviétiques et européennes*, Paris, 1970, p. 54 à 58.

44. Sur l'évolution des droits républicains, *Sovetskii narod, novaia istoritcheskaia obchtchnost*, Moscou, 1975, p. 349-350, est intéressant par sa brièveté.

45. Cf. l'explication qui en est donnée dans le même ouvrage, p. 355, qui souligne l'existence de « considérations de politique étrangère ».

46. Cette inquiétude sera exprimée en termes plus nets par des dirigeants des républiques musulmanes dans la revue théorique du Parti, cf. *Kommunist*, octobre 1959, p. 39-53 (article de Rachidov) et *ibid.*, décembre 1959, p. 30-44 (article de Djandildin).

47. *Programma Kommunistitcheskoi Partii Sovetskogo Soiuza* (Proekt), Moscou, 1961, annonce dès la page 1 la disparition des classes sociales.

48. *XXII s'ezd Kommunistitcheskoi Partii Sovetskogo Soiuza*, Moscou, 1961, p. 362 et 402.

49. *Ibid.* et Kaltchakian, « O natsii », *Voprosy Istorii*, juin 1966, p. 24 et 43.

50. Sur ce concept, deux ouvrages récents : *Natsional'nye otnocheniia v razvitom sotsialistitcheskom obchtchestve*, Moscou, 1977, 385 p. et *Sovetskii narod... op. cit.* ci-dessus, 520 p.

CHAPITRE II

1. *Izvestia* 22 juillet 1978, p. 3 (les chiffres sont du 1er juillet 1978).

2. Kerblay (B.), *La Société soviétique contemporaine*, Paris, 1977, p. 30.

3. On a utilisé tout au long de ce chapitre les données des recensements de 1897, 1959 et 1970 (cf. bibliographie) et l'ouvrage de Lorimer (F.), *The Population of the Soviet Union*, Genève, 1946, 289 p.

4. Compilé d'après Lorimer et les matériaux des recensements.

5. Maksudov (M.), « Pertes subies par la population de l'U.R.S.S., 1918-1958 », *Cahiers du monde russe et soviétique*, 3-1977, p. 223-266; et Lorimer, *op. cit.*, p. 133-137.

6. Maksudov, *art. cit.*, p. 228-232. Le chiffre de 26 millions est avancé par l'économiste soviétique Strumiline. Kerblay (B.), *op. cit.*, p. 31, souligne que les pertes humaines représentent, selon Strumiline, l'équivalent de sept années de revenu national.

7. Kerblay (B.), *op. cit.*, p. 32 et Maksudov, *art. cit.*, p. 227 et 245.

8. *Op. cit., p.* 32.

9. En juxtaposant Maksudov, *art. cit.*, p. 243-244 avec Lorimer (1914-1926) et Pokhchichevski (V.V.), *Geografia naseleniia SSSR*, Moscou, 1971, p. 34 (pertes de la Seconde Guerre mondiale), on obtient un chiffre de pertes variant de 40 à 60 millions.

10. *Bolchaia Sovetskaia Entsiklopedia, Ejegodnik*, 1977, p. 13.

11. *Naselenie SSSR, Spravotchnik*, Moscou, 1974, p. 21.

12. *Ibid.*, p. 9.

13. La remontée est encore plus évidente si on la calcule sur plusieurs années et non année par année. En effet, *Vestnik Statistiki*, décembre 1973, p. 71, donne les taux de mortalité suivants :

1937-1940 : 17,9 % 1951-1955 : 9,1 % 1955-1960 : 7,5 %
1961-1965 : 7,2 % 1966-1970 : 7,8 % 1971-1972 : 8,4 %

Il faut compter avec les épidémies de grippe de 1957, 1959, 1962, sans lesquelles les taux de mortalité très bas de ces années l'eussent été encore plus.

14. Selon Boldyrev, *Itogi perepisi naseleniia S.S.S.R.*, Moscou, 1974, p. 18,

les prévisions de la Direction centrale des statistiques au début des années 60 étaient : 1970 : 248 millions; 1975 : 263 millions; 1980 : 280 millions.

15. *Naselenie S.S.S.R., op. cit.*, p. 28.

16. *Ibid.*, p. 29.

17. BELOV (I.), *Affaires d'habitude*, Paris, 1969, 282 p., traduit du russe et préfacé par J. CATHALA.

18. BOLDYREV, *op. cit.*, p. 18.

19. KOZLOV (V.S.), *Natsional'nosti S.S.S.R.*, Moscou, 1975, p. 62.

20. LEWIS (R. A.), ROWLAND (R. H.), CLEM (R. S.), *Nationality and Population change in Russia and the U.S.S.R.*, New York, 1976, p. 278.

21. *Naselenie S.S.S.R., op. cit.*, p. 56.

22. Lors d'une conférence organisée à Moscou en 1975 sur les tendances démographiques depuis le recensement, un rapporteur a noté le déclin démographique continu dans le Tchernoziom central où le taux de natalité est inférieur à la moyenne nationale. Il s'agit pourtant d'une zone rurale. Cf. *Voprosy Ekonomiki*, août 1975, p. 149-152.

23. Pour la période 1959-1970, *Demografitcheskoe razvitie Ukrainskoi* S.S.R., Kiev, 1977, p. 12-16; pour la période de l'Empire : RACHIN, *Naselenie Rossii za sto let*, Moscou, 1956, p. 217-218 et LORIMER, *op. cit.*, p. 81.

24. LORIMER et RACHIN, *ibid.*

25. RACHIN, *op. cit.*, p. 101-167-168-176-188 et Tönu PARMING in *Nationality Group survival in Multi-Ethnic States*, New York, 1977, p. 33 à 40.

26. NOVE (A.) et NEWTH (J.) in *Les Juifs en Union soviétique depuis 1917*, Paris, 1971, p. 198.

27. LEWIS, ROWLAND, CLEM, *op. cit.*, p. 301.

28. NOVE et NEWTH, *art. cit.*, p. 179.

29. KOZLOV, *op. cit.*, p. 220.

30. *Vestnik Statistiki*, décembre 1973, p. 79.

31. LEWIS, ROWLAND, CLEM, *op. cit.*, p. 223-238.

32. Source : BONDARSKAIA (G.A.), *Rojdaemost' v S.S.S.R.*, Moscou, 1977, p. 96.

33. KOZLOV, *op. cit.*, p. 144.

34. BOLDYREV, *op. cit.*, p. 27.

35. *Naselenie S.S.S.R., op. cit.*, p. 90-93.

36. Les tableaux qui suivent sont compilés à partir des recensements : *Itogi, 1959* et *Itogi, 1970*, vol. IV.

37. BONDARSKAIA in *Rojdaemost' : Sbornik statei*, Moscou, 1976, p. 106-107. Et, du même auteur, *Rojdaemost' v S.S.S.R., op. cit.*, p. 43-45.

38. BONDARSKAIA, *Rojdaemost' v S.S.S.R., op. cit.*, p. 121-122.

39. BOLDYREV, *op. cit.*, 9-10 et BORISOV (V.A.), *Perspektivy rojdaemosti*, Moscou, 1976, p. 74.

40. Tableau compilé à partir de *Rojdaemost' : Sbornik statei, op. cit.*, p. 87 à 93.

41. BELOVA (V.A.), *Tchislo detei v Semíe*, Moscou, 1975, p. 151.

42. BELOVA (V.A.), *op. cit.*, ci-dessus, p. 127, donne des indications comparatives sur les intentions exprimées quant au nombre d'enfants par des femmes de la ville et de la campagne.

43. *Op. cit.*, p. 107.

44. BONDARSKAIA, *Rojdaemost' v S.S.S.R., op. cit.*, p. 58.

45. Ibid., p. 93.

46. *Ibid.*, p. 101. Cf. aussi les conclusions de BORISOV, *op. cit.*, p. 219-233.

47. FESHBACH (M.), *Prospects for massive out-migrations from Central Asia during the next decade,* Washington, 1977, document de travail, p. 23.

48. *Op. cit.*, p. 38.

CHAPITRE III

1. Pour l'ensemble du chapitre les données statistiques récentes viennent du recensement de 1970 et tout particulièrement du volume VII consacré aux migrations de populations; pour les chiffres ci-dessus, cf. KERBLAY (B.), *La Société soviétique contemporaine,* p. 33-34.

2. FESHBACH (M.) et RAPAWY (S.), « Soviet population and manpower, trends and policies », *U.S. Congress — Joint Economic Committee,* oct. 1976, p. 131.

3. FESHBACH (M.), « The Structure and composition of the Soviet industrial labor force », Conference paper, *Nato Colloquium 1978,* p. 6. Cf. une analyse soviétique récente sur ce point : KOSTAKOV (V.), *Trudovye resursy piatiletki,* Moscou, 1976, p. 7 et 8.

4. FESHBACH (M.), « The structure and composition... », texte cité, page 6.

5. MAZANOVA (M.B.), *Territorial'nye proportsii narodnogo khoziaistva S.S.S.R.*, Moscou, 1974, p. 63-67 et 194.

6. PAVLENKO (V.F.), *Territorial'noe planirovanie v S.S.S.R.*, Moscou, 1976, p. 254.

7. FESHBACH (M.) et RAPAWY (S.), « Labor constraints in the Five Years plan », *U.S. Congress — Joint Economic Committee,* juin 1973, p. 497-501. Cf. aussi sur le lien général entre les besoins de main-d'œuvre et l'éducation soviétique : NOJKO (K.) et al. *Educational planning in the U.S.S.R.*, Paris, Unesco, 1968, p. 256.

8. FESHBACH, RAPAWY, *U.S. Congress 1976, op. cit.*, p. 128.

9. LANTSEV (M.), *Sotsial'noe obespetchenie v S.S.S.R. — Ekonomitcheskii aspekt,* Moscou, 1974, p. 137.

10. FESHBACH, RAPAWY, *U.S. Congress 1976, op. cit.*, p. 128.

11. *Ibid.*, p. 146.

12. Cette idée est défendue avec des nuances par PEREVEDENTSEV dans *Komsomol'skaia Pravda,* 28 janvier 1976 et ZAIONTCHKOVSKAIA (J.A.), ZAKHARINA (D.M.), « Problemy obespetcheniia Sibiri rabotchei siloi » in *Problemy razvitiia vostotchnyh raionov S.S.S.R.*, Moscou, 1971, p. 50 sq.

13. PEREVEDENTSEV (V.I.), *Metody Izutcheniia Migratsii naseleniia,* Moscou, 1975, p. 43 à 51.

14. *Narodonaselenie stran mira,* Moscou, 1974, p. 403.

15. Compilé à partir du vol. VII du recensement, tableau 2, p. 8.

16. *Ibid.*, tableaux 18, p. 158 à 163.

17. *Vsesojuznaia perepis naseleniia 1970 goda* (G.M. Maximov, ed.), Moscou, 1976, p. 200.

18. BRUK (S.), « Natsional'nost i iazyk v perepisi naseleniia 1970 g. », *Vestnik Statistiki* V, 1972, p. 42-54.

19. 3 359 000 en 1959; 3 344 000 en 1970.

20. *Naselenie S.S.S.R.*, Moscou, 1974, p. 90-91 et *Uroven' obrazovania, natsional'nyj sostav,* 1959, Moscou, 1960, p. 14-15.

21. *Naselenie S.S.S.R., op. cit.*, p. 90-91.
22. Compilé d'après KOZLOV, *Natsional'nosti S.S.S.R., op. cit.*, p. 124.
23. *Ibid.*
24. KHOREV (B.S.) et MOISEENKO (V.M.), *Sdvigi v razmechtchenie naseleniia S.S.S.R.*, Moscou, 1976, p. 56.
25. Graphique fait à partir des données de *Narodnoe khoziaistvo v 1974*, Moscou, 1975, p. 9 et *Naselenie S.S.S.R. v 1973 g.*, Moscou, 1975, p. 14-25.
26. FESHBACH, RAPAWY, *U.S. Congress*, 1976, *op. cit.*, p. 125.
27. *Ibid.*
28. *Ibid.*
29.*Op. cit.*, p. 22.
30. *Migratzionnaia podvijnost' naseleniia v S.S.S.R.*, Moscou, 1974, p. 58-59.
31. *Ibid.*, p. 55.
32. *Narodonaselenie i ekonomika*, Moscou, 1967, p. 104.
33. *Narodnoe khoziaistvo S.S.S.R. v 1970 g.*, p. 300.
34. LEWIS (R.A.), ROWLAND (R.H.), CLEM (R.S.) in *Nationality and Population Change in Russia and the U.S.S.R.*, New York, 1976, p. 356.
35. *Narodnoe khoziaistvo S.S.S.R. v 1970 g.*, p. 348.
36. MAZANOVA in *Territorial'nye proportsii narodnogo khoziaistva S.S.S.R.*, Moscou, 1974, p. 171 sq. pose très nettement le problème d'un nécessaire rééquilibrage économique.
37. FESHBACH (M.), *Prospects for massive out-migration from Central Asia during the next decade*, Washington, 1977 (document cité), p. 6 et 7.
38. *Ibid.* et MAZANOVA, p. 65-67.
39. *Migratsionnaia podviznost', op. cit.*, p. 16 sq.
40. TOPILIN (A.V.), *Territorial'noe pereraspredelenie trudovykh resursov v S.S.S.R.*, Moscou, 1975, p. 3.
41. *Ibid.*, p. 129.
42. *Ibid.*, p. 124.
43. *Ibid.*, p. 128 et *Demografitcheskie aspekty zaniatnosti*, Moscou, 1975, p. 94-103, sur l'utilisation de commandos étudiants.
44. FESHBACH, RAPAWY, *U.S. Congress*, 1976, p. 129 et LEVCIK (F.), *Migration und Ausländerbeschäftigung in den RGW-ländern und ihre Probleme*, n° 32, décembre 1975, p. 14.
45. *New York Times*, 19 décembre 1973.
46. FESHBACH, RAPAWY, *U.S. Congress*, 1976, p. 129-130. Cf. aussi FESHBACH, RAPAWY, *U.S. Congress*, 1973, p. 503.
47. Cf. *supra*, chap. VI.
48. *Sobranie postalnovlenii pravitel'stva S.S.S.R.*, 13.1973, p. 266-280.
49. *Sovetskaia Torgovlia*, septembre 1977, 27-33, a indiqué par régions économiques la part des achats non alimentaires qui servent d'indicateur des niveaux de vie en %. Moyenne U.R.S.S. : 46,42 %; R.S.F.S.R. : 43,84 %; Ukraine : 49,14 %; Biélorussie : 47,45 %; Républiques baltes : 49,04 %; Asie centrale : 52,43 %; Kazakhstan : 47,63 %; Caucase : 50,64 %; Moldavie : 56,31 %.
50. SCHREDER (G.), citée par FESHBACH in *Prospects for massive out-migrations, op. cit.*, p. 3.
51. FESHBACH, *Prospects for massive out-migrations... ibid.*, p. 3 et 4.

52. WÄDEKIN (E.), « Income distribution in Soviet agriculture », *Soviet Studies* I, janvier 1975, p, 327, tableau p. 13.

53. *Ibid.*, p. 11.

54. GREY HODNETT in *Soviet politics and Society in the 1970's,* Morton (H.W.), Tökes (R.L.), ed. New York, 1974, p. 93 : GREY HODNETT prend pour exemple les kolkhoziens de l'Uzbekistan et se fonde sur une étude soviétique.

55. Sur la consommation d'alcool en U.R.S.S., cf. TREML (W.), *Production and consumption of alcoholic beverage in the U.S.S.R.*, Duke Un., 1974, 52 p.

56. KERBLAY (B.), *La Société soviétique contemporaine, op. cit.*, p. 86.

CHAPITRE IV

1. Texte russe publié à Moscou, Politizdat, 1977, 62 p. Une bonne traduction française est publiée par la *Documentation française.*

2. Notamment articles publiés dans : *Voprosy Istorii,* n° 3, 1967, p. 82-96; juillet 1967, p. 87-104; février 1968, p. 99-112; mars 1968, p. 83-91; *Voprosy Filosofii,* n° 9, 1967, p. 26-36; février 1969, p. 26-31; *Kommunist Tatarii,* n° 1, 1967, p. 12-18; *Kommunist Uzbekistana,* n° 8, 1968, p. 72-79. Un bon résumé du débat dans HODNETT (G.), « What's a nation », *Problems of communism,* sept.-oct. 1967, p. 2-14.

3. Cf. aussi *Le programme du P.C.U.S.*, ed. russe, Moscou, 1976, p. 113.

4. L'article 75 de la Constitution contredit légèrement l'article 72, en affirmant que « le territoire de l'Union des républiques socialistes soviétiques est une entité unique et recouvre les territoires des républiques de l'Union ».

5. *Kommunist,* n° 15, octobre 1977, p. 5-20.

6. Cf. l'article 1 de la Constitution et le commentaire de L. Brejnev sur le projet, *Pravda,* 5 juin 1977.

7. Cf. l'article 13 de la Constitution de 1936 et l'article 70 de la Constitution de 1977.

8. *Kommunist, op. cit.*, p. 10-11.

9. Voir la réaction d'Usmanov, président du Conseil des ministres de la R.S.S.A. tatare sur la viabilité du système fédéral, *Pravda,* 24 juin 1977.

10. Au Soviet de l'Union, les députés sont élus par circonscription de population égale (300 000 habitants) pour un député en 1936; le nombre d'habitants par circonscription n'est pas précisé dans la nouvelle constitution. Au Soviet des nationalités, 32 députés par R.S.S., 11 par R.S.S.A., 5 par R.A. et 1 par district autonome.

11. Le Soviet suprême se réunit en session ordinaire, deux fois par an pour des sessions de deux à trois jours, donc environ une semaine par an en tout.

12. RYWKIN (M.), *Russia in Central Asia,* New York, 1963, p. 125 et 130. L'analyse la plus précise de la situation du K.G.B. est donnée par BILINSKY (Y.) in « The rulers and the ruled », *Problems of communism,* sept.-oct. 1967, p. 22.

13. Articles 18 a et b : *Sbornik zakonov S.S.S.R. i ukazov presidiuma verkhovnogo soveta* 1938-1967, Moscou, 1968, vol. I, p. 138-139.

14. *Handbook of major soviet nationalities,* M.I.T., 1975, p. 30.

15. Décision du Praesidium du Soviet suprême de l'U.R.S.S., *Radio Moscou,* 17 août 1976.

16. Ce n'est pas un hasard si quelques jours avant l'annonce de ce changement, *Pravda Vostoka* (Uzbekistan), 7 août 1976, p. 2 et 3, publie deux articles sur l'urgence du problème de l'emploi et la nécessité de solutions importantes. Le président du nouveau comité d'Etat, G. Lomonossov, était jusqu'alors Second secrétaire du P.C. uzbek.

17. Le même déséquilibre marque le domaine judiciaire. Il a été discuté au moment du débat constitutionnel; les républiques tentant de placer la nomination des procureurs républicains dans leur domaine de compétence. Cf. *Izvestia* des 24 et 30 août 1977; *Kommunist Tadjikistana,* 31 août 1977.

18. Tucker (R.C.), *Stalin as revolutionnary,* New York, 1973, p. 151.

19. Sauf dans la R.S.F.S.R.

20. « K.P.S.S. v tsifrakh », *Partiinaia jizn',* octobre 1976, p. 16.

21. Tableau compilé à partir de : *Partiinaia jizn'* n° 1, 1962, p. 44; n° 19, 1967, p. 14 et n° 10, 1976, p. 16.

22. Righby (H.), *Communist Party membership in U.S.S.R. (1917-1967),* Columbia University Press, 1967, p. 375.

23. *Sotsialnyi sostav* VKP (b), p. 117.

24. *Partiinaia jizn',* octobre 1976, p. 16 et *Narodnoe khoziaistvo,* 1973, p. 35-38.

25. *Sovetskaia Latvia,* 16 février 1977. Il fau tnoter la présence à cette réunion de N.S. Perun, chargé des problèmes d'organisation au C.C. du P.C.U.S. et qui semble avoir assisté à toutes les réunions de ce type dans les républiques au début des années 70. Cf. aussi *Ejegodnik Bol'choi Sovetskoi Entsiklopedii,* 1976, p. 1.

26. *Bakinskii Rabotchii,* 30 janvier 1976. Sur le P.C. d'Azerbaïdjan en général, cf. *Kommunistitcheskaia Partiia Azerbaidjana v tsifrakh,* Bakou, 1970, 160 p.

27. Quelques indices suggèrent que ce décalage existe aussi en Ukraine : *Pravda Ukrainy,* 11 février 1976 et en Moldavie : *Sovetskaia Moldavia,* 30 janvier 1976.

28. Cf. la composition du Comité central issu du 25e Congrès.

29. Sur ce point, cf. Nove (A.), « Y a-t-il une classe dirigeante en U.R.S.S.? », *Revue des études comparatives Est-Ouest,* vol. VI, n° 4, 1975, p. 5-44.

30. Sur l'ensemble de ce problème, cf. l'étude très riche de Bilinsky (Y.), « The Rulers and the ruled », *art. cit.,* p. 16 à 27.

31. Tel a été le cas à la fin des années 50 de I. Naidek que l'annuaire du Soviet suprême de l'U.R.S.S. qualifiait en 1958 de secrétaire, tandis que le journal local du Parti, *Pravda Ukrainy,* 27 décembre 1957 lui décernait le titre de *Second* secrétaire; cité par Miller (J.H.), « Cadres policy in nationality area », *Soviet Studies* XXIV, n° 1, janvier 1977, p. 3-36.

32. *Ibid.,* p. 7.

33. Hough (J.), *The soviet prefects,* Cambridge, Mass 1969, p. 173.

34. Miller, *art. cit.*

35. *Ibid.,* tableau p. 12.

36. La Biélorussie n'entre dans ce modèle qu'en 1956. La R.S.S.A. d'Abkhazie a eu en 1955 un Second secrétaire russe.

37. Sullivan (R.), « The ukrainians », *Problems of communism,* sept.-oct. 1967, p. 52-53.

38. *Pravda,* des 3 mars 1972 et 30 septembre 1972.

39. Cf. le décret du Comité central du P.C.U.S. critiquant l'action du comité du Parti de Tbilissi, *Pravda*, 3 mars 1972.

40. « V tsentral'nom komitete K.P.S.S. », *Pravda*, 27 juin 1976 et *Zaria Vostoka* des 4 novembre 1976; 24 décembre 1976; 16 février 1977.

41. *Kommunist* (Erivan) des 1er février 1975; 15 mars 1975; et 23 mai 1975.

42. RYWKIN, *op. cit.*, p. 127 et MILLER, *art. cit.*, p. 27.

43. MILLER, *art. cit.*, p. 29.

44. *Sovetskaia Estonia*, 12 février 1971.

45. « The rulers and the ruled », *art. cit.*, p. 21-22.

46. *Voina i revoliutsia*, mai 1927, p. 114-115.

47. BENNIGSEN (A.) et QUELQUEJAY (C.), *Les Mouvements nationaux chez les musulmans de Russie : le sultangalievisme au Tatarstan*, Paris, 1960, p. 118-119.

48. Colonel RTICHTCHEV (P.), « Leninskaia natsional'naia politika i stroitel'stvo sovetskikh voorujenykh sil », *Voennyi Istoritcheskii Jurnal*, juin 1974, p. 4-5.

49. HAUPT (G.) et MARIE (J.J.), *Les Bolcheviks par eux-mêmes*, Paris, 1969, p. 200-212.

50. DZIUBA (I.), *Internationalism or Russification?* Londres, 1968, p. 136, note 2.

51. *Ibid.*, note 3.

52. BENNIGSEN, QUELQUEJAY, *op. cit.*, p. 167.

53. RTICHTCHEV, *art. cit.*, p. 6.

54. FRUNZE (M.V.), *Izbrannye proizvedeniia*, Moscou, 1957, t. II, p. 269-270.

55. RTICHTCHEV, *art. cit.*, p. 7.

56. RTICHTCHEV, *art. cit.*, p. 8 et LEPECHKIN (et als), *Kurs sovetskogo gosudarstvennogo Prava*, Moscou, 1962, 2e partie, p. 157.

57. Sur le rôle du russe dans l'armée : *Zaria Vostoka*, 24 octobre 1976, p. 2 (sur la conférence tenue à Tbilissi, 20-22 octobre 1976).

58. BREJNEV, *O piatidesiatiletii soiuza sovetskikh sotsialistitcheskikh respublik*, Moscou, 1972, p. 23.

59. RTICHTCHEV, *art. cit.*, p. 9.

60. GOLDHAMER (H.), *The Soviet soldier*, 1975, p. 28.

61. FESHBACH (M.) et RAPAWY (S.), « Soviet population and manpower trends sand policy », *U.S. Congress, Joint Economic Committee, op. cit.*, p. 149.

62. RTICHTCHEV, *art. cit.*, p. 7.

63. Cité par RAKOWSKA-HARMSTONE (T.) (« Sur l'armée et les nationalités », *Conference paper* inédit) qui a compilé les données ethno-sociologiques qui suivent.

64. S'il y a beaucoup d'Ukrainiens dans la hiérarchie militaire, ils semblent surtout servir hors d'Ukraine; ainsi le commandant de la région militaire de Kiev, Ivan Gerassimov est désormais un russe, d'ailleurs nommé au Politburo du P.C.U. en 1977.

65. RAKOWSKA-HARMSTONE, *op. cit.*

66. DZIUBA (I.), *Internationalism or Russification, op. cit.*, p. 137.

67. *Razvitie natsional'nogo dvuiazitchiia*, Moscou, 1976, spécialement p. 30.

68. *Krasnaia Zvezda*, 15 avril 1971; 10 décembre 1972; 3 avril 1974;

29 septembre 1974; 31 mars 1976 et 26 septembre 1976, etc. On pourrait multiplier les exemples de critiques contre les « scandales des exemptions ».

CHAPITRE V

1. Sans remonter à Staline et à sa théorie de la nation, on notera que les auteurs soviétiques contemporains soulignent en permanence l'importance de la langue pour la définition nationale. Cf. KOZLOV (V.I.), *Natsional'nosti S.S.S.R.*, Moscou, 1975, p. 207.

2. La langue nationale est définie dans la Grande Encyclopédie soviétique : *Bol'chaia Sovetskaia Entsiklopedia,* 3e ed., t. XVII, 1974, p. 374.

3. Texte russe publié à Moscou, 1977, art. 36, § 2.

4. Cette hiérarchie figure dans *Sovetskii Narod, Novaia istoritcheskaia obchtchnost liudei,* Moscou, 1975, p. 450. Cet ouvrage, étant publié par l'Académie des sciences, peut être tenu pour une source officielle.

5. *Razvitie natsional'no russkogo dvuiazitchia,* Moscou, 1976, p. 8.

6. LÉNINE, *Polnoe,* t. XXIV, p. 295 : « Nous sommes pour que chaque habitant de la Russie puisse apprendre la langue russe. Mais il y a une chose que nous ne voulons pas, c'est l'*obligation.* »

7. A la fin des années 40, un Kirghiz estimait à 25 % le nombre de mots russes incorporés dans la langue kirghize.

8. Effectué à partir du tableau compilé par KOZLOV, *op. cit.* ci-dessus, p. 211-212.

9. Dont 4 541 000 Ukrainiens, 1 733 000 Juifs, 1 212 000 Biélorusses, 392 000 Allemands. Cf. KOZLOV, *op. cit.*, p. 218.

10. Parmi les très nombreux travaux consacrés au bilinguisme et aux aspects concrets de son développement, cf. l'ouvrage cité note 5, et dirigé par un des meilleurs experts soviétiques, DECHERIEV (Iu.), *Razvitie Natsional'no-russkogo dvuiazitchiia,* 368 p. et les travaux de BRUK (S.) et GUBOGLO (M.) dans *Sovetskaia Etnografiia,* n° 4 et 5, 1975, qui essaient de tirer les enseignements du recensement.

11. *Narodnoe Khoziaistvo,* 1972, p. 32.

12. 54,8 % des Tatars sont bilingues dans la R.S.S.A.T. et 65,5 % à l'extérieur. C'est cependant les seconds qui font pencher la balance puisque 74,1 % des Tatars vivent en diaspora. Cf. *Itogi 1970,* vol. IV, tableaux 20,144. Les Tatars font de surcroît l'objet de très nombreuses études sociologiques.

13. Le changement est mineur (0,3 %), mais il s'oppose au progrès des migrations biélorusses (+ 2 %).

14. *Zaria Vostoka,* 8 mai 1971.

15. Ceci est clair, par exemple, pour prendre des situations comparables dans le groupe balte. Les Estoniens qui sont les derniers dans la connaissance du russe sont en revanche les plus urbanisés, 55,1 %, contre 52,7 % pour les Lettons et 46,7 % pour les Lituaniens. Ces pourcentages sont ceux du groupe ethnique et non de la république. Si l'on prend le pourcentage par république, l'Estonie, prise globalement, occupe la 1re place pour l'urbanisation (66 %), la Lettonie, la 3e (64 %), la Lituanie, la 7e (53 %). Cf. *Narodnoe Khoziaistvo,* 1972, p. 499.

16. GUTHIER (S.), « The Bielorussians : national identification and assimilation 1897-1970 », *Soviet Studies,* vol. XXIV, janv. 1977, n° 1, p. 59.

17. Une excellente présentation des changements survenus dans la politique d'éducation des nationalités a été publiée par BILINSKY (Y.), « Education of the non-Russian peoples in the U.S.S.R., 1917-1967 », *Slavic Review*, vol. 27, n° 3 (1968), p. 411-437.

18. C'est l'article 19 de la Loi de 1958. Sur cette réforme, cf. BILINSKY (Y.), « The Soviet education laws of 1958-1959 and Soviet Nationality Policy », *Soviet Studies*, vol. XIV, n° 2, 1962, p. 138-157.

19. MALANTCHUK (V.), « Dvi Kontseptsii mynduloho i suchasnoho Ukrayiny », long article publié en 1972 dans une revue ukrainienne et cité par R. SZPORLUK in *Major Soviet nationalities*, p. 35-36.

20. Jan ZAPRUDNIK, in *ibid.*, p. 61, présente les programmes de russe et de biélorusse, tels qu'ils ont été publiés dans le *Journal des professeurs* de Biélorussie, le 8 avril 1970.

21. Un grand effort est accompli en Biélorussie pour généraliser l'enseignement secondaire complet dont une loi du Soviet suprême de Biélorussie, adoptée le 23 juin 1972, fait un programme pour l'avenir immédiat.

22. A l'époque du recensement, 27 % des élèves inscrits dans les écoles fréquentaient des écoles urbaines, cf. *Narodnoe obrazovanie*, 1971, p. 644.

23. *Ekonomika Litvy*, 1970, p. 358. Il est intéressant de noter que le polonais est aussi une langue d'enseignement en Lituanie où 4 % des élèves sont inscrits dans des écoles *en* polonais.

24. DANILOV (A.), « Mnogonatsional'naia chkola R.S.F.S.R. — praktitcheskoe voplochtchnie Leninskoi natsional'noi politiki », *Narodnoe obrazovanie*, décembre 1972, p. 23.

25. *Narodnoe obrazovanie*, 1971, p. 196.

26. *Utchitel'skaia gazeta*, 18 août 1972.

27. C'est le cas en Azerbaïdjan, mais cette disposition ne résout rien dans la mesure où les Azéris, et surtout les filles, abandonnent leurs études au bout de huit ans et souvent avant. *Bakinskii rabotchii*, 5 novembre 1972, dit que le taux des abandons avant huit ans (la scolarité de huit ans est obligatoire) est de 23 %.

28. *Kommunist Tadjikistana* (1er et 2 juin 1973) souligne que s'il n'y a pas *obligation* de connaître le russe, cela est souhaitable.

29. SILVER (B.), « The Status of national minority languages in Soviet education : an assessment of recent changes », *Soviet Studies* XXVI, vol. 1, 1974, p. 28-41.

30. *Ibid.*, p. 33.

31. D'après les données du tableau compilé par Brian SILVER, *ibid.* Le chiffre 0 indique l'existence d'une éducation préscolaire en langue nationale.

32. Il est intéressant de noter que ces données, compilées par Brian SILVER, sont de source soviétique très officielle puisqu'elles émanent de A. DANILOV, ministre de l'Education de la R.S.F.S.R., qui les a publiées dans *Narodnoe Obrazovanie*, décembre 1972, p. 23.

33. KOZLOV, *op. cit.*, p. 219-220. Les données correspondantes pour 1970 sont difficiles à établir, mais on peut admettre qu'elles n'ont guère varié.

34. *Art. cit.*, p. 37.

35. Rapporté par BENNIGSEN (A.) et SILVER (B.) au colloque sur les nationalités tenu à Chicago en mars 1977.

36. Ainsi, par exemple en Estonie, où l'on a d'abord utilisé pour qualifier les engins lunaires le terme russe, *Lunokhod*, la presse estonienne a progres-

sivement remplacé ce terme par une fabrication propre, *Kuukulgur*. Cité par Rein TAAGEVERA in *Soviet Major nationalities, op. cit.*, p. 80.

37. Le congrès a été brièvement évoqué par *Zaria Vostoka*, le 24 avril 1976. Djaparizé a été attaqué par le IIIe plenum du Comité central du P.C. de Géorgie. Cf. *Zaria Vostoka* des 25 et 27 juillet 1976.

38. *Zaria Vostoka*, 25 août 1976.

39. *Zaria Vostoka*, 27 juillet 1976.

40. Cette expérience qui a lieu à l'école-internat de Zugid a été rapportée par le ministre de l'Education de Géorgie dans *Utchitel'skaia gazeta* du 10 janvier 1976.

41. *Pravda Vostoka*, 24 janvier 1976.

42. *Pravda Vostoka*, 9 décembre 1975 : dans un article intitulé « Deuxième langue maternelle », on lit : « Le russe était, est et sera la seconde langue maternelle de toutes les nations et nationalités de l'U.R.S.S. »

Kommunist (d'Erivan), 13 novembre 1976; *Turkmenskaia Iskra*, 21 janvier 1976, etc.

43. *Pravda Vostoka*, 21 et 24 octobre 1975.

44. *Sovet Mektebe*, janvier 1970, p. 33.

45. *Ibid.* et *Kazan Utlary*, avril 1973, p. 164-169.

46. Pour la première conférence, cf. *Sovet Mektebe*, juillet 1973, p. 25; pour la seconde, *ibid.*, juin 1975, p. 17-19.

47. En 1974, il y avait dans la république tatare 1571 professeurs de langue et littérature dont 62 % avec des diplômes universitaires, 20 % avec une formation universitaire incomplète et 18 % sans formation universitaire réelle. Sur ce problème, cf. aussi *Sovet Mektebe*, juin 1975, p. 17-19.

48. *Sovet Mektebe*, janvier 1972, p. 5; janvier 1973, p. 16; août 1975, p. 7.

49. *Sovetskaia Rossiia*, 16 août 1975.

50. *Sovetskaia Estonia*, 30 novembre 1976.

51. *Nationality group survival in multi-ethnic States, op. cit.*, p. 108-109.

52. Le gouvernement tsariste, qui n'avait pas de doctrine précise en matière de russification, avait à cœur celle des Tatars en raison du rôle historique joué par eux face à la Russie, et de leur emprise sur l'Asie centrale. Les missionnaires orthodoxes ont systématiquement travaillé à christianiser (et par là à russifier) le pays tatar.

53. Ce raisonnement est fondé sur les travaux d'Uriel WEINREICH : *Languages in contact : findings and problems*, La Haye, 1950, p. 94, cité par B. SILVER, *art. cit.*, p. 35.

CHAPITRE VI

1. Des crises secouent depuis quelques années la plupart des nations soviétiques. Cependant certaines sont plus directement en liaison avec le mouvement de lutte pour les droits de l'homme, la démocratisation du système soviétique, etc. On a retenu ici seulement les crises à contenu spécifique et au sein de chaque crise ce qui était national au détriment des mouvements

plus larges. C'est ainsi que les divers groupes constitués à la périphérie pour le respect des accords d'Helsinki n'ont pas trouvé place dans cette analyse. Ceci explique plus généralement pourquoi les Baltes en sont absents.

2. Cf. notamment la résolution du Comité central du P.C.U.S. du 21 février 1972 « *O podgotovke k 50-letii obrazovania soiuza sovetskikh sotsialistitcheskikh respublik* », Moscou, 1972, p. 17, et le discours de Brejnev le 21 décembre 1972 au Kremlin « *O piatidesiatiletii soiuza sovetskikh sotsialistitcheskikh respublik* », Moscou, 1973, p. 19.

3. Le général GRIGORENKO prit position pour les Tatars le 17 mars 1968 lors de la célébration du 72e anniversaire de l'écrivain A. KOSTERIN à Moscou. En mai 1969, il vint témoigner à Tachkent en leur faveur et fut arrêté alors.

4. 5 931 000 en 1970 contre 4 968 000 onze ans plus tôt. Itogi..., 1970, vol IV.

5. Ce chiffre a été donné par les Tatars dans une pétition adressée au Soviet suprême de l'U.R.S.S. en juillet 1972. Cité dans *Handbook of soviet major nationalities,* M.I.T., 1975, p. 390. On sait qu'ils étaient 188 000 en 1897.

6. Elle remonte au XIIIe siècle. Au XVe un Khanat tatar indépendant est érigé en Crimée qui s'opposera à la Russie jusqu'à son annexion par Catherine II en 1783. Cf. FISCHER (A.), *The Russian annexion of the Crimea, 1772-1783,* Cambridge, 1970, 180 p.

7. Ils représentent alors 25 % de la population de la république qui est de 714 000 personnes au recensement de 1926.

8. La langue tatare est langue officielle à égalité avec le russe.

9. Sept peuples sont dits collaborateurs. Tchétchènes, Ingouches, Karatchaïs, Balkars, Kalmyks, Tartars de Crimée. Les Allemands de la Volga avaient été déportés dès 1941. En tout, un million de personnes.

10. Décret dans *Izvestia,* 26 juin 1946.

11. Décision du 19 février 1954.

12. En dépit de ces publications, le tome II de la publication classique de l'Académie des sciences sur les langues des peuples de l'U.R.S.S. paru en 1966 dit que le tatar de Crimée est une « langue non écrite ».

13. *Lenin Bayragi* (le drapeau de Lénine).

14. Les territoires autonomes des peuples caucasiens déportés sont reconstitués en janvier 1957.

15. Les Tatars ont présenté au 22e Congrès du P.C.U.S. une pétition signée de 25 000 noms.

16. Le premier procès de Tatars qui a été connu, remonte à 1961.

17. Entre 1964 et 1968, 4 000 délégués tatars ont été envoyés à Moscou par leurs compatriotes.

18. Articles 191-4 (dissémination de nouvelles diffamant le pouvoir soviétique), 191-6 (organisation ou participation à des actions de groupes violant l'ordre public).

19. *Pravda Vostoka,* 9 septembre 1967.

20. *Pravda Vostoka,* 16 septembre 1967.

21. En mai 1971, au nom du Comité des Droits de l'homme, SAKHAROV et TCHALIDZE ont posé aux autorités soviétiques le problème du sort des Tatars.

22. En 1967, sur les 6 000 Tatars qui avaient tenté l'aventure de Crimée, trois célibataires et deux familles ont réussi à obtenir le droit d'y résider.

23. Bennigsen (A.) et Quelquejay (C.), *Les Mouvements nationaux chez les musulmans de Russie : le sultangalievisme au Tatarstan*, Paris, 1960, 260 p.

24. *Itogi...* 1970, vol. IV.

25. En plus de la R.S.S.A., les 17 districts nationaux allemands (6 en R.S.F.S.R., 1 en Azerbaïdjan, 1 en Géorgie et 9 en Ukraine) étaient supprimés. La déportation touchait 800 000 personnes, dont 400 000 vivant dans la république.

26. Les Allemands sont autorisés à élire leurs compatriotes dans les soviets locaux. En 1957, *Neues Leben* (qui deviendra un hebdomadaire tirant à 300 000) reparaît à Moscou; et des programmes en allemand sont diffusés par *Radio Moscou* dès 1956, la radio kazakhe en 1957, et la radio kirghiz en 1962. Enfin depuis 1957, dans les écoles comptant au minimum 10 Allemands, les parents peuvent demander la création de cours de langue allemande.

27. *Vedomosti verkhovnogo soveta S.S.S.R.*, 28 décembre 1964.

28. Recevant le 7 juin 1965 une délégation d'Allemands, Mikoian reconnaît que la restauration d'un territoire national serait la meilleure solution, mais que sans la participation allemande, le défrichage des terres vierges est condamné à l'échec.

29. Trois Allemands sont élus au Soviet suprême en 1970 dont l'un devient ministre des Industries alimentaires de l'U.R.S.S. La représentation politique des Allemands dans tous les soviets locaux est proportionnelle à leur importance numérique.

30. La restauration du territoire national est défendue en priorité par ceux qui y vivaient. En revanche, les Allemands qui vivaient dans la région de la mer Noire sont plus intéressés par la possibilité de quitter l'U.R.S.S.

31. Chiffres des trois recensements, complétés par *Sovetskii Kazakhstan*, 1971, p. 25-26.

32. Cf. *Narodnoe Khoziaistvo Tadjikistanskoi, S.S.R.*, 1970, p. 293, où l'on voit les Allemands germanophones du Tadjikistan passer de 88,7 % (1959) à 81,4 % (1970).

33. Cf. l'évolution tadjik qui est de 99,3 % (1959) à 99,4 % (en 1970); dans toute la république, le % de ceux qui parlent *leur* langue maternelle passe de 96,7 (1959) à 97,2 (1970).

34. Dans les années 50, la Croix-Rouge allemande a établi que 43 000 familles allemandes d'U.R.S.S. pouvaient bénéficier de la clause de la réunion des familles.

35. En 1965, cet accord est complété à Vienne par un accord entre les Croix-Rouge soviétique et allemande. En conséquence en 1966, 984 Allemands rentrent en Allemagne et en 1967, 836. Mais en 1968, le mouvement semble s'arrêter.

36. *New York Times*, 9 mars 1977, rend compte d'une manifestation des Allemands sur la place Rouge, la première manifestation à cet endroit depuis 1968.

37. *Nordwest Zeitung*, 20 mai 1977.

38. A tel point que contrairement à Staline, le régime impérial ne les a pas déplacés, ni mis sous surveillance spéciale durant la Première Guerre mondiale, considérant qu'ils étaient des sujets loyaux. Et de fait ils n'ont posé aucun problème de sécurité.

39. *Nordwest Zeitung*, 20 mai 1977. Cf. aussi la lettre d'A. Sakharov au

président Scheel et au chancelier Schmidt, *Frankfurter Neue Press,* 22 février 1978.

40. *Sovetskaia Kirgizia,* 13 mai 1977.

41. Sur ce point, les articles publiés tant en U.R.S.S. qu'en Allemagne évitent de souligner qu'une liaison peut exister entre la politique économique et les sorties d'Allemands.

42. Ce lien est clair quand on voit qu'en 1972, à trois semaines des élections générales allemandes, 2 000 Allemands reçoivent leur visa de sortie. De même en 1976, année électorale allemande, l'émigration est au plus haut.

43. « Weltpolitik mit fanfarenstössen », *Die Zeit,* 4 mars 1977 ou encore « Predigt öder Politik », *Die Zeit,* 8 juillet 1977.

44. Sur l'attitude des bolcheviks, on lira avec profit l'étude d'Annie KRIEGEL, « La question juive en Union soviétique »; *Les Juifs en Union soviétique* (édité par la bibliothèque juive contemporaine), n° 23, juillet 1976, p. 14 à 28.

45. BELENKII (M.S.), *Judaism* (2e ed.), Moscou, 1974, p. 232.

46. 2 150 707 au recensement. *Itogi,* 1970, t. IV, p. 9-19. Mais le recensement donne des chiffres que contredisent d'autres sources soviétiques. *Atlas narodov mira,* 1964, p. 158 en dénombre 2,5 millions, alors que le recensement de 1959 n'en comptait que 2 268 000. A. KRIEGEL, *art. cit.*, p. 14, pense sur la foi de nombreuses sources que la réalité se situerait entre 2 400 000 et 3 400 000.

47. Tels le Tati, la variante juive criméenne, etc.

48. *Itogi...* 1959, p. 184-188.

49. *Itogi...* 1970, t. IV, p. 20; *Narodnoe khoziaistvo,* 1972, p. 32.

50. GITELMAN (Z.), « The jews », *Problems of communism,* sept.-oct. 1967, p. 92-102.

51. HIRSZOWICZ (L.), « Jewish cultural life in the U.S.S.R. — a survey », *Soviet jewish affairs,* vol. VII, n° 2, 1977, p. 11.

52. Il faut aussi y ajouter quelques *minyan* (groupe de prière se rencontrant de manière informelle au domicile d'un croyant). Cf. aussi sur le nombre de lieux de prière ouverts en U.R.S.S. YODFAT (A.), « Jewish religious communities in the U.S.S.R. », *Soviet jewish affairs,* t. II, 1971, p. 61-67.

53. Selon HIRSZOWICZ, *art. cit.*, p. 11, en dépit des estimations soviétiques officielles qui dénombrent, en 1976, 56 000 Juifs religieux en U.R.S.S., le nombre réel de pratiquants serait beaucoup plus élevé; Z. Gitelman, dans une enquête effectuée auprès des Juifs soviétiques émigrés en Israël, constate que 9 % des émigrés se définissent comme religieux. « Soviet political culture : insights from jewish emigres », *Soviet Studies,* octobre 1977, p. 549.

54. Les Juifs ont le plus haut degré d'urbanisation en U.R.S.S. : 78,5 %. De 1897 à 1970 ils ont accompli l'évolution la plus spectaculaire et à chaque recensement ils étaient en tête de tous les groupes nationaux par leur degré d'urbanisation.

55. *Art. cit.*, p. 19; sur le difficile problème de la *russianisation,* de la *russification* et de l'*assimilation,* cf. l'analyse de A. KRIEGEL déjà citée.

56. 11 542 Juifs en 1970 contre 14 269 en 1959. Actuellement 1 970 seulement parlent yiddish. *Narodnoe Khoziaistvo,* 1972, p. 32; *Iitogi...* 1959, p. 184-188; *Itogi...* 1970, vol. IV, p. 76.

57. On ne dispose pas dans le recensement de statistiques globales pour

l'éducation des Juifs, mais de statistiques par république. Ainsi dans la R.S.F.S.R., les Juifs ont un niveau d'éducation huit fois supérieur à celui des Russes. Cf. *Itogi...* 1970, vol. IV, p. 405-449.

58. H. SALISBURY cité par Hirszowicz, *art. cit.*, p. 4.

59. Il existe en U.R.S.S. deux publications en yiddish : le *Sovetich Heimland* (la patrie soviétique), publié à Moscou depuis 1961 et tiré à 25 000 exemplaires. La revue est dirigée par Aron Vergelis; par ailleurs, au Birobidjan, existe le *Birobidjaner Stern* (l'Etoile du Birobidjan), tiré à 12 000 exemplaires et paraissant 260 fois par an. Contrairement à *Sovetich Heimland* qui tente d'être l'organe de la communauté juive, *Birobidjaner Stern* est comme la plupart des organes régionaux la traduction dans une langue nationale de l'organe russe de la région.

60. HIRSZOWICZ, *op. cit.*, p. 13.

61. En 1971, des Juifs ont tenté de déclarer des cours d'hébreu — la loi le permet — et d'obtenir par là une existence légale. Après une période d'hésitations et de décisions contradictoires, les enseignements privés d'hébreu ont été interdits à la fin de 1972 parce que véhiculant des idées opposées aux intérêts soviétiques, et aussi sous des prétextes techniques.

62. L'émigration a suivi une courbe ascendante jusqu'en 1973 pour décliner ensuite brutalement : 1967 : 480 émigrants; 1968 : 231; 1969 : 3019; 1970 : 999; 1971 : 12 832; 1972 : 31 652; 1973 : 33 477; 1974 : 17 373; 1975 : 8 531; 1976 : 7 274. (Chiffres du ministère israélien de l'Intégration des immigrants, cités par GITELMAN (Z.), « Soviet political culture... », *art. cit.*, p. 545.) Ce chiffre est inférieur en fait au nombre d'émigrants juifs, mais certains ne vont pas en Israël et c'est pourquoi les décomptes des arrivées à Vienne sont nettement supérieurs. Annie KRIEGEL, *Le Figaro*, 16 janvier 1978, estime à 150 000 personnes l'émigration juive depuis 1968. Selon W. FRANKEL, *The Times*, le 12 mai 1977, 135 000 Juifs avaient émigré depuis la même date.

63. En 1972, 71 % des émigrants avaient moins de 45 ans et 50 % moins de 30 ans. En revanche, le groupe des moins de 30 ans parmi les Juifs de la R.S.F.S.R. représente 26 % de toute la communauté.

64. Au nombre des problèmes rencontrés il faut noter que les Juifs sont soumis à une procédure exceptionnelle quant aux conditions financières de leur exil. Les droits qui accompagnent un visa de sortie ont été abaissés en 1976 à 300 roubles. Néanmoins, les Juifs doivent payer 500 roubles complémentaires pour renoncer à la citoyenneté soviétique. La solidarité de la communauté juive internationale leur permet de dominer cette difficulté. En revanche, chaque candidat à l'émigration est seul pour affronter des problèmes tels que la perte du travail qui suit très fréquemment la demande de visa; et plus encore, en cas de rejet, le statut intolérable de *otkaznik* (ceux qui ne reçoivent pas leur visa mais qui l'ayant demandé se trouvent en dehors de la communauté soviétique).

65. La manifestation la plus explicite de l'antisémitisme est l'antisionisme qui a pris la forme d'une véritable campagne de presse au moment même où la volonté d'émigration commence à se manifester massivement. Cf. FRANKEL (J.), *The anti-zionit press campaigns in the U.S.S.R. 1969-1971, political implication,* Research paper, the Hebrew University of Jerusalem, 1972, 62 p.

66. *The Times*, 12 mai 1977; cf. aussi HARRIS (D.), « A Note on the pro-

blem of the Noshrims », *Soviet jewish affairs*, février 1976, p. 104-114.

67. Ce sont des chiffres officiels donnés par l'organe du P.C.U.S., *Partiinaia jiz'n*, n° 10, 1976, p. 16.

68. *Literaturnaia Gazeta*, 24 janvier 1973.

69. 73 personnes sur 1 000 de plus de 10 ans ont reçu une éducation supérieure. La moyenne soviétique est de 42 pour 1 000, la moyenne russe de 44, la moyenne la plus basse est détenue par la Moldavie et le Tadjikistan : 29 pour 1 000. *Itogi*, 1970, vol III (Education), p. 6 à 30.

70. Sur l'illégalité dans le domaine de l'économie, cf. KATSENELINBOIGEN (A.), « Coloured markets in the Soviet Union », *Soviet Studies*, vol. XXIX, janv. 1977, n° 1, p. 67-85.

71. *Pravda*, 3 mars 1972.

72. *Pravda*, 27 juin 1976.

73. *Trud*, 5 juin 1976.

74. *Zaria Vostoka*, 4 novembre 1976; mêmes critiques dans *Zaria Vostoka*, 24 décembre 1976.

75. *Zaria Vostoka*, 16 février 1977.

76. *Zaria Vostoka*, 4 novembre 1976. Cf. aussi dans le même organe du 24 décembre 1976, l'insistance sur le poids et le prestige à donner à la milice; cf. aussi *Zaria Vostoka*, 11 novembre 1975.

77. *Zaria Vostoka*, 8 février 1977 et 16-17 février 1977.

78. La version officielle dit que quelqu'un leur avait donné 50 000 roubles, mais il semble que la justice ne s'est guère préoccupée de savoir qui avait payé 50 000 roubles pour brûler le théâtre. Au demeurant, les accusés se sont rétractés au procès et ont déclaré que leurs aveux leur avaient été arrachés par la force.

79. *Zaria Vostoka*, 3 mars 1977.

80. *Zaria Vostoka*, 8 février 1977.

81. *Zaria Vostoka*, 10 janvier 1976.

82. *Zaria Vostoka*, 9 janvier 1976.

83. *Zaria Vostoka*, mai 1978.

84. Les évaluations quant au nombre de manifestants varient. Les sources géorgiennes non officielles en annoncent environ 30 000, le *New York Times* environ 20 000, l'*International Herald Tribune*, 5 mai 1978, 5 000. Quelque soit le chiffre retenu, il reste très important, dans les conditions politiques de l'U.R.S.S. où le droit d'appeler à des manifestations est du ressort des seules organisations sociales.

85. Publié dans *Zaria Vostoka* le 16 avril 1978.

86. *Utchitel'skaia Gazeta*, 18 juillet 1972 et *Bakinski Rabotchii*, 4 et 6 janvier 1973.

87. Les pots de vins sont très souvent présentés comme une manifestation de retard dans le processus de socialisation. Cf. les attaques constantes contre les amateurs de pots de vins en Azerbaïdjan, *Bakinski Rabotchii*, 11 février 1972, 11 décembre 1976, etc.

88. En Géorgie, les autorités sont très soucieuses d'extirper les traditions qui confortent le particularisme. Cf. par exemple *Zaria Vostoka* des 4 novembre 1972, 27 avril 1973 et 27 octobre 1976; pour l'Azerbaïdjan, *Pravda*, 26 juin 1972.

89. Ceci ressort très clairement du discours du Premier secrétaire du P.C. arménien Karen Demirchian devant le plenum du C.C. en décembre

1974 publié dans le *Kommunist* d'Erivan, 2 février 1975. Cf. aussi les critiques de Demirchian contre les cadres politiques arméniens dans le *Kommunist* d'Erivan, 21 janvier 1976; sur la purge en Arménie, cf. *Kommunist* des 10 janvier 1975, 1er février 1975, 28 février 1975, 23 mai 1975, etc.

90. ARMSTRONG (J.A.), « *Ukrainian nationalism 1939-1945* », New York, 1955, p. 14 à 32. L'ensemble du livre éclaire les aspects les plus dramatiques des relations soviéto-ukrainiennes.

91. Le Politburo du C.C. du P.C.U.S. avait été transformé lors du 19e Congrès (1952) en Praesidium. Il redeviendra Politburo au 23e Congrès en 1966.

92. DZIUBA (I.), *Internationalism or Russification?* Londres, 1968, 239 p.

93. *The Chornovil Papers,* Mc Graw Hill, 1968, 246 p.

94. Je suis redevable pour tout ce qui concerne le cas Chelest à Y. Bilinsky de l'université de Delaware dont l'analyse approfondie de la situation en Ukraine, au cours de nos entretiens à l'université de Chicago en 1977, m'a énormément appris sur l'Ukraine et sur l'ensemble des problèmes nationaux.

95. *Ukraina nacha radianska,* Kiev, 1970, 58 p.

96. Le national-communisme ukrainien existait au début du pouvoir soviétique. Le texte qui permet le mieux d'en comprendre les données est un pamphlet écrit en 1919 par deux Ukrainiens — V. CHAKHRAI et S. MAZLAKH — intitulé *Do Khvyli.* Il a été publié en anglais sous le titre « *On the current situation in the Ukraine* », Ann Arbor, 1970, 220 p.

97. BILINSKY (Y.), « Politics, purge and dissent in the Ukraine since the fall of Chelest », in KAMENETSKY (I.) ed., *Nationalism and Human Rights : processes of modernization in the U.S.S.R.,* Littleton, Colorado, 1977, p. 168-185.

98. *Narodnoe obrazovanie,* mars 1974, p. 9. Référence due à Y. BILINSKY et DZIUBA, *op. cit.,* p. 157.

99. DZIUBA, *ibid.,* et BILINSKY, « The communist party of Ukraine after 1966 » in POTYCHNYI (P.), *Ukraine in the seventies,* Oakville, ont., 1975, p. 246.

CHAPITRE VII

1. Ceci a été par exemple affirmé par le président du Conseil aux questions religieuses près le Conseil des ministres de l'U.R.S.S. en « réponse aux critiques occidentales sur la liberté de conscience ». Dans un article intitulé « Sovetskii zakon i svoboda sovesti », *Izvestia,* 31 janvier 1976, p. 5.

2. *Nauka i Religiia* donne une vue assez complète des réactions officielles au fait religieux.

3. Ainsi au début de 1974 au cours d'une conférence sur l'*athéisme scientifique* qui rassemblait à Moscou les principaux spécialistes dans ce domaine, un bilan de la recherche (institutions, activités, publications) a été dressé. Cf. « Koordinatsiia ateistitcheskoi raboty : opyt, perspektivy », *Nauka i Religiia,* août 1974, p. 21-27.

4. Cf. par exemple le long éditorial de la *Kazakhstanskaia Pravda,* 24 avril 1976, p. 1 : « Ateistitcheskoie vospitanie chkol'nikov ».

5. *Ibid.*

6. Un bon exemple de cette attitude plus inquiète et sophistiquée à l'égard du fait religieux ressort de l'ouvrage de NOSOVITCH (V.I.), *Nautchnyi ateizm o religioznoi psikhologii,* Moscou, 1975, 134 p.

7. MASLINKOV (V.), « Vechtchi nesovmestnye », in *Znamia Iunosti,* 28 novembre 1975, p. 3.

8. PROTASOV (F.) et UGRINOVITCH (D.), « Issledovanie religioznosti naselenija i ateisticheskoe vospitanie », *Polititcheskoe Samoobrazovanie,* 1975, p. 109-116.

9. KASPERAVICIUS (Yu), « Muzli idet k liudiam », *Sovetskaia Litva,* 20 mai 1974, p. 4, annonce même la création d'un journal spécial, *Informatsia — metodika,* organe du Musée de l'athéisme de Lituanie, première publication à poser le problème du travail concret, militant, des musées de l'athéisme répartis dans les républiques. Cf. aussi : MARTULIS (A.), « Tiesa yra tikviena — Ave Vita », *Komjaunimo Tiesa,* 20 mai 1975, p. 2, qui expose en détail et propose en modèle l'activité du club lituanien *Ave Vita* consacré à la propagation de l'athéisme et à l'éducation athée.

10. GAILUMS (J.), « Zinotniski ateistisko va i antereligisko? », *Skolotaju Avize,* 7 avril 1976, p. 3.

11. Les statistiques les plus sûres remontent à la période d'indépendance. On peut estimer que la situation des années 30 peut être prise pour base de compréhension de la période actuelle. Selon *The Baltic States,* Londres, Oxford, Un. Press, 1938, p. 38, la composition religieuse de la population balte était la suivante : Estonie : 7,8 % luthériens; 19 % orthodoxes; 1 % juifs. Lettonie : 5,7 % luthériens; 24 % catholiques; 9 % orthodoxes; 5 % vieux croyants; 5 % juifs. Lituanie : 81 % catholiques; 9 % luthériens; 3 % orthodoxes; 1 % juifs.

12. *A Case study of a Soviet republic : The Estonian S.S.R.* (T. Parming et E. Järvesoo ed.), J. Boulder, Colo., Westview Press, 1978, p. 376-453.

13. *Nationality group survival in multi-ethnic States,* E. Allworth ed., p. 169. Ces chiffres sont fondés sur des informations soviétiques.

14. Document publié par la Fédération luthérienne mondiale « Lutheran world federation President visits Lutherans in U.S.S.R. », *Religion in Communist Dominated Areas,* 11, n° 7-9, juil.-sept. 1972, p. 130-131. A noter aussi que l'âge moyen des étudiants de l'académie luthérienne de Tallin est beaucoup moins élevé en 1972 qu'au cours de la décennie précédente.

15. Actuellement, près de 3 000 propagandistes travaillent à la campagne et dans les usines. 36 universités « d'athéisme scientifique » dispersées dans la république comptaient, en 1975, 3 500 étudiants.

16. Les dispositions les plus importantes sont les textes complétant l'article 142 du Code pénal de la république adoptés par le Soviet suprême le 12 mai 1966 et complétant la liste des « actes violant l'art. 143 » (sur la séparation de l'Eglise et de l'Etat) et les décrets complémentaires de 1968 et 1969. Toutes ces mesures on pour finalité d'empêcher les activités culturelles religieuses parmi les adolescents, celles nécessaires à la préparation de la confirmation notamment.

17. *Kazakhstanskaia Pravda,* 27 août 1972.

18. *Nationality group survival, op. cit.,* p. 175.

19. Sur le nombre de signatures qu'une pétition peut espérer recueillir, cf. l'exposé fait par V. KRASIN au C.E.S.E.S. (colloque de Venise), août 1975 (document de travail non publié).

20. Cet organe intitulé *Lituvos Kataliky Bažnyčios Kronika* (chronique de l'Eglise catholique de Lituanie) a publié 24 numéros de 1972 à 1977.

21. Dans le numéro 4 c'est une protestation contre l'interdiction de vêtements nationaux dans les cérémonies religieuses. En outre on trouve dans ce numéro une prière pour « la patrie lituanienne ». Le numéro 6 développe le thème de l'insuffisance de la part accordée à l'histoire nationale à l'école. Le numéro 20 en 1975 est largement consacré à la pression du pouvoir en faveur de l'enseignement généralisé du russe dans les écoles, etc.

22. Le symbole d'un tel lien est la personnalité des grands écrivains lituaniens Antanas Baranauskas (1835-1902) et Maironis (1862-1932), qui ont joué un rôle décisif dans le mouvement national lituanien du XIXe siècle tout en étant, comme beaucoup de leurs semblables, des clercs.

23. KHALIAROV (Kh.), « Partiinye organizatsii i bor'ba s religioznymi perejitkami », *Polititcheskoe Samoobrazovanie,* juin 1975, p. 74-78.

24. *Ibid.*

25. L'encadrement des croyants à l'époque actuelle est d'une faiblesse d'autant plus remarquable qu'il a été extraordinairement fort avant la révolution. En 1917, il y avait 26 000 mosquées dans l'Empire russe et 45 000 serviteurs du culte, c'est-à-dire un serviteur du culte pour 700 à 1 000 musulmans, *Jizn' natsional' nostei,* 14 décembre 1921.

26. KOICHUMANOV (K.I.), « Nekotorye osobennosti ateistitcheskoi propagandy v Kirghizii », *Voprosy Istorii partii Kirghizii,* 1969, p. 340-341.

27. ABRAMZON (S.M.), *Kirghizia i eë etnogenetitcheskie i istoriko-kul'turnyie sviazi,* Leningrad, p. 302 sq.

28. Soviet major nationalities., *op. cit.*, p. 244 (p. 70, 71); BAZARBAEV (J.), *Sekularizatsiia naseleniia sotsialistitcheskoi karakalpakii,* Nukus, 1973, p. 61 et PIVOVAROV (U.G.), *Na etapakh sotsialistitcheskogo issledovaniia Gruzii,* 1974, p. 158 sq.

29. Les sunnites de l'U.R.S.S. se divisent d'ailleurs en deux groupes. La majorité pratique le rite hanafite, tandis qu'au Daghestan le rite shafeite prévaut. Les chiites, séparés des sunnites sur le problème de la succession du Prophète, se réclament de son gendre Ali. Ici encore la variété prédomine en U.R.S.S. La majorité des chiites appartient à la branche du chiisme duodecimain (où la succession s'est interrompue après la disparition du douzième Imam) mais on y trouve aussi des Ismaëliens qui reconnaissent l'autorité de l'Aga Khan, etc.

30. On notera cependant que ce système n'était pas uniforme dans l'Empire russe. Si la majeure partie des musulmans relevaient de la loi musulmane *Shariat,* dans certaines régions islamiques, c'est le droit coutumier qui s'appliquait *(Adat).*

31. Cette remarque est souvent faite dans les travaux soviétiques, soit sociologiques, soit idéologiques. Ainsi dans une analyse des attitudes religieuses dans la R.S.S.A. tatar le développement de l'activité religieuse des communautés tatar est souligné.

O nautchnom ateizme i ateistitcheskom vospitanie dlia partiinogo aktiva i organizatorov ateistitcheskoì raboty, Moscou, 1974, 287 p. Cf. p. 72-75.

32. MAVLIUTOV (P.), « Molitva », *Nauka i religia,* 10.1976, p. 60.

33. Sermon prononcé dans la mosquée Allan de Tachkent par l'Imam N. Kutbedinov, cité par ACHIROV (N.), *Evoljutsia Islama v S.S.S.R.*, Moscou, 1972, p. 135.

34. Sermon prononcé dans la mosquée cathédrale de Bakou par le Muphti Ahmed Bozgaziev le 13-12-1968.

Ibid., p. 135-136.

35. ACHIROV, *op. cit.*

36. *Kommunist Tadjikistana*, 4-9-1976, p. 3.

L'article est intitulé : « Il ne jeûne pas, mais... »

37. ACHIROV, *op. cit.*, p. 143, et MAVLIUTOV (R.), KERIMOV (G.), « Mavlud », *Nauka i religii*, 2-1976, p. 66 à 67.

38. GAUDEFROY-DEMOMBYNES (M.), *Les Institutions musulmanes*, Paris, 1966, p. 91, note que dans ce cas le *Hadj* n'est valable que pour celui qui charge un autre de le faire à sa place, non pour son remplaçant. Pourtant, dans la pratique il semble que les autorités musulmanes de l'U.R.S.S. aient considéré que les quelques pèlerins sortis agissaient au nom de tous leurs coreligionnaires.

39. Le 21-3-1969, Ismail Satiev, remplaçant du Muphti de Tachkent, rentrant de La Mecque, a fait de ce problème le thème de son sermon à la mosquée-cathédrale de Moscou.

ACHIROV, *op. cit.*, p. 144.

Cf. aussi dans *Izvestia*, 20-5-1976 le récit de la visite en U.R.S.S. du Ministre des Affaires religieuses de Jordanie accompagné d'une délégation de dignitaires musulmans et leur réception à la Direction spirituelle des Musulmans de Russie d'Europe et de Sibérie par Muphti Abdul Bori Isaev.

40. SNESAREV, « Chamany i Sviatye », *Nauka i religiia*, 12, 1976, p. 31 à 36.

41. In *Nauka i Religiia*, juillet 1976, p. 41-43 où S. Umarov étudie systématiquement le développement et les effets du culte des saints sur la mentalité collective. Il souligne qu'ils ont été à l'origine non seulement de mouvements isolés mais aussi « de puissants mouvements populaires ». Sur l'Asie centrale, cf. SNESAREV (G.), « Chamany i sviatye », *art. cit.*, notamment p. 31.

42. BASILOV (V.N.), « Tachmat Bola », *Sovetskaia Etnografiia*, mai 1975, p. 112-124; BASILOV (V.N.), « Chamany Segodnia », in *Nauka i Religiia*, avril 1976, p. 52, recense diverses sources et indique l'extension de ce phénomène.

43. In *Musulmani Sovetskogo Vostoka*, mars 1970, p. 35.

44. *Ibid.*

45. Discours du Muphti Ahmed Habibullah Bozgoziev remplaçant du Muphti de Transcaucasie, *ibid.*

46. Discours de M. Hazaev à Tachkent, octobre 1970, *ibid.*

47. Réponse faite au cours d'une conférence de presse organisée à Paris par le journal *Le Monde*. Par ailleurs (Cf. CHIGAEV (D.), « Islam i Sovremennost' », *Agitator*, octobre 1975, p. 47-48. Cette tendance est d'ailleurs constatée pour toutes les religions. Cf. KRASNIKOV (N.), « Posle pomestnogo sobora », *Nauka i Religiia*, décembre 1975, p. 38-40, qui note les mêmes traits chez les orthodoxes. *Kazakhstanskaia Pravda*, 24 avril 1976, p. 1, note la difficulté de développer un enseignement de l'athéisme dans ces conditions.

48. CARRÈRE D'ENCAUSSE (H.), « Politische Sozialisation in der U.S.S.R. — Unter besonderer Berücksichtigung der nichtrussischen Nationalitäten », in *Ehrzichungs und Sozialisation probleme in der Sowjet union, der DDR und Polen*, Hanover (O. Anweiler, ed.), 1978, sous presse. Sur la responsabilité des

parents en matière d'éducation religieuse, cf. *Moskovskii Komsomolets,* 11 juillet 1976 et 11 août 1976. Ces articles appellent les enseignants à combattre et surveiller l'influence néfaste des familles. *Natchal'naia Chkola,* septembre 1975, p. 25-30, fait des propositions concernant un renforcement du contrôle quant à l'éducation religieuse reçue à la maison et suggère notamment que les enseignants établissent un « journal quotidien » notant toutes les informations et les faits concernant « l'enfant croyant ».

49. *Sovetskaia Kirgiziia,* 17 juin 1976, p. 4.

50. *Kommunist Tadjikistana,* 13 décembre 1974, p. 2.

51. Cf. *Komsomol'skaia Pravda,* 4 septembre 1975, p. 2, sur les persistances religieuses au Daghestan.

52. Commémoration du martyre de Hussain, fils aîné de Ali, gendre du Prophète à Kerbela en 680.

53. Ce type de commémoration a été formellement interdit en Turkménie, Azerbaïdjan et Géorgie dès 1929. Cf. MAVLIUTOV (R.) et KERIMOV (G.), « Achura », in *Nauka i Religiia,* décembre 1975, p. 42; ACHIROV (N.), « Islam i natsional'nye otnocheniia », *Nauka i Religiia,* février 1974, p. 35.

54. « Achura », *art. cit.,* p. 40 : l'auteur de l'étude note combien ce type de jeu « particularise » les enfants musulmans, et les isole dans leur milieu historique.

55. ACHIROV (N.), « Islam i natsional'nye otnocheniia », *Nauka i Religiia,* décembre 1973, p. 46.

56. KHALIAROV (Kh.), « Partiinye organizatsii i borba s religioznymi perejitkami », *Polititcheskoe Samoobrazovanie,* juin 1975, p. 74-78. Cf. *Komsomol' skaia Pravda,* 4 septembre 1975, qui relate comment une femme, récemment encore membre actif du Komsomol, passe à l'activisme musulman; *Nauka i Religiia,* janvier 1976, p. 2, sur la situation en Uzbekistan : « La religion est une barrière entre jeunes de différentes nationalités. » Dans le même organe, novembre 1976, p. 2 à 9. *Turkmenskaia Iskra,* 23 novembre 1976, p. 3 et *Pravda,* 1er juin 1976, note que le problème est discuté par le Comité central du parti de Turkménie lors de son dernier plenum. *Kommunist Tadjikistana,* 7 juillet 1976, p. 2, note que les organes du Parti et de l'Etat tolèrent l'islam et ses pratiques.

57. Un article éclairant sur ce point a été publié par l'organe de langue Uighure, *Kommunist Tughi,* 27 septembre 1975. Dans cet article, il est précisé que durant le mois de Ramadan, dans le district de Talgir, une commission spéciale de quinze personnes a été instaurée par le comité de district du Parti pour collaborer avec les organismes de propagande et d'agitation déjà existants dans la lutte contre les pratiques religieuses. Ici il s'agit clairement de combattre l'observance sous des formes variées du Ramadan.

58. *Kommunist Tughi,* 23 septembre 1975.

59. *Karmannyi Slovar'ateista,* Moscou, 1975, p. 159.

60. *Islām va hazirgi zāman,* Tachkent, 1972 (cette publication dirigée par A. Artikov regroupe quatorze affiches — éducatives — dirigées contre l'islam).

61. KHALIAROV, *art. cit.*

62. ACHIROV (N.), « Islam i natsional'nye otnocheniia », *Nauka i Religiia,* décembre 1973, p. 43-44.

63. *Ibid.,* p. 41.

64. *Ibid.,* p. 46.

65. BONDAREVSKAIA, *Rojdaemost'*, *op. cit.*, p. 114 et VAGABOV, *Islam i jenchtchina*, Moscou, 1968, p. 38.

66. ACHIROV, « Islam i natsional'nye otnocheniia », *Nauka i Religiia*, février 1974, p. 37.

67. BENNIGSEN (A.) et QUELQUEJAY (C.), *Les Mouvements nationaux chez les musulmans de Russie : le Sultangalievisme au Tatarstan, op. cit.* Il est intéressant de noter qu'après des décennies de silence sur Sultan Galiev, on assiste à une attaque en règle contre lui, notamment : *Tatarstan Kommunisty*, janvier 1975, p. 67. Il faut noter ici qu'à la différence de ses émules les plus proches, l'Uzbek Faizullah Khodjaev, réhabilité en 1966 et le Kazakh Ryskulov, réabilité deux ans plus tôt, Sultan Galiev reste une « non-personne » politique.

CHAPITRE VIII

1. BREJNEV (L.), *Thèses pour le cinquantenaire de l'U.R.S.S.*, *op. cit.*, p. 21.

2. Sur la notion de culture politique et l'utilisation du concept de culture dans l'anthropologie politique, cf. TUCKER, « Culture, political culture and communist society », *Political science quarterly*, II, juin 1973, p. 170-190.

3. KHARTCHEV (A.), *Brak i Sem'ia v S.S.S.R.*, Moscou, 1964 et *Sovetskaia Kirgizia*, 14 octobre 1976 : l'auteur note à propos des mariages mixtes en U.R.S.S. que « l'internationalisme est devenu une conviction et une norme de conduite » (p. 3).

4. TCHUIKO (L.), *Braki i razvody*, Moscou, 1975, p. 76.

5. ABRAMZON (S.M.), « Otrajenie problemy sblijenii natsii na semeino-bytovom uklade narodov Srednei Azii i Kazakhstana », *Sovetskaia Etnografiia*, mars 1962, p. 18-34.

6. KHARTCHEV, *op. cit.*, p. 195, confirme cette hostilité.

7. KOZLOV (V.), *Natsional'nosti S.S.S.R.*, Moscou, 1975, écrit p. 243 : « Des matériaux semblables n'existent pas pour l'Asie centrale, mais au vu des données disponibles, la situation y est en beaucoup de points semblable à celle du Caucase. »

8. EVSTINGEEV (Ju.), « Natsional'nye smechannye braki v makhatchkale », *Sovetskaia Etnografiia*, avril 1971, p. 80-85.

9. KOZENKO (A.) et MONOGAROVA (L.), « Statistitcheskoe izutchenie pokazatelei odnonatsional'noi i smechannoi bratchnosti v Duchanbe », *Sovetskaia Etnografiia*, juin 1971, p. 112-118.

10. *Ibid.*, p. 113.

11. BORZYKH (N.), « Rasprostranenie mejnatsional'nykh brakov v respublikakh Srednei Azii i Kazakhstana v 1930khgodakh », *Sovetskaia Etnografiia*, avril 1970, p. 94-95.

12. ISMAILOV (A.I.), « Nekotorye aspekty razvitiia mejnatsional'nykh brakov v S.S.S.R. », *Izvestia Akademii Nauk Kirgizskoi S.S.R.*, avril 1972, p. 87.

13. DJUNUSOV (M.), « O nekotorykh natsional'nykh osobenostiakh obraza jizni v usloviiakh sotsializma », *Sotsiologitcheskie issledovania*, février 1975, tableau 1, p. 65, pour l'urbanisation comparée; p. 68 pour l'éducation.

14. DROBIJEVA (L.M.), « Sotsial'no-kul'turnye osobennosti litchnosti i natsional'nye ustanovki », *Sovetskaia Etnografiia*, mars 1971, p. 3-15.

15. SERGUEEVA (G.A.) et SMIRNOVA (Ia.S.), « K voprosu o natsional'nom

samoznanii gorodskoi molodëjy », *Sovetskaia Etnografiia,* avril 1971, p. 86-92; et EVSTINGEEV, *art. cit.*, p. 84.

16. *Sovetskaia Etnografiia,* mar s1976, p. 45 rapporte les résultats d'une enquête effectuée chez les Tatars de Kazan dans un milieu industrialisé et marqué par les migrations.

17. EVSTINGEEV, *art. cit.*, p. 84

18. Cf. SERGUEEVA et SMIRNOVA, *art. cit.*, sur l'attitude face aux contacts interethniques en général. Cf. aussi DROBIJEVA (L.M.), « Sotsial'no-kul'turnye osobennosti litchnosti i natsional'nye ustanovki », *Sovetskaia Etnografiia,* mars 1971, p. 3 à 15.

19. STAROVOITOVA (G.V.), « K issledovaniiu etnopsikhologii gorodskikh tatar », *Sovetskaia Etnografiia,* mars 1976, p. 53.

20. *Nauka i Religiia,* décembre 1975, p. 42. *Turkmenskaia Iskra,* 14 juillet 1976, dit qu'il faut cesser de donner aux enfants des noms à signification religieuse.

21. STAROVOITOVA, *art. cit.*, p. 53.

22. *Literaturnaia gazeta,* 17 novembre 1976, p. 11, et KEREITOV (R.Kh.), « Novye tcherty v svadebnom obriade kubanskikh nogaitsev », *Sovetskaia Etnografiia,* mars 1973, p. 85.

23. KEREITOV, *ibid.*

24. *Literaturnaia Gazeta,* 28 mai 1975, p. 12. Sur les mariages de filles impubères, cf. aussi *Turkmenskaia Iskra,* 14 juillet 1976.

25. *Nauka i Religiia,* août 1975, p. 92; *Turkmenskaia Iskra,* 14 juillet 1976, p. 2.

26. UMURZAKOVA (O.), *Zakonomernosti sblijeniia byta i traditsii sotsialistitcheskikh natsii,* Tachkent, 1971, p. 209. *Sovetskaia Rossiia,* 9 octobre 1976, p. 4, dit qu'au Daghestan, on a payé 2 000 roubles pour le *Kalym.*

27. UMURZAKOVA, *op. cit.*, p. 210.

28. KEREITOV, *op. cit.*, p. 89.

29. *Ibid.*, p. 88.

30. STAROVOITOVA, *art. cit.*, p. 54.

31. ACHIROV, « Islam i natsional'nye otnocheniia », *Nauka i Religiia,* février 1974, p. 35.

32. SMITH (H.), in *New York Times,* 22 novembre 1972.

33. UMURZAKOVA, *op. cit.*, p. 204.

34. ACHIROV, *art. cit.*

35. Cf. *Sem'ia i semeinye obriady u narodov Srednei Azii i Kazakhstana,* Moscou, 1977, 272 p.

36. SMITH (H.), *art. cit.*

37. UMURZAKOVA, *op. cit.*, p. 218.

38. LOBATCHEVA (N.P.), *Formirovanie novoi obriadnosti Uzbekov,* Moscou, 1975, p. 80-81. Le même auteur avait publié un article dans *Sovetskaia Etnografiia,* mars 1973, p. 14-24.

39. UMURZAKOVA, *op. cit.*, p. 173.

40. *Ibid.*, p. 130.

41. LOBATCHEVA in *Voprosy Etnografii,* février 1967, p. 20.

42. Un ouvrage récent donne involontairement une idée des résultats contradictoires de cette politique : ESBERGENOV (Kh.) et ATAMURATOV (T.), *Traditsii i ïkh preobrazovanie v gorodskom bytu Karakalpakov,* Nukus, 1975, 211 p.

43. Sur les femmes soviétiques et la vie active, cf. « Jenchtchiny v S.S.S.R. », *Vestnik statistiki,* 1975. Sur les femmes députés en Asie centrale, *Pravda,* 21 juin 1975. Des informations détaillées par républiques sur les femmes au travail dans les éditions républicaines de *Narodnoe Khoziaistvo.*

44. VASILIEVA (G.P.), « Jenchtchiny respublik Srednei Azii i Kazakhstana i ikh rol' v preobrazovanie byta sel'skogo naseleniia », *Sovetskaia Etnografiia,* juin 1975, p. 26.

45. BASILOV (V.N.), « Tachmat Bola », *Sovetskaia Etnografiia,* mai 1975, p. 112-124 et « Chamany segodnia », *Nauka i Religiia,* avril 1976, p. 52; SNESAREV (G.), « Chamany i sviatye v Srednei Azii », *Nauka i Religiia,* décembre 1976, p. 31-35.

46. SNESAREV (G.), BASILOV (V.), ed., *Domusul'manskie verovaniia i obriady v Srednei Azii,* Moscou, 1975, 340 p.

47. Sur ce problème et les sources, cf. BENNIGSEN (A.), LEMERCIER-QUELQUEJAY (C.), « Muslim religious conservatism and dissent in U.S.S.R. », *Religion in Communist lands* (à paraître).

48. VASILIEVA, *art. cit.,* p. 26.

49. MAL'KOVA (V.K.), « Primenenie kontent-analiza dlia izutchenia sotrudnitchestva sovetskikh narodov », *Sovetskaia Etnografiia,* mai 1977, p. 71 à 80.

50. Il s'agit de *Sovetskaia Moldavia* pour la Moldavie, *Zaria Vostoka* pour la Géorgie et *Pravda Vostoka* pour l'Uzbekistan.

51. MAL'KOVA, *art. cit.,* p. 75.

CONCLUSION

1. Une autre approche très fructueuse du problème de la nation a été élaborée par KEDOURIE (E.), *Nationalism,* Londres, 1960. Si on ne l'a pas retenue ici, c'est seulement parce qu'elle n'est pas applicable à l'évolution soviétique.

2. *Kommunist,* n° 15, octobre 1977, p. 10.

3. *Sovetskaia Etnografiia,* mars 1976, p. 3-9.

4. *Sovetskaia Estonia,* 30 novembre 1976.

5. Cf. l'ouvrage de DJANDIL'DIN (N.), *Priroda natsional'noi psikhologii,* Alma Ata, 1971, et sa critique dans *Sovetskaia Etnografiia,* février 1973, p. 69-83; cf. aussi l'article de GURVITCH (S.), « Sovremennye napravleniia etnitcheskikh protsessov v S.S.S.R. », *Sovetskaia Etnografiia,* avril 1972, p. 16-34.

6. Les Mskhetiens, petit groupe musulman d'origine mêlée de 150 000 personnes au sud de la Géorgie ont été déportés aussi en 1944; leur sort est moins connu que celui des Tatars.

7. Sur l'évolution générale de l'idéologie russe, on lira avec intérêt l'étude de AGURSKY (M.), « *The Soviet legitimacy crisis and its international implications* », rapport présenté à la conférence de Chicago : « What is communism », 1977, 95 p.

8. Se référer, outre les citations qui figurent en titre de cet ouvrage, à l'article de CHEVARNADZÉ (E.), « Internatsionalistitcheskoe vospitanie mass », *Kommunist,* n° 13, septembre 1977, p. 45 et 46.

BIBLIOGRAPHIE SOMMAIRE

(Cette bibliographie ne reprend pas tous les titres cités en référence, mais renvoie seulement aux principaux ouvrages publiés en U.R.S.S. ou en Occident, et utilisés ici.)

I. — *PROBLEMES DE POPULATION :*

BOGARSKII (Ia), *Naselenie S.S.S.R. za 400 let. XVI-XX* (La population de l'U.R.S.S. depuis quatre cents ans), Moscou, 1973, 159 p.

BORISOV (V.A.), *Perspektivy rojdaemosti* (Les perspectives de la natalité), Moscou, 1976, 274 p.

DUNN (S.), DUNN (E.), *Introduction to Soviet Etnography,* Berkeley, 1974, 2 vol., 362 et 363 p.

TSENTRAL'NOE STATISTITCHESKOE UPRAVLENIE PRI SOVETE MINISTROV S.S.S.R., *Itogi vsesoiuznoi perepisi naseleniia 1959 goda,* Résultats du recensement de la population de l'U.R.S.S. de 1959), Moscou, 1962-1963, 16 vol.

Ibid., *Itogi vsesoiuznoi perepisi naseleniia 1970 goda* (Résultats du recensement de la population de l'U.R.S.S. de 1970), 7 vol., Moscou, Statistika, 1972-1974.

KOZLOV (V.I.), *Dinamika tchislenosti narodov* — metodologiia issledovaniia i osnovnye faktory (La dynamique de l'effectif des peuples — méthode de recherche et facteurs essentiels), Moscou, 1969, 408 p.

KOZLOV (V.I.), *Natsional'nosti S.S.S.R.* (Les nationalités de l'U.R.S.S.), Moscou, 1975, 262 p.

LEWIS (R.A.), ROWLAND (R.H.), CLEM (R.S.), *Nationality and population change in Russia and the U.S.S.R.;* an evaluation of census data, 1897-1970, New York, 1976, 456 p.

LORIMER (F.), *The Population of the Soviet Union : History and prospects,* Genève, 1946, 289 p.

Narodnoe Khoziaistvo S.S.S.R. v 1959 g (L'économie nationale de l'U.R.S.S. en 1959), Moscou, 1960 (annuaire statistique).

Narodnoe Khoziaistvo S.S.S.R. v 1961 g (L'économie nationale de l'U.R.S.S. en 1961), Moscou, 1962.

Narodnoe Khoziaistvo S.S.S.R. v 1970 g (L'économie nationale de l'U.R.S.S. en 1970), Moscou, 1971.

Narodnoe Khoziaistvo S.S.S.R. v 1972 (L'économie nationale de l'U.R.S.S. en 1972), Moscou, 1973.

Narodnoe Khoziaistvo S.S.S.R. 1922-1972 — Iubileinyi statistitcheskii ejegodnik (annuaire statistique jubilaire), Moscou, 1972.

Naselenie S.S.S.R. — Spravotchnik (La population de l'U.R.S.S. — Guide), Moscou, 1974, 191 p.

PEREVEDENTSEV, *Metody izutcheniia migrastii naseleniia* (Les méthodes d'études des migrations de population), Moscou, 1974, 231 p.

POKCHICHEVSKII (V.V.), *Geografiia naseleniia S.S.S.R.* (Géographie de la population de l'U.R.S.S.), Moscou, 1971.

RACHIN (A.), *Naselenie Rossii za sto let 1811-1913)* — (La population de la Russie de 1811 à 1913), Moscou, 1956, 352 p.

SLESAREV (G.A.), *Metodologiia sotsiologitcheskogo issledovaniia problem narodonaseleniia S.S.S.R.* (Méthodologie de l'étude sociologique des problèmes de la population en U.R.S.S.), Moscou, 1965, 160 p.

S.S.S.R. — Administrativo — territorial'noe delenie soiuznikh respublik — 1971 (L'U.R.S.S. — Division administrative — territoriale des républiques fédérées — 1971), Moscou, 1971, 688 p.

TOKAREV (S.), *Etnografiia narodov S.S.S.R. — Istoritcheskie osnovy byta i kul'tury* (Ethnographie des peuples de l'U.R.S.S. — les fondements historiques du mode de vie et de la culture), Moscou, 1958, 615 p.

II — *PROBLEMES NATIONAUX*

ALLWORTH (E.) (ed.), *Soviet nationality problems*, New York, 1971, 296 p.

ALLWORTH (E.) (ed.), *Nationality group survival in multi-ethnic States*, Shifting support pattern in the Soviet Baltic region, New York, 1977, 299 p.

ARUTIUNIAN (Iu. V.), DROBIJEVA (L.M.), CHKARATAN (O.I.), *Sotsial'noe i natsional'noe : opyt etnosotsiologitcheskikh issledovanii po materialam tatarskoi A.S.S.R.* (Le social et le national — Essai de recherches ethno-sociologiques d'après des matériaux de la république de Tatarie), Moscou, 1973, 330 p.

BARGHOORN (F.), *Soviet Russian Nationalism*, New York, 1956, XII, 330 p.

BENNIGSEN (A.), LEMERCIER-QUELQUEJAY (C.), *L'Islam en Union soviétique*, 1968, 264 p.

CARRÈRE D'ENCAUSSE (H.), *Bolchevisme et Nation 1917-1929*, à paraître.

CONQUEST (R.), *The Nation Killers — Soviet deportation of nationalities*, Londres, 1970, 222 p.

DECHERIEV (Iu. D.), *Razvitie obchtchestvennykh funktsii literaturnykh iazykov* (Le développement des fonctions sociales des langues littéraires), Moscou, 1976, 430 p.

Directory of Soviet officials, Union republics, vol. III, Washington, Central Intelligence Agency, mai 1975.

GOLDHAGEN (E.) (ed.), *Ethnic Minorities in the Soviet Union*, New York, 1968 (recueil collectif).

Karpov (ed.), *Razvitie sotsialistitcheskoi kultury v soiuznykh respublikakh* (Le développement de la culture socialiste dans les républiques fédérées), Moscou, 1962, 610 p.

Katz (Z.) (ed.), *Handbook of major Soviet nationalities,* New York-London, 1975, 481 p.

Kerblay (B.), *La Société soviétique contemporaine,* Paris, 1977, 304 p.

Pipes (R.), *The Formation of the Soviet Union — Communism and nationalism 1917-1923,* Harvard Univ. Press, 1954, 355 p.

Sovetskii narod — novaia istoritcheskaia obchtchnost' liudei — stanovlenie i razvitie (Le peuple soviétique, une nouvelle communauté humaine.) — A.N. S.S.S.R., Moscou, 1975, 519 p.

Sujikov (M.), Demakov (G.), *Vliianie podvijnosti naseleniia na sblijenie natsii* (L'influence de la mobilité de la population sur le rapprochement des nations), Alma-Ata, 1974, 199 p.

S.S.S.R. — Velikoe Sodrujestvo narodov-bratiev (L'U.R.S.S., une grande communauté de peuples-frères), Moscou, 1972, 332 p.

Umurzakova (O.P.), *Zakonomernosti sblijeniia byta i traditsii sotsialistitcheskikh natsii* (Les lois régissant le rapprochement des mœurs et des traditions des nations socialistes), Tachkent, 1971, 239 p.

Valiev (A.K.), *Sovetskaia natsional'naia intelligentsia i ee sotsial'naia rol'* (L'intelligentsia nationale soviétique et son rôle social), Tachkent, 1969, 228 p.

TABLE DES CARTES ET GRAPHIQUES

TABLE DES MATIÈRES

LA COMPOSITION ET L'IMPRESSION DE CE LIVRE
ONT ÉTÉ EFFECTUÉES PAR FIRMIN-DIDOT S.A.
POUR LE COMPTE DE LA LIBRAIRIE ERNEST FLAMMARION
ACHEVÉ D'IMPRIMER LE 24 NOVEMBRE 1978.

Imprimé en France
Dépôt légal : 4e trimestre 1978
N d'édition : 8967 — N° d'impression : 3612
11 times à 1 pt

L'EMPIRE ÉCLATÉ